王志健編著

民間文學

神話流金

陳奇祿題

文史哲出版社印行

神話流金 / 王志健編著. -- 初版. -- 臺北市
: 文史哲, 民84
面 ; 公分. -- (民間文學 ; 1)
ISBN 957-547-933-5(平裝)

1. 中國神話 - 寓言 - 志怪 - 傳奇小說

857

民間文學 ①

神話流金

編著者：王志健
出版者：文史哲出版社
登記證字號：行政院新聞局局版臺業字五三三七號
發行人：彭正雄
發行所：文史哲出版社
印刷者：文史哲出版社
台北市羅斯福路一段七十二巷四號
郵撥〇五一二八八一二彭正雄帳戶
電話：三五一一〇二八
實價新台幣四八〇元
中華民國八十四年八月初版

ISBN 957-547-933-5

神話流金 目錄

神話流金

神　話

創世紀

孔子不談怪力亂神，引起一些外國人的誤解，認爲中國是一個沒有神話的民族，其實這種摸象之談是瞎子的臆測，不是眞知，不能算數的。因爲，中國的神話，和他們的夢想一樣多，有多少星辰就有多少夢想，有多少夢想就產生出來多少神話。神話是中國人生活歷程的記錄，是內在意識結合特殊的精神境界，超越世俗的羈絆，而爲無遠弗屆的神遊。一若莊子的逍遙遊然。神話是一切文化之開始，是人類歷史的源頭，也是文學的、藝術的萌芽的土壤。土壤廣大，孕育想像之中，想像之外的衆生。

天地玄黃，宇宙洪荒的那個時代，萬物怎樣產生，人與衆生並行在化育中創造，誰的力量，誰的鬼斧神工，誰在運轉乾坤，將冥昧的古原，由昏闇而引來一線光明，誰在那裡創造這奇蹟？徐整在「三五歷記」中記載這神話：

天地渾沌如雞子，盤古生其中。萬八千歲，天地開闢，陽清爲天，陰濁爲地；盤古在其中，一日九變，神於天，聖於地；天日高一丈，地日厚一丈，盤古日長一丈。如此萬八千歲，天數極高，地數極深，盤古極長。後乃有三皇。

盤古生於雞子一樣渾沌的天地中，雞子如蛋類，故盤古是卵生。佛言：「所有一切衆生之類，若卵生，若胎生，若濕生，若化生，若有色，若無色，若有想，若無想。若非有想，非無想，我皆令入無餘涅槃而滅度之。」身形無數，總名衆生。此衆生物由卵生的盤古而來。所謂卵生者如龍（蛇），如鳥，如龜，皆是卵生。盤古降生，一日九變，如此萬八千歲，盤古隨天地而長至極高。

五運歷年記說：

天氣濛鴻，萌芽茲始，遂分天地，肇立乾坤，啓陰感陽，分布元氣，乃孕中和，是爲人也。首生盤古，垂死化身，氣成風雲，聲爲雷霆，左眼爲日，右眼爲月，四肢五體爲四極五嶽，血液爲江河，筋脈爲地理，肌肉爲田土，髮髭爲星辰，皮毛爲草木，齒骨爲金石，精髓爲金玉，汗流爲雨澤，身之諸虫，因風所感，化爲黎甿。

盤古化身，乃爲日月山河，風雲雷霆，四極五嶽，草木金石，「身之諸虫，化爲黎甿。」黎者黎苗，三黎九苦，指的是上古民族與先民。甿者耕田之人，而人之生，則得中和之氣。但也是盤古的化身。天地茫茫，人將如何？

列子湯問第五：

殷湯曰：然則上下八方有極盡乎？

革曰（夏革）：不知也。

湯固問革曰：無則無極，有則有盡，朕何以知之？然無極之外，復無無極，無盡之中，復無無盡。無極復無無極，無盡復無無盡，朕以是知其無極無盡也。而不知其有極有盡也。

又言：

故大小相含無窮極也，含萬物者亦如含天地。含萬物也故不窮，含天地也故無極。

但是無極的是天地，大於天地者是什麼？不足於天地之物的又是什麼？

昔者女媧氏煉五色石以補其闕。斷鼇之足，以立四極。其後共工氏與顓項爭爲帝，怒而觸不周之山，折天柱，絕地維，故天傾西北，日月星辰就焉，地不滿東南，故百川水潦歸焉。

列子黃帝第二：

庖犧氏女媧氏神農氏夏后氏蛇身人面，牛首虎鼻，此非人之狀，而有大聖之德。

『淮南子』說：

往古之時，四極廢，九州裂，天不兼覆，地不周載，火爁炎而不滅，水浩洋而不息，猛獸食顓民，鷙鳥攫老弱；於是，女媧民鍊五色石以補蒼天，斷鼇足以立四極，殺黑龍以濟冀州，積蘆灰以止淫水；蒼天補，四極正，淫水涸，冀州平，狡蟲死，顓民生。

說父：

媧，古之神聖女，化萬物者也。

太平御覽引風俗通：

俗說天地開闢，未有人民，女媧摶黃土作人，劇務力不暇供，乃引繩於泥中，舉以爲人。故富貴者，黃土人也；貧賤凡庸者，絙人也。

盤古開天闢地，女媧煉石補天，同樣是創世之主。加以用泥土做人，使無有無極，無盡無窮的蠻荒大地上，有了人類，來幫助創造天地萬物的創世者，有了生機，萬物的欣欣向榮，乃能由此開始。

淮南子說林：

冬有雷電，夏有霜雪，然而寒暑之勢不易，小變不足以妨大節。黃帝生陰陽，上駢生耳目，桑林生臂手，此女媧所以七十化也。

女媧七十化，說他的本體能夠因緣變化，一時可以變做其他之物，而且能夠與自然的生態相應和。前面說盤古垂死化身，他的變化無窮與女媧的繩泥爲人，其原始的生態，是濛鴻於宇宙的陰陽之氣，這個原始的分布上下四方的元氣，乃能致中和，孕育如雞子的能源，生出來盤古，這盤古生長的極快極高極大，一日九變至萬八千歲；女媧在生命的成長中，並能七十變，其能可化爲神，可舉以爲人。而天地之分，肇立乾坤，啓感陰陽，如此而言，這一神話的意趣，啓迪自然的元氣孕育了盤古，也孕育了女媧，以陰陽之分來說，盤古與女媧皆能創造萬物，盤古的作用，以及其高大的形象，無甯乃是男性的象徵，女媧的化生之能，似乎是女性的體態，如此比擬，未嘗不是將創造人類萬物的主宰大神，分列左右，幷爲男女的稱呼。這樣的說法，在生態的化育上也是頗爲合適的。盤古與女媧創造人與萬物，以自身的形骨腹腸，血肉相連而化育黎民，上則爲神祇，下則爲生靈，化育生長，乃至生生不息。這種生物的創造過程是人性的，表現方式是自然的，人與神的關係，成爲順乎天理，合乎人情的解釋，神與人的任務，是天地必然發展的結果。而化育不僅是神人的生態，亦是自然的現象。

共工氏與顓頊爭爲帝，已經是兩個部屬間的戰爭，大致是伏犧神農之間的事。緣由土地與權力興衰榮枯的爭鬥，是三皇五帝華故維新的歷程，也是人類進步的象徵。

山海經說：祝融生共工，祝融獸身人面。共公禽獸頑愚。共工的臣子相柳九首人面，浮游也是惡神。他們與祝融戰「不勝而怒，乃頭觸不周山崩，天柱折，地維缺。」（見史記・司馬貞補三皇本記）

女媧煉石補天，因爲不周山天柱折，不得不把破洞補塡起來。

列子周穆王第三：

故昔者女媧氏，古天子風姓。

女媧與伏羲（庖犧）都是風姓，他們之間的關係，自然是十分密切的。

山海經

在三皇五帝的神話中，伏羲和女媧的創世神話，是山海經中的一個重要部分。

陶淵明有「讀山海經十三首」，山海經相傳為伯益所撰，至晉郭璞為之傳，凡二十三篇，每卷有圖讚經，所志多海內外超域山川神仙之異。其第一首詩中云：

汎覽周王傳，流觀山海圖，俯仰終宇宙，不樂復何如。

太康二年，汲民發古塚獲周王傳，這周王傳就是「穆天子傳」，所言山海圖，是註說山海經的圖卷。兩種古書都是郭璞註釋。陶淵明「讀山海經十三首」第一首詩中說的是在孟夏草木滋蓄，樹蔭遶屋，鳥鳴與好風相和，春酒共園蔬言歡，既耕已種，微雨西窗，欣然神遊於穆天子的周遊四海，山海經的神奇世界，乃知宇宙上下之無垠無極，自由自在的騁懷逍遙，眞是快樂的享受，陶淵明把他的「不樂復何如」的意境傳達給我們，可見山海經與穆天子二書，眞是兩種奇特之書。

山海經全書超過三萬一千字，奇特之處在於山經，海經，荒經皆出拎翻天覆地，萬象古怪的神話領域，而又能在繁複多變中見其圖藏穿插之妙不可言。因此，山海經可說是一部足跡蠻野，拓荒萬壑的地理誌，是披荊斬棘，茹毛飲血的心路與生活的艱苦奮鬥歷程。是理想與信仰，神話與傳說的歷史文化，科學，族系的寶庫。是生態的變化，異邦的探險，毒虬怪獸橫行，洪流沼澤環佈，是天地人相反相成，乖逆背離而又黏合融和的記錄。是帝王世系的生存發展，也是部落英雄繼絕世，興廢國，功成合相的生死血濃的眞象。他們的故事落日一般悲壯。內容豐富而寶藏珍貴。

王靜安先生有「冬夜讀山海經感賦」，其詩曰：

兵禍肇蚩尤，本出庶人雄。肆其貪饕心，造作兵與戎。帝受玄女符，始築肩髀封。龍駕俄上僊，顓頊方童蒙。康回怒爭帝，立號爲共工。首觸天柱折，乃與西北通。坐令赤縣民，當彼不周風。爾臣何人號相繇，蛇身九首食九州。蠚草則死蠚木枯，歍尼萬里成澤湖。神禹殺之其血腥，臭不可以生五穀。湮之三仞土，三菹峨峨群。帝臺南瞰昆侖虛，偉哉萬世功。微禹吾其魚。黃帝治涿鹿。共工處幽都，古來朔易地。中土同膏腴，如何君與民。仍世恣毒痛。帝降洪水一蕩滌，千年剛鹵地無膚。唐堯乃嗟咨，南就冀州居所以禹任土，不及幽并區。吁嗟乎。敦薨之海涸不波。欒池灰比昆池多。高岸爲谷谷爲阿。將由人事匪有它。斷鼇鍊石今則那，柰汝共工相繇何。

他略要述山海經內容，仍以神話爲主。伏羲與女媧的關係爲何？前已述及，但「女媧有體，孰制匠之？」女媧摶黃土作人引繩舉人，又教男女結婚生子，但女媧又從那裡來呢？淮南子的記載較爲詳細：

昔者共工與顓頊爭爲帝（此處作顓頊，司馬貞補史記三皇本紀作祝融），怒而觸不周之山，天柱折，地維絕，天傾西北，故日月星辰移焉；地不滿東南，故水潦塵埃歸

焉。（天文訓）

往古之時，四極廢，九州裂，天不兼覆，地不周載。火爁炎而不滅，水浩洋而不息。猛獸食顓民，鷙鳥攫老弱。於是女媧鍊五色石以補蒼天，斷鼇足以立四極，殺黑龍以濟冀州，積蘆灰以止淫水。蒼天補，四極正，淫水涸，冀州平，狡蟲死，顓民生。（覽冥訓）

看起來，顓頊與祝融似乎同爲一人，女媧的出現，爲黎民救苦救難，正代表了黎民一個共同的願望，他是神的力量的綜合體，他爲衆生謀福利，保平安，天要塌下來，他補蒼天。地要崩裂，塡溝壑，不周柱子斷了，他扶正，黑龍殘害生靈，他殺了以儆效尤，洪水泛濫，他集蘆灰以止洪水。如此大的功績，代表了慈母撫育兒女的辛勞。他與伏羲、神農並稱爲三皇（春秋運年樞），自然是不可移的信仰的典型。

伏羲與女媧據聞家驊考證，認爲他們原本是兄妹，洪水之後結爲夫婦。河南安陽殷墟侯家莊大墓兩蛇交尾，新疆吐魯番城出土高昌國絹畫，兩龍相交，相偎圖形，象徵伏犧，女媧二皇之爲人類始祖的圖騰文化，至可徵信。

伏羲氏又被尊爲太昊、大皞，說他是疋國的領袖。山海經海內經記述：

西南有巴國，大皞生咸鳥，咸鳥生乘釐，乘釐生後照，後照是始爲巴人。

巴國屬川東之地，擴及楚越雲貴及漢中等區。巴國爲伏羲的後代，因此，他們崇拜，龍與蛇，左傳曰：

太皞氏以龍化，故爲龍師而龍名。

伏羲是民族文化與智慧的表現。他的功績是由神話接近黎民生活的現實，他教人結繩記事，設網捕魚，引火舉炊，作瑟建木，最重要的是坐於方壇之上，觀八方之氣，始作八卦，以天地人三才，啓示萬物萬象化育融和，繁衍生息的至理，生命在有限與無限的創造中，表現出來存而不存，形而不形，變而不變，象而不象，循環而又更新，去腐而生新的宇宙論人生觀。人類的慾望由此而超越，人類的夢想基此而昇華。這種參與造世造物造人造境的原本創作，不僅是自然的，也是人性的，不僅是生命的，也是藝術的，不僅是理想的，也是生活的體現。就此而言伏羲實際是大能的神，也是大知的聖哲。

燧人・神農

燧人氏鑽木取火，教給黎民以火熟食，以火取暖，以火照明，以火驅走野獸，以火燃起熊熊的豔火，黎民圍著光燦的火，以歌謠、以舞蹈讚美光明，也讚美火。

由於毒蟲猛獸的肆虐，有巢氏率氏住入山洞，窯窖。也教民學著鳥兒架木於大樹築寓以居住，在住的問題上，黎民稍得寬舒，也知道了生活裡住的重要和安全上的自我保護。

人類逐漸繁衍，由於洪水爲災，黎民祈天爲食，除了捕獵漁牧之外，實在需要食物裹腹充饑，農事成爲黎民生活的必要，而適時教民製造農具，開墾田畝，指點耕稼的神農氏便神蹟般的降臨人間，而紅色羽毛的鳥兒，口裡啣著九穗在大地上飛翔，把珍穗如雨點般灑在春泥上，神農氏把這些穗粒種入土壤，五穀便從田裡長出了芽苗，長成了穀粒，從此以後，黎民得有稻麥爲主食，不必靠生野的食物過活也漸漸脫離了茹毛飲血的粗野生活。爲了治療黎民的瘟疫疾病，神農深入蠻荒山野，嘗遍了百味草，試驗出各種各類的醫藥，來治療黎民的百病，神農以身爲試驗品，中過不知其數的毒，又解了不知其數的病，由於上天有好生之德，送他一條神鞭，來辨別草木的藥性，用來救濟萬民的病痛。不過，神農氏還是大膽的吃下了無藥可救的斷腸草，因爲肝腸寸斷，爲黎民犧牲了自己的性命。

黃帝

神農氏之後，權威最高最大的共主是黃帝，淮南子天文篇：

> 東方木也，其帝太皡，其佐句芒，執規而治春；南方火也，其帝炎帝，其佐朱明（一說祝融），執衡而治夏；中央土地，其帝黃帝，其佐后土，執繩而制四方，西方金也，其帝少昊，其佐蓐收，執矩而治秋；北方水也，其帝顓頊，其佐玄冥，執權而治冬。

相傳黃帝有四面，意思就是說他不僅眼觀四面，而東南西北每一面，都是他的正面，也就是說他位在中央之地，他的力量與仁德可以觀照到每一個地方。山海經海內西經說：他以昆侖爲聖山：

昆侖之虛，在西北，帝之下都，昆侖之虛，方八百里，高萬仞。

意思是說這座巍峨的昆侖。高高在上，聳立雲端，這裏就是他的都城。又說：昆侖之虛，面有九井，以玉爲檻，面有九門，門有開明獸守之。開明獸身大類虎而九首，皆人面。

開明獸其實是人身虎面九個頭的守護神。在昆侖之邱，無論是何種禽獸，都有奇異的徵象，不是三首八足，就是赤喙龍身，怪誕而又神奇，又有絳樹瑤木，瑤水琅玕美不勝收。

列子黃帝第二曰：

黃帝即位有五年，喜天下戴己，養正命，娛耳目，供鼻口，焦然，肌色皯黯昏然，五情爽惑。又十有五年，憂天下之不治，竭聰明，進智力，營百姓焦然，肌色皯黯昏然，五情爽惑，莫帝乃喟然讚曰：朕之過淫矣。

他希望溺喪於間蕩與競求名利者皆能知所行止而歸於正道。黃帝姓公孫名軒轅，是少典的兒子，他的帝都在昆侖之圓丘，化身以雲爲紀，我們看左傳昭公十七年的記載：

郯子來朝。公與宴。昭子問焉，曰：「少皞氏鳥名官，何故也？」郯子曰：「吾祖也。我知之矣。昔者黃帝氏以雲紀，故爲雲師而雲名，……我高祖少皞，摯之立也，鳳鳥適至，故紀於鳥，爲鳥師而鳥名。

而鳳鳥又是他們的圖騰。

黃帝既爲中央的偉大帝王，他的共主的權威地位，不僅是用他的德望建立，也是由於他位居中央，有集中的地理優勢爲之鞏固，更因爲他有強大的威力，於阪泉之野三次的戰役中獲得勝利，而爲四方帝王所擁戴，一致尊之爲共主。希望天下一統，萬世太平。

南方的炎帝祝融是蚩尤的先祖，他年紀老邁，準備安養天年。但是銅頭鐵額，四眼六臂，心狠手辣，凶殘成性的蚩尤，早生叛亂之心。他頭上長著如犀牛一般鋒利的巨角，醜惡的鬢毛戟張出來尖銳的刀劍，獸耳牛蹄，聲如澀雷。他要先奪炎帝的寶座，再打算橫掃東西，打倒黃帝。炎帝仁慈，不願跟蚩尤爭鬥，便退避到北方的涿鹿，這更使蚩尤的野心狂熾，凶燄一發不可收拾，於是他號令八十一個惡魔醜怪的兄弟率領鬼域的魑魅魍魎晝夜打造各種惡毒的武器，驅逐鞭策妖魔鬼怪殺向炎帝，涿鹿一瞬間成爲腥風血雨的煉獄，炎帝抵擋不住蚩尤的攻擊，爲了保護無辜黎民的生命，他只好趕急向黃帝發出了求救的訊號，黃帝先警告蚩尤不可塗炭生靈，叫他停止戰爭，收斂侵略的野心，不可爲禍蒼生。蚩尤眼看著他的老祖先就要失敗，豈肯罷休，更是猛烈的向炎帝瘋狂圍攻。黃帝至此最後生死關頭，乃號召諸侯組成救援聯軍，浩浩蕩蕩向阪泉之野前進，列子黃帝第二：

> 黃帝與炎帝戰於阪泉之野，帥熊羆狼豹貙虎爲前驅，鵰鶡（鶚）鷹鳶爲旗幟，此以力使禽獸者也。

此處所指炎帝，是指蚩尤趕走祝融自稱炎帝，黃帝與炎帝戰於坂泉之野，說的就是黃帝率領義軍與蚩尤在坂泉之野大戰。帥熊羆狼豹貙虎爲前驅，指黃帝可以役使凶禽猛獸對抗蚩尤的魑魅魍魎與妖魔鬼怪，這許多人面獸身的怪物能懾人的魂魄，並且有怪異的聲音叫人沈沈入睡，伶倫是黃帝的音樂大匠叫人吹起龍角，發出龍吟，黃帝並扑捉住了海裡的夔龍，剝下它的厚皮，製成巨大的軍鼓，又叫雷獸拿它的大腿骨，擂動隆隆的軍鼓，一陣陣天搖地動的戰歌，響徹雲霄，使妖魔們害怕發抖。

蚩尤也有使天地渾沌的絕招，它放出彌天漫野的黑霧，使黃帝的大軍陷入迷魂陣，黃帝召來風后共同創造出指南車，固定了不變的方向，又命應龍衝破了蚩尤的狂濤巨浪，昆侖山上來了黃帝的蛇后白毛女旱魃，吸走了蚩尤的黑雨濃霧。蚩尤別無路走，只得請來成都戴天絕嶺上的巨人夸父手舞龐然大蟒橫掃千軍前來助陣，但一物還有一物來剋服，玄女在此關頭化做鳥兒飛來，傳授黃帝兵法，夸父衝不出八卦陣，蚩尤的兄弟們一個個死於應龍之手，蚩尤終於難逃被正法，浸入鹽池，且遭凌遲分割，以免他再來造反的，使黎民遭受浩劫。它的頭顱高高的懸掛在天外，他的血流成了赤漬水，點點的腥紅染成片片的楓葉。蚩尤的族類，不免敗亡和絕滅。

蚩尤這個惡神既已剷除，各個族群在戰爭中做了前無古例的大結合，智慧集大成，文化進步，休養生息，一體遵照黃帝的指示。爲了祭天，採首山銅，於荊山之麓。鑄民族團結，四海歸心的九鼎，九鼎鑄成，全民歡騰，舉行盛大的祭拜，伶倫以骨笛和陶塤聽著鳳凰的叫聲，製作了十二律，又依照杜鵑，百靈等大自然各種鳥聲固定了三度，四度音程，這種仿效鳥類的鳴聲，也應用到山林溪谷之音以作歌，瓦缶，石片，本板，玉磬之音，也入了音律，所謂：擊石拊石，百獸率舞簫韶九成，鳳鳥來儀以聲致禽獸者也。此正如列子黃帝第二之言：

太古神聖之人，備知萬物情態悉解異類音聲，會而聚之，訓而受之。同於人民故先會鬼神魑魅，次達八方神民，末聚禽獸蟲蛾，言血氣之類，心智不殊遠也。

黃帝以雲爲圖騰，所以「雲門」大卷是祭拜天神的樂舞，樂舞的變化與高明，就是在於祭典中舞人扮演鳳凰的出現與演出。

更有進者，黃帝的皇后嫘姐養蠶採桑織布，創製了蠶絲絲綢，民間也有了麻衣的穿著，代替了獸衣樹衣，而跨出一大步，穿上了絲和麻織品的衣服。黃帝因爲指南車的發明，更發展舟車的交通工具，利用燧人氏之火，神農氏之醫藥，伏羲氏的八卦，推算甲子，黃帝善用聖賢和人才，使戰爭之後的國家，奠定了中華民族各類族群，共同開創文明的大道。

關於伶倫的製作十二律李賀有「苦篁調嘯引」一詩：

請說軒轅在時事，伶倫採竹二十四。
伶倫採之至崑丘，軒轅詔遣中分作十二。
伶倫以之正音律，軒轅以之調元氣。
當時黃帝上天時，二十三管感相隨。
惟留一管人間吹，無德不能得此管，
此管沈埋虞舜祠。

黃帝於鼎湖山水勝地，功成隱退，高昇祥雲間，好聽的音樂繚繞在簇擁他的衆神之間，龍翔鳳舞，君臣百姓依依不捨，龍鬚被拉住，根根下墜長成婉娫的龍鬚草，黃帝的長弓也被哭喊不放的民衆拉住，這就是長弓被稱呼爲烏號的原因，李賀在「李憑箜篌引」中歌道：

吳絲蜀桐張高秋，空白凝雲頹不流。江娥啼竹素女愁，李憑中國彈箜篌。崑山玉碎鳳凰叫，芙蓉泣露香蘭笑。十二門前触冷光，二十三絲動紫皇。女媧煉石補天處，石破天驚逗秋雨。夢入神山教神嫗，老魚跳波瘦蛟舞。吳質不眠倚桂樹，露腳斜飛濕寒兔。

雖然唐代的李憑彈的是箜篌，但是從用吳絲蜀桐製造出來珍貴的箜篌的樂聲裡，卻聽到了神話的故事，故事中，江娥素女如怨如慕，如泣如訴的心曲，昆山玉碎，芙蓉泣露，鳳凰和鳴，香蘭竊笑，詩裡說的十二門雖然指長安的一面三門，四面十二門，題與昆侖之虛的面有九門遙遙相對，二十三絲說的是箜篌的絲弦，每條絲弦皆有不同的音；他說到紫皇，這裡指黃帝令伶倫製樂，女媧煉石石被天驚，指的是箜篌巨濤般的聲音；他又想像仙女在彈奏溫柔纏綿的樂曲，又聽到鳥飛魚躍，吳剛在月裡倚桂樹入夢，玉兔忘神於冷冷的清寒的弦語。至此而夜露冷寂，四壁空茫。

此際，又有刑天與帝爭神，玄天記說：刑天與帝爭神，帝斷其首，葬之常羊山，乃以乳爲目，以齊爲口。他不肯倒下的身體，作了失敗的勇士的象徵。

黃帝的后妃大致有螺祖等四位，二十五個兒子，傳世有十二姓，分別爲海神、風神、金神、疫神等。他們的後代，由中央向四面八方擴散，遠及苗疆，犬戎，北狄，南蠻等。山海經大荒東經記載：

「黃帝生禺虢，禺虢生禺京，禺京處北海，禺虢處東海，是爲海神。」郭璞注：「即禺強也。」禺京、禺疆，即禺強。京、強，一聲之轉，疆即強字。〔淮南子·地形篇〕「隅強，不周之風所生也。」

「黃帝生苗龍，苗龍生融吾，融吾生弄明，弄明生白犬，白犬生牝牡，是爲犬戎。」又〔大荒西經〕：「黃帝之孫曰始均，始均生北狄。」〔大荒北經〕：「顓頊生驩頭，驩頭生苗民」

大荒西經又說：

「顓頊生老童，老童生重及黎。」顓頊爲黃帝曾孫，重與黎均爲黃帝第五世孫。

海內經也說：

黃帝生駱明，駱明生白馬，白馬是爲鯀。

從以上的神話傳說，可以了解黃帝的後代子孫，是遍及東西南北各地方。

少皞氏

少金天氏的誕生是一個美妙的音樂的故事，他的母親就是皇娥天神的女兒，她的手很巧，能夠在天宮織出很美麗的布匹。但她一人遊玩時，駕了一葉木舟於銀河順流而去，不覺來到一個奇異的地方，那裡有株桑樹高有萬丈，給的萬年果閃亮在火紅的葉子上，她留戀忘返，因爲，這裡是人神交會，或是男女談情說愛的地方。一個閃閃發光的英俊少年，從高聳的樹巔降在她身旁，告訴她他就是那顆在黎明時光耀在東方的星辰，而且，他也是天帝的兒子，他們因此產生愛情，相許終身，於是萬花齊放，百鳥和鳴，銀河如帶，桐琴梓瑟爲他們伴唱，並爲他們帶來愛情的結晶西方之帝窮桑氏少皞。

少皞建立的國度，是一個鳥的王國，這眞是一座奇異的邦城、百官臣屬俱皆爲鳥兒，鳳凰是總管大臣，燕子，伯勞，鸚雀，錦雞，分掌四季天時，五名部長鶺鴣掌管教育，布穀掌管營建，鵙鳩掌管法制，蒼鷹掌管刑罰，嘰嘰喳喳的滑鳩掌管輿論，又派五種野鳩分別去管理木工，金工，陶工，皮工，染工；又令九類扈鳥去管理春耕，夏耘，秋收，冬藏稼穡之事。這樣的政事，分工，實在開了鳥族共和的先例，左傳記載昭公請教少昊後裔郯子：

「少皞氏以鳥爲官，其故何在？」郯子原原本本，回答說：

我高祖少皞摯之立也，鳳鳥適至，故紀於鳥，爲鳥師而鳥名：鳳鳥氏，歷正也；玄鳥氏，司分者也；伯趙氏，司至者也；青鳥氏，司啓者也；丹鳥氏，司閉者也；祝鳩氏，司徒也；鵙鳩氏，司馬也；鳲鳩氏，司空也；爽鳩氏，司寇也；鶻鳩氏，司事也；五鳩鳩民者也，五雉爲五工正，利器用，正度量，夷民者也，九扈爲九農正，扈民無淫者也。

昭公聽了郯子的回答，不僅視聽爲之爽然，且有「茅塞頓開」之感。而孔子更爲郯子的博學多知傾倒，要拜他爲師。

少昊在東方立國之時，雄猛的鷙鳥就是他們的圖騰，後來遷移到西方，日觀東方太陽的昇起，黃昏時反照太陽西下，他的兒子該與他共管西方之土。而他的另一個兒子木神重則留給天帝伏羲氏以照管。三兒子般發明了弓箭。有一個兒子倍伐則被貶到南方，做了緡淵之神。而另一個兒子窮奇且是個凶神。史記·五帝本記說：

少皞氏有不才子，天下謂之窮奇。

神異經則說：他助惡爲虐，爲善不仁。

西北有獸焉，狀似虎，有翼能飛，便剿食人，知人言語。聞人鬥，輒食直者；聞人忠信，輒食其鼻；聞人惡逆不善，輒殺獸往饋之；名曰窮奇，亦食諸禽獸也。

但窮奇追隨了西王母，做爲十二凶神的領袖之後，他和叫做騰根半神半獸的怪物，每年十二月初八都受到逐鬼大會的邀請他們去協助方相氏等。由巫覡裝扮成的鬼王等，把爲毒人畜的蠱蟲如蜥蜴，馬蝗，蚣蜙，蝎子，金蠶，蟑螂，毒蛇等吃掉，妖魔鬼怪，瘟疫，厲蠱盡都在捕殺凌遲碎屍之列。

後漢書，禮儀記有段記載說：

先臘一日曰大儺，謂之逐疫，其儀選中黃門子弟年十歲以上十二歲以下百二十人爲侲子，皆赤幘皂製，執大鼗，方相氏黃金四目，蒙熊皮，玄衣朱裳，執戈揚盾，十二獸有衣毛角，中黃門行之，冗從僕射將之，以逐惡鬼於禁中。中黃門倡，侲子和曰：「……窮奇騰根共食蠱，凡使十二神追惡兇，赫女軀，拉女幹，節解女肉，抽女肺腸，女不急去，後者爲糧。」因作方相與十二獸舞，嚾呼周徧，前後省三過，門外五營騎士傳火棄於雒水中。

不過，在獵殺蠱害之中，婦女又成了，十二神淩虐的目標，把婦女也看做是殺伐棄絕的對象，恐怕是男權主義之下，恐嚇婦女，應留在家中，不可拋頭露面，膽敢出來的一種手段吧。

從以上的神話傳說中，找到苗民放蠱的來源，所謂的蠱，就是百蟲相焚，最後不死的那隻就是蠱，而驅鬼逐疫的大儺，就是民間最早的祈求天神降福黎民平安吉祥的儀式。

顓頊

黃帝的曾孫顓頊小的時候，曾到少皞的鳥國居住，在那裡接受政事和音樂教育，兒子老童有異妙的聲音，做鐘磬和應飛龍因風聲而譜成的天樂「乘雲」，又叫豬婆龍（鱓）以圓腹爲鼓，鼓出旋律的節奏。呂氏春秋古樂篇說：

帝（天帝）顓頊生自若水，實處空桑，惟天之合，正風乃行，其音若熙熙淒淒鏘鏘。帝顓頊好其音，乃令飛龍作效八風之音，命之曰承雲，以祭上帝（黃帝），乃令

（豬婆龍）先爲樂倡，鼉乃偃寢，以其尾鼓其腹，其音英。

這就是八音克諧的來由。

顓頊另外做兩件重要的事，一件事是因爲蚩尤作亂，禍及平民，殺戮無辜，黃帝就叫顓頊隔絕天地之路，黎民不能上天，另有神可以通天地，與平民相通。山海經大荒西經說：

大荒之中，有山名曰日月山，天樞也。吳姬天門，日月所入。有神人面無臂，兩足反於頭山（上），名曰噓（噎）。顓頊生老童，老童生重及黎，帝令重獻上天，令黎邛下地，下地是生噎，處於西極，以行日月星辰之行次。

另外一件重要的事情，是與倫理生活有關，他規定兄妹係屬骨肉之親，不可通婚，結爲夫婦，搜神記上面（第十四卷）說：

昔高陽氏有同產而爲夫婦，帝放之於崆峒之野，相抱而死。神鳥以不死草覆之，七年男女同體而生，二頭四手足，是爲蒙雙氏。

神鳥以不死草覆蓋，七年之後同體復活，大概是憐憫他們曝屍荒野，無人收葬，而以一種雙生連體兒的形體出現。指出人間有這種連體嬰的產生，而做神話的解釋。

顓頊有凶神般的不肖兒子，論衡。解除篇：

「昔顓頊氏有子三人，生而皆亡，一居江水，爲虐鬼；一居若水，爲魍魎；一居歐隅之間，主疫病。」又「說文」：「蝄蜽，山川之精也，淮南王說，魍魎狀如三歲小兒，赤黑色，赤目長耳美髮。」「國語．魯語」韋昭注：「蝄蜽，山精，好斅人聲而迷惑人也。」

玄中記：山精如人，一足長三四尺，食山蟹，夜出晝藏人不能見，夜聞其聲，千歲蟾蜍食之。

一般魍魎是鬼魅迷人魂魄者，人遇到魍魎必有惡運當頭。顓頊又有一個醜怪的劣子，神異經、西荒經說：

西荒經中有獸焉，其狀如虎而大，毛長二尺，人面虎足豬口，牙尾長一丈八尺，攪亂荒中，名檮杌，一名獓根，一名難訓。〔春秋〕云，顓頊氏有不才子名檮杌也。

檮杌的惡名昭彰，所以又叫獓根，又叫難訓，這就是天生壞坯，無法管教，桀傲不馴，無法無天也。

顓頊還有一個奇形怪狀的兒子。大荒西經說：

有人焉三面，是顓頊之子，三面一臂，三面之人不死。

這個兒子雖然不死，但卻不讓一般人看到。

神仙是不死的，顓頊還有一個活了八百歲兒子（有說是玄孫）彭祖，取了四十九個妻子，生了不知道多少兒子，殷朝末年，彭祖已是七百六十七歲不但是仍然不見老態，老之將至對他來說好像是句玩笑話，不免引起想長生不死的殷王好奇，不免差了年輕貌美的采女去挖一些長壽不老的秘訣，儘管采女用盡手段，仍不能探聽出半點消息。太平廣記卷二有彭祖一篇神仙傳說：

彭祖

彭祖者。姓籛諱鏗。帝顓頊之玄孫也。殷末已七百六十七歲。而不衰老。少好恬靜。不恤世務。不營名譽。不飾車服。唯以養生治身爲事。王聞之以爲大夫。常稱疾閑居。不與政事。善於補導之術。服水桂雲母粉麋角散。常有少容。然性沈重。終不自言有道。亦不作詭惑變化鬼怪之事。窈然無爲。少周游時還獨行。人莫知其所詣。伺候竟不見也。有車馬而常不乘。或數百日。或數十日。不持資糧。還家則衣食與人無異。常閉氣內息。從旦至中。乃危坐拭目。摩搦身體。舐唇咽唾。服氣數十。乃起行言笑。其體中或疲倦不安。便導引閉氣。以攻所患。心存其體面九竅。五臟四肢。至於毛髮。皆令具至。覺其氣雲行體中。故於鼻口中達十指末。尋即體和。王自往問訊。不告。致遺珍玩。前後數萬金。而皆受之。以恤貧賤無所留。又采女者。亦少得道。知養性之方。年二百七十歲。視之如五六十歲。奉事之於掖庭。爲立華屋紫閣。飾以金玉。乃令采女乘輜軿往。問道於彭祖。既至再拜。請問延年益壽之法。彭祖曰。欲舉形登天。上補仙官。當用金丹紫氣召太一。所以白日昇天也。此道至大。非君王之所能爲。其次當愛養精神。服藥草。可以長生。但不能役使鬼神。乘虛飛行。身不知交接之道。縱服藥無益也。能養陰陽之意。可推之而得。但不思言耳。何足怪問也。吾遺腹而生。三歲而失母。還犬戎之亂。流離西域。百有餘年。加以少枯。喪四十九妻。五十四子。數遭憂患。和氣折傷。冷熱肌膚不澤。榮衛焦枯。恐不度世。所聞淺薄。不足宣傳。大宛山有青精先生者。傳言千歲。色如童子。步行日過五百里。能終歲不食。亦能一日九食。眞可問也。采女曰。敢問青精先生。是何仙人者也。彭祖曰。得道者耳。非仙人也。仙人者。或竦身入雲。無翅而飛。或駕龍乘雲。上造天階。或弋爲鳥獸。遊浮青雲。或潛行江海。翱翔名山。或食元氣。或茹芝草。或出入人間。而人不識。或隱其身。而莫之見。面生異骨。體有奇毛。率好深僻。不交俗流。然此等雖有不死之壽。去人情。遠榮樂。有若雀化爲蛤。雉化爲蜃。失其本眞。更守異氣。余之愚心未願此。已入道當食甘旨。服輕麗。通陰陽。處官秩耳。骨節堅彊。顏色和澤。老而不衰。延年久視。長在世間。寒溫風濕不能傷。鬼神衆精莫敢犯。五兵百蟲不可近。嗔喜毀譽不爲累。乃可貴耳。人之受氣。雖不知方術。但養之得宜。常至百二十歲。不及此者傷也。小復曉道。可得二百四十歲。加之可至四百八十歲。盡其理者。可以不死。但不成仙人耳。養壽之道。但莫傷之而已。夫冬溫夏涼。不失四時之和。所以適身也。美色淑資。幽閑娛樂。不致思慾之惑。所以通神也。車服威儀。知足無求。所以一志也。八音五色。以悅視聽。所以導心也。凡此皆以養壽。而不能斟酌之者。反以速患。古之至人。恐下方之子。不識事宜。流遯不還。故絕其源。故有上士別床。中士異被。服藥百裹。不如獨臥。五音使人耳聾。五味使人口爽。苟能節宣其宜適。抑揚其通塞者。不以減年。得其益也。凡此之類。譬猶水火。用之過當。反爲害也。不知其經脈損傷。血氣不足。內理空疎。髓腦不實。體已先病。故爲外物所犯。因氣寒酒色以發之耳。若本充實。豈有病也。夫遠思彊記傷人。憂喜悲哀傷人。喜樂過差忿怒不解傷人。汲汲所願傷人。陰陽不順傷人。有所傷者數種。而獨戒於房中。豈不惑哉。男女相成。猶天地相生也。所以神氣導養。使人不失其和。天地得交接之道。故無終竟之限。人失交接之道，故有傷殘之期。能避衆傷之事。得陰陽之術。則不死之道也。天地晝分而夜合。一歲。三百六十交。而精氣和合。故能生產萬物而不窮。人能則之。可以長存。次有服氣。得其道則邪氣不得入。治身之本要。其餘吐納導引之術。及念體中萬神。有舍影守形之事。一千七百餘條。及四時首向。責己謝過。臥起早晏之法。皆非眞道。可以教初學者。以正其所。人口精養體。服氣煉形。則萬神自守其眞。不然者。則榮衛枯槁。萬神自逝。悲思所留者也。人爲道。不負其本。而逐其末。告以至言而不能信。見約要之書。謂之輕淺。而不盡服誦。觀夫太清比神中經之屬。以此自疲。至死無益。不亦悲哉。又人苦多事少能。棄世獨往。山居穴處者。以道教之。終不能行。是非仁人之意也。但知房中閉氣。節其思慮。適飲食。則得道也。吾先師初著九節都解指。韜形隱遯。尤爲開明。四極九室諸經。萬三千首。爲以示始涉門庭者。采女具受諸要以教王。王試之有驗。殷王傳彭祖之術。屢欲祕之。乃下令國中。有傳祖之道者誅之。又欲害祖以絕之。祖知之乃去。不知所之。其後七十餘年。聞入於流沙之國。西見之王不常。彭祖之術。得壽三百歲。氣力丁壯。如五十時。得鄭女妖婬。王失道而殂。俗間言傳彭祖之道殺人者。由於王禁之故也。後有黃山君者。修彭祖之術。數百歲猶有少容。彭祖既去。乃追論其言。以爲彭祖經。(出神仙傳)

在這篇傳記當中，彭祖並沒有隱瞞自己長生不老以至不死的秘訣，這是因爲他愛養精氣，不受五色五聲所迷惑，而善守導引吐納之術。其中更重要的是不可沈溺於女色，故而這篇傳記後面有以下的話說：「鄭女妖淫，王失道而殂」的話，至於彭祖則因避王之加害，不知去向。這不知去向四個字，卻隱瞞了彭祖的下落。

帝俊·帝嚳

黃帝之後，最大最尊貴顯赫的神是帝俊。黃帝權力遍及四方，統領天下，被擁推者爲共主。他的子孫雄霸八面，也被後代子孫永遠追懷敬奉。帝俊被東方的殷民族共祀爲上帝。

山海經大荒東經：

東海之外大壑，少昊之國。

繹史·帝王世紀：

顓頊生十年而左少昊，二十而登帝位。

而顓頊是黃帝之子，少昊是娥皇的兒子，也是東方鳥的王國的帝王。帝俊的出生，山海經並無記載。大荒東經有圖畫著：

有五采之鳥，相鄉棄沙，惟帝俊下友，帝下兩壇，采鳥是司。

五采之鳥就是鳳凰，爲帝俊下界的使者，替帝俊看守兩座神壇，爲祭天的儀祀添了美麗的色彩。

大荒北經說：

衛丘方員三百里，丘南帝俊，竹林在焉，大可爲舟。

這裏不僅關係到帝俊的來歷，他的東方之國，和他的妻子等情況。

神異經說：

南方荒中有涕竹，長數百丈，圍三丈六尺，厚六九寸，可以爲船。

帝王世紀集校卷上：

帝嚳生而神異，自言其名夋。

夋就是俊，甲骨文上的夋是個鳥頭。當初伏羲氏就是東方之帝，輔佐伏羲治理東方的神叫做勾芒，海外東經說：

東方勾芒，鳥身人面，乘兩龍。

鳥身人面，或鳥首人身，好像一體的兩面。再看俊帝與帝嚳又似同爲一人，二人名同而身分則極爲相近，他們兩位取的妻子，卻是極富於藝術性和戲劇性的美感，而且也更接近了溫柔的自然。

我們不能以爲鳥身人面的帝俊那副怪樣，是難爲仕女青睞的，今人以爲怪相者，古人正視之爲極英俊的帝王之神顏。因此，帝俊取到了舉世稀有賢德妻子，美麗嬌娘，那就是羲和，常羲與娥皇。

在這裡，我們先來看陶淵明讀山海經詩十三首中，六、七兩首所詠的內容，是讚美帝俊之都的靈池神景，鳳舞鸞鳴，非人間所有：

逍遙蕪皐上。杳然望扶木。洪柯百萬尋。森散覆暘谷。靈人侍丹池。朝朝爲日浴。神景一登天。何幽不見燭。

粲粲三株樹。寄生赤水陰。亭亭凌風桂。八幹共成林。靈鳳撫雲舞。神鸞調玉音。雖非世上寶。爰得王母心。

扶桑，王逸曰：「扶桑，日所拂木也。淮南子曰：日出湯谷，浴乎咸池，拂于扶桑，是謂晨明；登於扶桑，爰始將行，是謂朏言。」洪興祖曰：「山海經云：黑齒之北曰湯谷，有扶木，九日居下枝，一日居上枝，皆戴烏。郭璞云：扶木，扶桑也。天有十日迭出運照。東方朔十洲記曰：扶桑在碧海中，葉似桑樹，長數千丈，大二千圍，兩兩同根更相依倚，是名扶桑。淮南子云：扶木在陽州，日之所曊，曊猶照也。說文云：榑桑神木，日所出。榑音扶。」

前面說過娥皇與金帝，以及扶桑之木。這裡說的是俊帝三百里衛邱竹林內高大的涕竹，這涕竹巨大寬厚，剖開後可以爲舟，航行於海上。至於日浴，正好指的是俊帝之后羲和，也就是李白峨嵋討中的太陽女神，亦即海外東經所指：暘谷上有扶桑十日所浴者。因爲，羲和替帝俊接連生下了十個太陽兒子。他們活潑可愛，甘泉把他們洗的耀日生輝，光明燦爛。在李白在詩中說：「日出東方隈，似從地底來。歷天又復入西海，六龍所舍安在哉！其行終古不休息，人非元氣，安能與之久徘徊！草不謝榮於春風，木不怨落於秋天，誰揮鞭策驅四運，萬物興廢皆自然。羲和！羲和！汝奚汨沒於荒淫之波。魯陽何德，駐景揮戈，逆道違天，矯誣實多。予將囊括大塊，浩然與溟涬同科！」

常羲不甘向羲和示弱，也接連替帝俊生下十二個月亮，月亮妹妹個個圓潤白潔，猶如李的詩中寫的玲瓏白玉盤，她們在藍天纖塵不染，入水不溺，出水芙蓉，眞的是帝俊的嬌嬌女。娥皇卻爲帝俊在人間生下了一個頭三個身子的兒女，他們以五穀爲食，但有讓百獸馴順聽命的力量，雖然怪模怪樣，但對黎民有益無害。

帝俊的兒女繁多，數一數眞是不少，這些子孫大都在人間，成爲生活的創造者。自從黃帝殺死了蚩尤，黃帝就令顓頊和大神重和黎把天和地的通道劃分，不再交通。帝俊的妻子羲和、常羲生了太陽月亮在天上，娥皇便生了三身人在地上。所以帝俊在天上爲天神，而娥皇的兒女在地上立國，成爲現實世界的人。中國的先民便一波波如湖水的來臨，不斷的在大地上的中央和東西南北產生。我們看帝俊的子孫：

有中容之國。帝俊生中容；中容人食獸，木實，使四鳥、豹、虎、熊、羆。

有司幽之國。帝俊生晏龍，晏龍生司幽，司幽生思士。思士不妻，思女不夫，食黍、食獸、是使四鳥。

有白民之國。帝俊生帝鴻，帝鴻生白民，白民銷姓；黍食，使四鳥、虎、豹、熊、羆。

有黑齒之國。帝俊生黑齒，姜姓；黍食，使四鳥。

有人食獸，曰季釐。帝俊生季釐，故曰季釐之國。

大荒之中，有不庭之山，榮木窮焉，有人三身，帝俊妻娥皇，生此三身之國；姚姓，黍食，使四鳥。

有西周之國，姬姓，食穀，有人方耕，名曰叔均。

帝俊生后稷，稷降以百穀；稷之帝曰台璽，生叔均；叔均是代其父及稷播百穀，始作耕。

帝俊生禺號，禺號生淫梁，淫梁生番禺，是始爲舟。

番禺生奚仲，奚仲生吉光，吉光是始以木爲車。

帝俊生晏龍，晏龍是始爲琴瑟。帝俊有子八人，是始爲歌舞。

帝俊生三身，三身生義均，義均是始爲功倕，是始作下民百巧。

帝俊賜羿彤弓，素矰，羿是去恤下地之百艱。

其中最重要的是：帝俊生后稷，稷降以百穀，而他的兒子叔均又繼續后稷的播種五穀的工作，教給黎民耕稼。黃帝舟車之作，螺祖絲布之織，至帝俊而播種食穀，初民衣食住行之便得以實踐。不過，在世本，王侯大夫譜中又說：

帝嚳元妃有邰氏之女曰姜嫄，是生后稷，次妃有娀氏之女曰簡狄，而生契；次妃陳鋒氏之女曰慶都，生帝堯；次妃娵訾氏之女曰常儀，生摯。

這裡指的是帝嚳元妃有邰氏女姜嫄生了后稷，次妃有娀氏之女簡狄生了契。帝堯和帝摯也都是帝嚳的兒子。這樣偉大的帝王和帝俊之聖德，實在難分軒輊。他們是一體兩面，說來也並無不當。而且，帝俊的妻子常羲生了十二個月亮，帝嚳納了鄒屠氏的女兒爲妃子，她常夢到呑食月亮，呑一個生一個孩子，也類似常羲的情況。

后稷和契的生年和他們的經歷是非常之富於故事性的，原來論衡吉驗篇曰：

后稷之時，履大人跡，或言衣帝嚳衣，坐息帝嚳之處，有妊。

爾雅釋訓：「履帝武敏」，釋文引舍人本將敏作畝。

在史紀、周本紀中有以下的記載：

姜原出野，見巨人跡，心忻然悅，欲踐之，踐之而身動，如孕者，居期而生子。

居期生子，就是生了后稷，而后稷則是姜原在野外，喜愛巨人的足跡，自己不由的去踐踏，因之懷孕生了他。這個后稷就是無名的巨人之子了。

史記。周本紀又說：

初欲棄之，因名曰棄。棄爲兒時，屹如巨人之志，其游戲，好種樹麻菽，麻菽美。及爲成人，遂好耕農，民皆法則之。帝堯聞之，舉棄爲農師。帝舜封棄於邰，號曰后稷。

這個野生的孩子，雖然生的白胖健康，但是，棄之於陋巷，牛羊竟來給他吃奶，棄之於山林，樵夫來照顧他，棄之於其寒冰，鳥兒來溫暖他，人們憐惜他，又抱了給姜原，姜原嫁了帝嚳，就好好把他養大。原來天賜良才，他是繼承神農之後，在農事上最傑出的一代尊師，這種傳統，在詩經生民中，做了詳實的歌頌：

> （后稷）誕寘之隘巷，生羊腓字之；誕寘之平林，會伐平林；誕寘之寒冰，鳥覆翼之；鳥乃去矣，后稷呱矣。

至於后稷被帝堯舉爲農師，被帝舜封於邰，爲了酬謝他救民於饑餒的苦困，不朽的功德。他死後，葬於高山流水間，爲黎民世代景仰。所以，山海經‧海內西經說：

> 后稷之葬，山水環之。

這是一種最高貴的儀葬。因爲后稷替天行道，他的功德，是與天一般大的，黎民紀念他，把他祀奉爲神，也是報恩的一種方式。

帝嚳的妃子簡狄是個大美人，在河裡洗澡，燕子飛來給她一個蛋吃，她就懷了孕，然後生下了契。史記•殷本紀說：

> 殷契母簡狄，有娀氏之女，爲帝嚳次妃，三人行浴，見玄鳥（燕子）墮其卵，簡狄取吞之，生契。

這也就是詩玄鳥：「天命玄鳥，降而生商。」

商就是說他是做民族的始祖，朱熹說：「玄王，契也。或曰以玄鳥而降生也。」當初，天地渾沌如雞子，盤古生其中。則契之生又與玄鳥有一脈相傳之緣，當然，也是

天降大任與斯人，如史記，殷本紀之言：

契長而佐禹治水有功，帝舜乃命契爲司徒。

古代的黎民爲生存，生活，生計與大自然搏鬥，是一頁悲壯的血淚史，其中英雄故事，如契佐禹治水，輔舜治國，歷歷在民之耳目，所以，給他一個尊榮的地位。

姜嫄的另一個孩子盤瓠的生平行爲，更是富於傳奇性和故事性。我以爲現代小說家施蟄存的小說「將軍的頭」的意象是源自刑天丟了頭，身體不肯倒下，且以兩乳爲眼，肚臍爲口，左手盾，右手斧的揮舞呼號。如此，盤瓠的神話，更可做爲一篇小說豐富的內容，若把這篇神話編爲腳本，攝拍電影，也涵詠著可感與可看性。我們來看盤瓠的內容：

原來姜嫄患了三年的病，良醫束手，不能治療。有天控出一條金色蠶，把來置入盤內，不久變成彩色狗，十分好玩。過了幾時，強敵戎吳王領軍來侵犯，情勢不妙。嚳帝懸賞周知，誰能砍下戎吳的首級，就讓公主與他成親。盤瓠竟於此時，偷偷投降了戎吳，戎吳高興，喝的酩酊大醉，不醒人事。但他的頭顱，卻被盤瓠咬下，送回給嚳帝，盤瓠不要任何犒賞，只在一旁悶悶不樂。嚳帝猜不著他的心事，難道公主與蠶龍可以成親？盤瓠忽然說話：只要把我放在盤中，七日夜我就變成人。盤瓠在盤中過了六天，公主忍不住要看看夫婿的面目，他的身體恢復了人形，只是狗頭尚未變成人頭。無論爲何，這樁婚事奇妙，二人辦了盛

大的喜宴，然後攜手做平民，去過獵牧的平凡生活，四個兒女大的盤裝，二的籃盛，三的叫雷，四女嫁了士兵跟了丈夫姓鐘。鐘鼓雷鳴，盤裝籃盛的後代，都奉盤瓠爲祖先，代代祀奉。

這樣多彩多姿的故事，實在引人入勝。連帶使人想起蠶馬的故事，女兒爲了找回遠行的父親，對馬兒許諾下嫁的願，馬兒找回父親，女兒卻毀了婚約，父親也殺了馬兒，將馬皮剝下，馬兒遭此下場，竟躍起馬皮裹起女兒奔向茫茫的曠野。過些時，有人發現一棵桑樹上，馬皮裹住的女兒變成了吐絲的蠶。這是人馬相戀悲劇性的故事。而盤瓠與公主卻充滿了一種人生的喜感。蠶馬的故事，馮至曾寫成敘事新詩，表揚女兒與馬兒的愛情。

帝嚳也有兩個兒子叫做閼個和實沈不肖，打打殺殺不會和穆相處，帝嚳把他們分處兩處，就是杜甫詩贈衛八處士中：「人生不相見，動如商與參」，那兩顆一個東一個西的星辰。

帝嚳還有件稀世的功績，那就是呂氏春秋古樂篇所說的：

帝嚳命咸黑作爲聲歌，九招、六英、六列；有倕作爲鼙、鼓、鐘、吹苓、管、壎、篪、鞀、椎鐘，帝嚳乃令人抃，或鼓鼙，擊鐘磬，吹苓，展管篪，因令鳳鳥天翟舞之。

九招、六英、六列是樂曲，其他則是歌舞中伴奏的各種樂器。由此可見帝嚳眞是一位有文化氣質的帝王。呂氏春秋，仲夏篇也有記載：

帝嚳乃令人作抃，或鼓鼙，擊鐘磬，吹苓，展管篪；因令鳳鳥天翟舞之，帝嚳大喜，乃以康帝德。

作抃，是一種拍手的舞，鼓鼙有土鼓與皮鼓，磬是石製的，苓可以竹管及獸骨吹奏，箎爲有孔的竹笛，這些樂器合組成樂隊，作鳳鳥天翟之舞。這個樂舞的演出，已有很好的內容，大家和樂融融，所以帝嚳看了很開心。因爲，他是位熱歌舞的好皇帝。

呂氏春秋·仲夏紀說：

音樂之所由來者遠矣，生於度量，生於太一。太一出兩儀，兩儀出陰陽，陰陽變化，一上一下，合而成章。……先王定樂，由此而生。

堯帝

前說帝嚳的次妃慶都是陳鋒氏的嬌嬌女，生了帝堯。帝嚳就是帝俊，是周人的上帝，也就是堯的生父。后稷是姜嫄的兒子，所謂「履帝武敏」即是在田野上踩到天帝的足跡。這位播五穀於畎畝的后稷，是帝堯的異母兄弟。堯敝衣茅屋，勤政愛民。我們看下面的記載：

韓非子：「堯之王天下也，冬日麑裘，夏日葛衣，茅茨不剪，采椽不斲，糲粢之食，藜藿之羹，雖監門之養不敵如此矣。」又：「堯飯於土簋，飲於土鉶。」

說苑·君道：「堯存心於天下，有一民饑則曰此我饑之也，有一人寒則曰此我寒之也，一民有罪則曰此我陷之也。」

述異記：「堯爲仁君，一日十瑞：宮中芻化爲禾，鳳凰止於庭，曆草生堦宮，萐蒲生廚……」

繹史卷九引田俅子：「堯爲天子，蓂莢生於庭，爲帝成曆。」

說文：「萐蒲，瑞草也，堯時生於庖廚扇暑而涼。」

堯是民饑已饑，民溺已溺，眞的做到身體髮膚，受之於大，亦受之於民，不僅是以民之所好好之，亦以民之所苦苦之。天視自我民視，天聽自我民聽，飯於土簋，飲於土鉶，眞是簡陋到極點了。古今帝王，沒有是這樣克難的。帝堯除了天下爲民的篤厚外，又有一次選賢與能爲其股肱的大能大德。說苑·君道曰：

說苑·君道：「當堯之時，舜爲司徒，契爲司馬，后稷爲田疇，夔爲樂正，倕爲工師，皋陶爲太理。」

帝堯選了舜爲文教，契掌國防，后稷爲農務，夔爲樂王，倕爲交通建設，皋陶掌理司法。荀子·非相篇說：

「皋陶之狀，色如削瓜。」注：「如削皮之瓜，青綠色。」又，「白虎過·聖人」：「皋陶烏喙，是謂至信，決獄明白，察於人情。」淮南子·脩務篇：「皋陶馬喙。」

無論怎樣說，皋陶眞是一張冬瓜臉，叫人看了膽寒。但他斷案如山，公正廉明，無枉無縱，合情合理。他還養了隻有角神羊，論衡說：

觟堦者，一角之羊也，性知有罪，皋陶治獄，其罪疑者，令羊觸之，有罪則觸，無罪

> 則不觸。故皐陶敬羊，起坐視之。

這隻神羊的角，專觸有罪之人。實在有趣，因爲，皐陶執法，也用了心理，犯罪學的技巧，能攻破罪犯的心防，眞是神來之策。在敎育上堯用了美好的音樂以感動人心。列子黃帝第二曰：

> 堯使夔典樂，擊石拊石，百獸率舞，簫韶九成，鳳皇來儀，此以聲致禽獸者也。

夔用石磬擊出叮叮咚咚的聲音，百獸聽了也跳起舞來，而簫韶的和諧，又使鳳皇來儀。尙書·益稷：

> 夔曰：戛擊鳴球，搏拊琴瑟以咏。祖考來格，虞賓在位，群后德讓。下管鼗鼓，合上祝敔，笙鏞以簡，鳥獸蹉跎。簫韶九成，鳳凰來儀。

夔爲樂官，周遊山水，因其音而成大章的樂曲，這樂曲如惠風和暢，八音合相，人們聽了心平氣和，避免了許多爭端。呂氏春秋·仲夏紀·古樂篇又說：

> 帝堯立，乃命質爲樂，質乃效山林溪谷之音以歌。

帝堯以仁德治國，以農耕漁牧爲主，天下太平。擊壤歌卻唱出了老農的心情，他敲看耕地的農具喝著：太陽出來我去耕田，夕陽西下我去休息，開了井我飲水，種了田我吃飯，堯帝的德行，與我什麼相干？

老農說的也是，他的功德，是他的事，吃飯喝水，自食其力，是我的事。自得其樂，才是眞的快樂。但是，堯帝的社會，確實表現了自由自在的生活，民主不就是如此嗎？知足常樂不就是如此嗎？老農表達自己的想法，正是這樣的無拘無束。誰管得著。我自生活，與帝何干？

舜帝

舜的孝行，是出之於九死一生而不悔。

舜的父親是個瞎眼的老頭名叫瞽叟，瞽叟的名字，頗有象徵的意義，說他是瞎了眼睛，不明事理，糊塗絕頂。舜出生之時，瞽叟夢到鳳鳥銜了米餵，且叫他爹。這孩子的眼睛是重瞳子，帝王世紀集校篇曰：

舜，姚姓也，目重瞳，故名重華。

舜生下不久，母親就去逝了，他的皮膚黑黑的，後母看見他就有氣，生了弟弟姚象之後，舜就成了後母殺虐的眼中釘。他屢次受毒打而不死，修理穀倉，遭火燒而脫險，他下井清理積泥，也能從堵塞的井口化鳥飛出，但他一心孝順，別無怨恨。他到歷山耕田，雷澤捕魚，河濱作陶工，莫不順利，凡他所到之處天助人助，心想事成。史記·五帝本紀曰：

舜耕歷山，歷山之人皆讓畔；漁雷澤，雷澤之人皆讓居；陶河濱，河濱器皆不苦窳。一年而居成聚，二年成邑，三年成都。

舜的孝名，天下皆知，堯帝對舜的賢德，尤其感佩。史記·五帝本紀曰：

「舜年二十，以孝聞，三十，而帝堯問可用者。四嶽咸薦虞舜曰可。於是堯乃以二女妻舜，以觀其內，使九男與處，以觀其外。堯乃賜舜絺衣與琴，爲築倉廩，予牛羊，瞽叟尚復欲殺之。」

「堯二女不敢以貴驕，事舜親戚，其有婦道。」

但象心存不規，希望舜速死，他好佔有二位嫂子爲妻。

象乃止舜宮居，鼓其琴，舜往見之，象鄂不懌，曰：「我思舜，正鬱陶。」舜曰：「然，爾其庶矣！」舜復事瞽叟，愛弟彌謹。

瞽叟爲了滿足象的惡毒慾望，仍想殺害他。烈女傳·有虞二妃說：

瞽叟又速舜飲酒，醉，將殺之。二女乃與舜藥浴注豕，往，舜終日飲酒不醉。

想不到二妃老早洞察機先，給他服靈藥，又救了舜的性命。最重要的考驗，是帝堯要他獨自通過可怕的黑森林，那裡暴風雨肆虐，認淸方向，不屈不撓向前進，是最終的鍛練。偉大的堯帝開創了中國明德而至善的禪讓大道，把帝位傳授給了賢聖仁德的舜。中國以孝治國的理念，遂攀上了人世的高峰。恰如史說·五帝本紀者：

「舜之踐帝位，載天子旗號，夔夔唯謹，如子道。」「路史·後紀十一」：「乃駕五龍，日三朝于瞽所，故瞽叟底豫。」

「（舜）封弟象爲諸侯。」集解云：「［孟子］曰：『封之有痺。』音鼻。」

舜於登帝位後，仍然唯唯謹謹，每日問度瞽叟的生活起居，並且封不肖弟爲諸侯。

舜有兩賢惠的妻子，烈女傳·有虞二妃曰：

> 既納于百揆，賓于四門，選于林木，入于大麓，堯試之百方，每事常謀於二女。

二女的智慧不僅在堯帝的身教下對政治建設有很大的發揮，嫁給舜以後，對保護篤厚的舜，避免受到瞽叟和他的後母及象的種種陷害，也有實際有效的對策，而免除了不少危機。堯帝的仁德爲舜所繼承，他的孝心終於感化了瞽叟和後母以及弟象。舜和娥皇女英都是性情柔和愛好音樂的，呂氏春秋。古樂篇：

> 舜立，命延（樂師）乃拌瞽叟之所爲瑟，益之八弦，以爲二十三弦之瑟，帝舜乃命質（樂師）修九招、六列、六英，以明帝德。

九招，又叫九韶，使用簫、笙等細樂器演奏，故又叫「簫韶」。帝嚳時，咸墨初作九招，至堯至舜必然又有改進，所以，孔子讚賞九韶至美至善。

我們前面說到質承帝堯之命效山林溪谷之音爲音，至舜，質這位樂師發揮了他的天才。而舜自己也是位音樂家，繹史卷十引尸子的話說：

> 帝舜彈五弦之琴，以歌南風。其詩曰：南風之薰矣，可以解吾民之慍兮；南風之時矣，可以阜吾民之財矣。

由此而知，舜也是喜歡歌唱的。

舜時的大難是水患，舜請大禹治水。水患平息之後，舜到南方去巡視，逝於蒼梧，帝王世紀集校說，他活了百歲。死後葬在九嶷山。娥皇女英一路哭著，眼淚灑在吳地的竹子上，盡是斑斑血淚，人稱湘妃竹。屈原九歌中，湘君湘夫人是湘水的神靈，秋風木葉，不勝思愁。水經注。湘水說：二妃溺於湘江，「神遊洞庭之淵，出入瀟湘之浦」。也給人以無限的追慕。

禹帝

洪水泛濫，衝決四方，濁浪溢天，百姓遭殃。黎民又回到了天地玄黃，大地洪荒，洞窟山居，巢宿浮游的原始生活，與大自然爭生存，也面對饑餓的禽獸鬥爭。

堯帝曾令鯀擔負防洪的重任。海內經說：

> 黃帝生駱明，駱明生白馬，白馬是爲鯀。

但又有一說是堯帝封鯀於崇山，那地方是顓頊一族的居處，所以鯀是顓頊之子，山海經·大荒西經說：

> 有魚偏枯，名曰魚婦。顓頊死而後蘇，風道北來，天乃大水泉，蛇乃化爲魚，是謂魚婦，顓頊死即復蘇。

這種死而復蘇，是與蛇、魚不分，自然與水有關，堯令鯀去治浩漫洪水，他用「堙」、「障」的方法築堤。就是搬運土來填塞，水來土掩，對小水尚可暫時補漏，對浩漫的怒濤洶湧，卻無成效：鯀性惰急燥，禁不住偷了天帝會自己生長的息壤來堵洪水，其實是不斷的把土堆上去，結果，洪水不能治，生靈塗炭，輾轉赴死。因此，觸怨了天帝，就把鯀處決於羽這個黑暗的死亡之獄。但是，鯀雖不能像顓頊一樣死而復蘇，但他死了卻不腐爛，天帝因為鯀的性情暴戾，恐他成精作怪，便用吳刀分割鯀的屍體，一條糾龍便跳出鯀的肚子，這就是禹。不過另有感生帝的神話，說鯀的妻子是有莘氏的女兒女僖，破胸生了禹。而鯀則化為三雙腳的鼈，自沈於羽山的深淵。這與顓頊的化蛇為魚，有連屬的關係，因為，他們皆有波濤洶湧的水神的命運。

水患不除，黎民何辜，除水患是民之所求，是天命。海內經說：

帝乃命禹，卒布工，定九洲

禹的立德立功，在於平撫水患。他從鯀的失敗經驗中汲取了寶貴的教訓。堵塞洪水的錯誤方法廢除了，他識得水的性情，係要用疏通引導的流向，因地制宜，疏濬高低曲折，這是智慧的測驗，也是準確的判斷，是群力的運用，也是地理的考量。中原平坦廣大的地勢，不能承受高原下降的急流，因此，黃淮流域，成為他降服洪水的主要地區。首先，大禹聚集了一批治洪的專家在身邊，繼則發動大批的民衆協力引水進入可行的水道，墨子所說禹以神力開鑿龍門，引納洛汭，水飾：鑿龍門疏河。其實就是緩和急湍的洪流入於疏通的河川。而神話遂成為大禹施工的轟轟烈烈的記錄。因為，大禹治水的工程，實在太艱鉅，在太古，太不可思議了。

首先，應龍，這個曾經襄助黃帝斬殺蚩尤，神通廣大的神龍，以尾劃地引導洪水入河道，其次是鳥族領袖伯益引火焚燒山木莽榛，驅除毒蛇猛獸，烘乾沼澤，開闢通路。水飾：

白面長人而魚身，捧河圖授禹，舞而入河。禹過江，黃龍負舟。

元夷蒼水使者，授禹山海經。

禹三十歲時娶塗山氏之女女嬌爲妻，因此，也得到塗山氏族的協助，自然他先有水患地方人群的全力動員參加。大禹娶了女嬌，過了四天甜密日子，便出發治水，三過其門而不入。可見他專心一志的態度。他的勤勞，甚至得到天帝將丈量地理的玉簡給他，神馬飛菟，跌蹄作他的騎，隨著萬千錦鯉躍上龍門，闖過鬼門。尤其是水精水怪妖龍惡獸，都在他的面前降服。爲了開每轘轅山，禹使出神術，化身爲一雙龐大的黑熊鑿路，他告訴女嬌：我肚子餓了，會敲鼓，你聽了鼓聲，才可送飯來。禹的力量極大，逢山開路，遇石排除，不料一塊石頭滾下去正好打到鼓面，女嬌跑來送飯，看到一雙大熊。淮南子說：

禹治洪水，通轘轅山，化爲熊。謂塗山氏曰：「欲餉聞鼓聲乃來。」禹跳石，誤中鼓，塗山氏往，見禹方作熊，慙而去。至嵩高山下，方生啓。禹曰：「歸我子，」石破北方而啓生。

這裡說，女嬌看到禹方作熊，驚駭而跑走，禹追趕她到嵩山之下，把初生的兒子從剖開的石縫中抱走，留下了女嬌，傳說啓生而毋化爲石，這是個很大的疑問，屈原在楚辭，天問中質疑道：

禹之力獻功，降省下土四方，焉得彼塗山女而通之於台桑？閔妃匹合，厥身是繼，胡維嗜不同味而快朝飢？

禹這樣大的功勞，娶了女嬌，卻不能白頭偕老，這究竟是什麼緣由？有人說，他們是自由戀愛，是兩個不同族群的婚姻，難容於長者與衆口的責問，女嬌只好離開禹而自去。說她變成了化石，只不過說她去了，不再回來。屈原所問的問題，似乎也得到了解答。看來，禹和女嬌的婚配，成了上古家庭的一樁疑案。

史記·夏本紀說：

十年，帝禹東巡，至於會稽而崩。

水經注·浙江水：說禹

崩於會稽而葬之，有鳥來爲之耘，春拔草根，秋啄其穢。

啓繼禹爲帝，開始父死子繼的繼承制度。原來禹有意效法帝堯禪位給有大功的伯益，但啓也有人擁護，經過大動干戈才奪有天下。天下安定，也費了九年的生息。啓行祭天大典時，莊嚴隆重，十分壯觀。堯、舜、禹三代的樂舞九辯，九韶、九歌洋洋乎響過雲霄。

穆天子傳

穆天子傳，晉·郭璞註，書共六卷。前有北岳王漸玄翰序說：

穆天子傳出汲冢晉荀勗校定爲六卷，有序言其事，雖不典，其文甚古，頗可觀覽，予考書序稱穆王饗國百年，耄荒，太史公記穆王賓西王母事與諸傳說所載多合，則此書蓋備記一時之詳，不可厚誣也。

序中的荀勗撰「穆天子傳序」說：

序古文穆天子傳者太康二年汲縣民不準盜發古塚所得書也，皆竹簡素絲編。

又說：

其書言周穆王遊行之事。春秋左傳曰：穆王欲肆其心，用行於天下，將皆使有車轍馬跡焉。此書所載則其事也。

由此觀之，周穆王傳就是周穆王遊行天下的記錄。

列子·周穆王第三說：

周穆王時，西極之國有化人，入水火貫金石反山川移域邑，乘虛不墜，觸石不硋，千變萬化，不可窮極。既已變物之形，又且易人之慮。穆王敬之若神，事之若君。推路寢以居之，引三牲以進之，選女樂以娛之。化人以爲王之宮室卑陋而不可處，王之廚饌腥螻而不可饗。王之嬪御膻惡而不可親。穆王乃爲之改築土木之功，赭堊之色無遺巧焉，五府爲虛而臺始成。其高千仞，臨終南之上，號曰中天之臺，簡鄭衛之處子，娥媌靡曼者施芳澤正蛾眉，設笄珥，衣阿錫，曳齊紈，粉白黛墨，佩玉環，雜芷若以滿之。奏承雲六瑩九韶晨露以樂之。月月獻玉衣，旦旦薦玉食。化人猶不舍，然不得已而臨之居，亡幾何謁王同遊，王執化人之袪，騰而上者中天迺止。暨及化人之宮，化人之宮構以金銀，絡以珠玉，出雲雨之上，而不知下之，據望之若屯雲焉。耳目所觀聽，鼻如所納嘗皆非人間之有。王實以爲清都紫微鈞天廣樂，帝之所居，王俯而視之其宮榭若累地積蘇焉。王自以爲居數十年不思其國也。化人復謁王同遊所及之處，仰不見日月，俯不見河海，光影所照王目眩不能得視，音響所來王耳亂不能得聽，不骸六藏，悸而不凝，意迷精喪，請化人求還，化人移之，王差殞虛焉。既寤而坐猶嚮者之處，侍御猶嚮者之人，視其前則酒未清殽未昲。王問所從來，左右曰，王默存耳。由此穆王自失者三月而復。更問化人，化人曰，吾與王神遊也。形奚動哉。

在列子周穆王篇中，找出其周遊的意念，從而言之：

王大悅，不恤國事，不樂臣妾，肆意遠遊，命駕八駿之乘，右服驊騮而左綠耳，右驂赤驥而左白㼦，主車則造父爲御，离冏爲右，次車之乘，右服渠黃而左踰輪，左驂盜驪而右山子，柏天主車，參百爲御，奔戎爲右，馳驅千里，至於巨蒐氏之國，巨蒐氏乃獻白鵠之血飲王，具牛馬之湩以洗王之足。及二乘之人已飲而行，遂宿崑崙之阿，赤水之暘。則日升崑崙之丘，以觀黃帝之宮，而封之以詒，後世遂賓於西王母，觴于瑤池之上。西王母爲王謠，王和之。其辭哀焉。

周穆王是什麼人？太平廣記卷二：錄仙傳拾遺曰：

周穆王

周穆王名滿。房后所生。昭王子也。昭王南巡不還。穆王乃立。時年五十矣。立五十四年。一百四歲。王少好神仙之道。常欲使車轍馬迹。徧於天下。以倣黃帝焉。乃乘八駿之馬奔戎。使造父爲御。得白狐玄貉。以祭於河宗。導車涉弱水。魚鼈黿鼉以爲梁。遂登於春山。又觴西王母於瑤池之上。王母謠曰。白雲在天。道里悠遠。山川間之。將子無死。尚能復來。王答曰。余歸東土和洽諸夏。萬民平均。吾顧見汝。比及三年。將復而野。又至於雷首太行。遂入於宗周。時尹喜既通流沙。草棲於終南之陰。王追其舊跡。招隱士尹轍社沖。居於草棲之所。因號樓觀從詣焉。祭父目鄭圃來謁。諫王以徐偃之亂。王乃返國。宗社復安。王造崑崙時。飲蜂山石髓。食玉樹之實。又登群玉山。西王母所居。皆得飛靈沖天之道。而示跡託形者。蓋所以示民有終耳。況其飲琬琰之膏。進甜雪之味。素蓮黑棗。碧藕白橘。皆神仙之物。得不延期長生乎。又云。西王母降穆王之宮。相與昇雲而去。

其中所言，造父爲御之事。列子·湯問記載：

造父之師曰泰豆氏。造父之始從習御也。執禮甚卑。泰豆三年不告。造父執禮俞謹。乃告之曰：古詩言：良弓之子，必先爲箕，良治之子，必先爲裘。汝先觀吾趣，如吾然。後六轡可持，六馬可御。造父曰：惟命所從。泰豆乃之木爲塗，僅可容足，計步而置，履之而行。趣走往還無缺失也。造父學之三日，盡其巧。泰豆歎曰：子何敏也，得之捷乎。凡所御者亦如此也。曩汝之行，得之於是，應之於心，推於御也。

齊輯乎，轡銜之際，而急緩乎脣吻之和，正度手胸臆之中，而執節乎掌握之間，內得之於中心，而外合於馬志。是故能進退，履繩而旋曲中規矩，取道致遠而氣力有餘，誠得甚術也，得之於銜，應之於轡，得應之於轡，應之於手，得之於手，應之於心，則不以目視，不以策驅，心閑體正，六轡不亂，而二十四蹏所投無差，迴旋進退莫不中節。先後輿輪之外，可使無餘，轍馬蹏之外，可使無餘地。未嘗覺山谷之險，原隰之夷，視之一也。吾術窮矣，汝其識之。

列子說：造父爲御者，則周穆王周遊天下之志，遂能達成。周穆王受到西極之國化人的影響而有坐遊如幻夢的感覺，就興起了神遊天下的意向。他到了巨蒐，郭璞注說巨蒐西戎國名，以鵠血給王當水喝，拿牛馬的乳汁給王洗他疲倦的腳，他們到崑崙之丘，瑤池之上做西王母的客人。西王母給他唱歌，說路途遙遠，難得一見，若你要走，希望再來相見。因爲周穆王受百姓愛戴，當時奏樂送行，有些分離的感傷，顯然西王母對周穆王有情有義。因爲，西王母後來竟去穆王之宮，與他一同昇雲而去，成就了雙飛的願望。西王母究竟是什麼樣的人？山海經·西次三經有下面的記載：

西王母

西王母其狀如人，豹尾虎齒，善嘯、蓬髮戴勝，是司天之厲及五殘。從以上的描述來看，西王母長的像人，但有豹的尾巴虎的牙齒，蓬勃的亂髮來約著玉冠。仰天長嘯時，聲音高亢淒厲。她的手下都是窮凶惡極的怪物，牠役使著這些怪物控制監禁著各種危害人間的毒蟲疫獸。看守巉岩洞三個大牢獄的是有一隻不眠不休尖牙利爪的三足鳥。

三雙勇猛的青鳥做西王母貼身的侍者，小心翼翼聽西王母的使喚。三足鳥，也有心軟手鬆的一瞬，可憐在牢獄中受煎熬的毒蟲疫獸哀哀求告，放一個小縫讓他們所感覺一線光，透透氣，牠看見西王母正在安寢，才求打開門縫，毒物們紛紛逃出，越逃越多，三足鳥慌了手足，眼看可怕的疫厲逃了個乾淨。十二個凶神四處追捕，結果，人海茫茫，只得空手而返。不過，西王母的宮室有的在玉山，有美玉做牠的寶藏，有崦嵫山上種的槐樹落日為伴，牠的行宮，好像到處都有，故穆天子卷三有：

予經東土，和治諸夏，萬民平均，吾顧見汝。比及三年，將復而野，天文遂驅升于弇山，乃紀丌跡于弇山之石，而樹之槐，眉曰西王母之山。

弇山就是崦嵫山，紀丌于弇山之石，丌字古字其，意思是銘題在石上，說這是西王母的山，又種了槐樹作紀念。西王母既然掌管了「天之厲及五殘」，又控制了毒蟲，疫獸，上帝特給她恩寵，讓牠保管不死之藥。瑤池是個美麗的地方，在瑤池之上，西王母被想像為莊嚴妙相而非醜怪難看。由於西王母保管有不死藥，使中國神話開展了另一面窗，看到了光輝的太陽和柔媚的月亮。也造就了英雄的悲劇形相和寓言的意象。

西王母倒底是怎樣的來由，無人知道。但山海經·中次三經說：

青要之山，實維帝之密都。魁武羅司之。甚狀人面而豹文。小要而的齒，而穿耳以鐻，其動如玉鳴。

這位魁武威羅身上的豹文和西王母的豹尾似乎有些相同，有豹尾，身上可能也有豹文。西王母的虎齒與魁武羅的白牙也相同，他們都住在崑崙山。搜神記卷十三說：

崑崙之墟，地首也。是惟帝之下都，故其外絕以弱水之淵，又環以炎火之山。山上鳥獸草木，皆有滋於炎火之中，故有澣布。

青要山與崑崙山都是有荀草采果，女子吃了，都會變成美人。穆天子傳卷六寫盛姬特別詳細，寫盛姬病死的喪事，尤其是具有文學價值。

神農氏的女兒

炎帝神農氏有三個美麗的女兒，少女有慧根，喜歡清靜，便跟了赤松子去修練，服食赤松子的水玉，出烈火而解脫，成仙之後，去了崑崙山，住在西王母的石室中。二女兒瑤姬是位多情的美人兒，可惜綺年玉貌，未出嫁而早夭，她的一縷芳魂飄上姑瑤山化做瑤草，蔓延著纏綿的枝葉，開黃花，結相連的果子，吃了就春心蕩樣。讓人如飲了迷魂湯。天帝對瑤姬憐惜，封她爲巫山之女神，早晨她是綺麗的朝雲，黃昏她是瀟瀟暮雨灑江天。高唐賦說：

昔者，楚襄王與宋玉遊於雲夢之臺，望高唐之觀，其上獨有雲氣，崒兮舍直上，忽兮改容；須臾之間，變化無窮，王問玉曰：此何氣也？玉對曰：所謂「朝雲」者也。

又：

楚懷王遊於高唐，晝寢，夢見與神遇，自稱是巫山之女，王因幸之，遂爲置觀於巫山之南，號曰朝雲，後函襄王時，復遊高唐。

交選江文通雜體詩注引宋玉集曰：

楚襄王與宋玉遊于雲夢之野。望朝雲之館，有氣焉，須臾之間，變化無窮，王問是何氣也。玉對曰：「昔先王遊于高唐，怠而晝寢，夢見一婦人，自云「我帝之季女，名曰瑤姬，未行而亡，封於巫山之臺。聞王來遊願薦枕席。」王因幸之。去乃言「妾在巫山之陽，高邱之岨，旦爲朝雲，暮爲行雨，朝朝暮暮，陽臺之下。」旦而視之，果如其言。爲之立館，名曰朝雲。」

此阮籍詠懷所謂：「三楚多秀士，朝雲進荒淫」的來由。因爲所叙情節中有季女瑤姬願薦沈薦之語。炎帝最小的女兒叫做女娃，不幸也溺死在海上，仕做精衛鳥，山海經·北次三經說：

發鳩之山，其上多拓木。有鳥焉，其狀如烏，文首、白喙、赤足，名曰精衛。其名自詨。是炎帝之少女名曰女娃。女娃遊於東海，溺而不返，故爲精衛，常銜西山之木石以堙于東海。

述異紀也說：

昔炎帝女溺死東海中，化爲精衛。偶海燕而生子，生雌狀如精衛，生雄如海燕。今東海精衛誓水處，曾弱此川，誓不飲其水。一名誓鳥，一名冤禽，又名志鳥，俗呼帝女雀。

精衛的力量極小，他化做精衛的目的，是叫着自己的名字，不停的啣著西山微末的木石去塡海，讓浩瀚的東海知道，它不應該死她這個在東海邊玩耍的嬌小的生命，這種知其不可爲而爲的精神，是悲劇英雄所以產生的主要原因。

愚公與夸父

列子・湯問第五：記載愚公移山說：

太行、王屋二山，方七百里，高萬仞；本在冀州之南，河陽之北。北山愚公者，年且九十，面山而居，懲山北之塞，出入之迂也；聚室而謀，曰：「吾與汝畢力平險，指通豫南，達於漢陰，可乎？」雜然相許。其妻獻疑，曰：「以君之力，曾不能損魁父之丘，如太行、王屋何？且焉置土石？」雜曰：「投諸渤海之尾，隱士之北。」遂率子孫荷擔者三夫叩，石墾壤，箕畚運於渤海之尾。鄰人京城氏之孀妻有遺男，始齔，跳往助之。寒暑易節，始一返焉。河曲智叟長笑而止之曰：「甚矣！汝之不惠！以殘年餘力，曾不能毀山之一毛，其如土石何！」北山愚公長息曰：「汝心之固，固不可澈；曾不若孀妻、弱子。雖我之死，有子存焉；子又生孫，孫又生子，子又生子，子又有孫；子子孫孫，無窮匱也；而山不加增，何苦而不平？」河曲智叟無以應。操蛇之神聞之，懼其不已也，告之以帝。帝感其誠，命夸蛾氏二子，負二山；一厝朔東，一厝雍南。自此，冀之南、漢之陰，無隴斷焉。

其中最動人的話是：「雖我之死，有子存焉；子又生孫，孫又生子；子又生子，子又有孫；子子孫孫，無窮匱也。而山不加增，何苦而不平？」所謂持之以恆，金石爲開，有恆爲成功之本，道出人間的至理。至誠無物，何苦山之不平，道之不通也。

海內北經說：

夸父與日逐走，入日，渴欲得飲，飲于河渭；河渭不足，北飲大澤。未至道渴而死，棄其杖，化爲鄧林。

大荒北經也說：

大荒之中有山名曰成都載天，有人珥兩黃蛇把兩黃蛇，名曰夸父。后土生信，信生夸父。夸父不量力欲追日景，逮之于禺谷；將飲河而不足也，將走大澤，未至，死于此。

列子·湯問：

夸父自不量力，欲追日影，逐之於隅谷之際。渴欲得飲，赴飲河渭，河渭不足，將北走飲大澤，未至道渴而死。棄其杖，尸膏內所浸，生鄧林，鄧林彌廣數千里焉。

山海經說：夸父死，棄其杖爲鄧林。陶詩讀山海經：

夸父誕宏志，乃與日競走；俱至虞淵下，似若無勝負。神力既殊妙，傾河焉足有？餘迹寄鄧林，功竟在身後。

精衛銜微木，將以填滄海。刑天舞干戚，猛志固常在。同物既無慮，化去不復悔。徒使在昔心，良晨詎可待！

刑天舞干戚的不死意志，正是和夸父一樣，是中國人最原始的生存的不肯屈撓的精神，與精衛填海的強毅，是同其可歌可泣的。

反叛的心是不允許的，殘殺異己的心也是法所難容的，海內西經說：弍負與危共同殺死而窫窳，天帝「梏之疏屬之山，桎其右足，反縛兩手與髮，繫之山上木，在開題西北。」

后羿與嫦娥

后羿與嫦娥的神話，涵寓著天地日月，生離死別的情節，是英雄的悲歌，是世俗的虛榮，是神秘的面紗，是自然的周復。

上古人間災禍有洪水與荒旱，有疫厲與戰亂，造成呼天叫地，民不聊生。后羿與嫦娥的故事，也逃不出命運的顚弄折磨。

帝俊的妻子羲和生了十個佻達活潑的太陽，他們平常都乖乖的聽從父母的安排，一個照亮天地，九個住在東方海外湯谷摩雲的扶桑樹上，聽到金雞報曉，便輪流坐看羲和的金車去上班。那些在黑夜裡飄浮遊蕩的野鬼們便被神荼鬱壘這兩個巨神押著，趕回桃都山的鬼域。一輪旭日便昇起在東方的天空，日久天長，十個太陽過著按步就班生活，不免枯燥乏味，不如違背慈母的意願，一齊昇上天空照耀人間，一齊到海裡洗澡，該海洋沸騰。紅燄四射的十個太，把熔漿向大地傾瀉，烈火燎原，花木枯焦，五穀不生，溪流枯渴，泥土龜裂，民不聊生。災黎的苦難，女巫祭之首女丑被繩索捆梆，便給抬著上了熱火之山，她以白羽掩裸體。兩眼向上翻，好似旱魃禿頂的怪相，她舞弄著蜷曲的小蛇，她指使猙獰的龍魚，讓巨蟹在四周爬行，她顫抖的搖動黑幡如烏雲，敲著石磬，擊著土鼓，吹著竹篪，仰天哭號。裸身的巫群，匍匐跪拜，唇焦舌枯，血膝骨肱，俯仰祈禱。長日長夜，十個太陽在天上無動於衷，不知大地疾苦。女丑終於血盡骨枯，犧牲了性命。人間回復到洪荒時代，樹皮草根，羅掘俱盡，饑餓遍地，嗷嗷待哺。堯帝的茅舍也要起火燃燒，他不停的祈禱，終於上達俊帝的耳中，他召來了大神后羿賜以朱紅的神弓，潔白的箭矢，令他去人間，拯救煉獄中的黎民，給十個頑皮的太陽，一些必要的教訓。

后羿來見堯帝，傳達拯救世人的心聲。他眼見災黎遍地，奄奄待斃，一個英雄的悲憤，比火山還要熾烈。又見太陽的暴戾殘忍，竟無視於大地的沈淪。一時忘了天帝不忍傷害他頑劣兒子的囑咐，拉弓射箭，把一腔正義射向昏瞶酷烈的太陽，一支箭一團巨大的燄火，一個太陽爆炸，帶着出竅的精魂，一隻三足金羽毛的烏鴉，鏗然崩裂墜落於遠方。九個太陽猝然驚慌，便向四方逃亡。地上的黎民振臂大呼，如海浪濤天，震撼宇宙，后羿心靈激盪，拉弓向上，一連射出箭矢，讓金色羽毛佈滿天空，金烏在金雨繽紛中向遙遠墜落。黎民跪伏地上，熱淚化作急雨，呼聲變化感泣，堯帝急忙拉住后羿的手，告訴他，天上只剩下一個太陽，懲罰已到最後，不要讓大地落入黑暗。九個太陽死了，留下一個太陽請他在白天出現，晚上給他休息。

九個太陽，九個暴君已經滅亡，但人間的暴君又爲天下帶來了災殃。堯帝感謝后羿爲民除害，不要拋棄善良的同胞。

於是，后羿去了中原，找尋那以嬰兒的啼聲，引誘人們出來，讓他吃個飽的怪獸猰貐。把牠除掉。

他到了南方的沼澤搜緝以人爲食的惡獸鑿齒，叫他伏法。

他到了北方的窮山惡水砍下毒龍九嬰的九個腦袋。

他回轉東方剖開凶殘的大風鳥惡毒的心胸。

在洞庭湖斬殺龐大的水怪巴蛇，牠的污血染穢了湖水。

他除去了森林的惡魔封豨，保住人畜的生命。

黎民的英雄，百姓的救星。你使大地生春，人間安樂幸福。但是，你違背了俊帝的意旨，殺了九個太陽，帶給羲和難以撫平的創痛，不收你獻上的山猪封豨的祭肉，不接受你的禱告，不准你回到天庭爲神，你要和你的妻子嫦娥居住地上，完全和平常人沒有兩樣。嫦娥心中怨恨后羿行事魯莽，爲何犯了天條，不能恢復爲神？后羿有了煩惱，他愧對妻子，尋求她的諒解，他以酒燒愁，在大地流浪。他徘徊洛水之濱，與伏羲的女兒宓妃不期相逢，一個是蓋世的落寞英雄，一個是絕代的失意美人，互相傾訴他們的衷曲與憂傷。英雄的肝膽，需洛神品嘗，美人的柔情，求英雄接納。兩情相悅，兩心無猜。他倆的戀情，惹怒了不知憐香惜玉的水神馮夷，化做暴戾的白龍，掀起巨浪，把憤怒發洩在無罪的百姓身上。后羿爲懲罰他的過錯，便射瞎他的一隻眼睛，讓他反省對妻子宓妃的輕視，珍惜人天罕有愛情。自己回到嫦娥身邊，告訴他要好好做個丈夫。但人間竟非天上，苦悶的是生命如何可以不死。后羿爲了解開生死之謎，就上崑崙山向西王母尋找不死之藥。西王母同情他的境況，竟把一顆千年收成的不死藥相贈。嫦娥急於要知道不死藥的效用，偷著吃下，身子飄蕩，飛出自家，直昇上了月宮，從此不回人世，拋棄了后羿，守著一隻兔子，和一個心無喜悲，旦暮砍著桂樹的吳剛，後悔不該偷了靈藥，過着碧海青天夜夜寂寞的生活。負心的女人，使后羿傷透了心。不過有個隨從名叫逢蒙，要做他忠心不貳的侍臣，懇請后羿把絕學傳授，他收了這個徒弟，教給他眼盯織布的機梭，注視細微之物如見車輪，如見南山。三年之後，逢蒙射術與后羿齊名。

列子·湯問有言：

> 甘繩古之善射者，轂弓而獸伏鳥下，弟子名飛衛，學射於甘繩，而巧過於其師。紀昌者又學射於飛衛。飛衛曰：爾先學不瞬，而後可言射矣。紀昌歸，偃臥其妻之機下，

以目承牽挺，二年之後，雖錐末倒，眥而不瞬也，以告飛衛，飛衛曰，末也。亞學視而後可視小爲大，視微如著，而後告我，昌以氂懸蝨於牖，南面而望之，旬日之間浸大也。三年之後如車輛焉。以餘物堵丘山也。乃以燕角之弧，朔蓬之簳射之，貫蝨之心，而懸不絕。以告飛衛，飛衛高蹈。將膺曰；汝得之矣。紀昌既盡之術，計天下之敵已者，當一人而已，乃謀殺飛衛。相遇於野二人交射，中路矢鋒相觸而墜於地，而塵不揚。飛衛之矢先窮，紀昌遺一矢，既發，飛衛以棘制之端扞之而無差焉。於是二子泣而投弓相拜，於塗，請爲父子，剋臂以誓：不得告術於人。

此處所記甘繩，飛衛與紀昌之事，給後來的習藝者一大警惕，告訴爲師者要留下一手絕學，不傳弟子，以保其全身而退。逢蒙計天下之敵，已者一人而已，及謀殺后羿於途，一連九矢，其矢皆爲后羿回射矢鋒相觸墜地，后羿此時矢盡，逢蒙尙有一箭已經射出，后羿應弦而倒。逢蒙料已將師父射死，豈知后羿起身，將牙齒咬住的箭矢吐在地上，告訴逢蒙：爾尙不當曾學到此法。逢蒙心腸狠毒，並不曾罷手。路史·後記十三說：

羿將歸畋，龐門（逄蒙）取桃棓殺之。

這是說：逢蒙在后羿身後，舉起一根桃木棍，把他的師父后羿暗殺了。

淮南子·記論篇說：

羿除天下之害，死而爲宗布。

宗布就是一尊保衛家室安全的守護神。

像神荼，鬱壘一樣，他倆因爲掌管驅魔逐鬼的使命，人們尊他們爲門神。

精氣神形的內涵

精靈怪異

神話與神遊不可分，有神話乃出之於神遊，神遊是想像的極致。而想像又是產生於現實的生活，乃先民對大自然洪水乾旱，龍鳥蟲魚之抗爭與崇拜，恐懼與歌頌。是生活的掙扎，也是生命的血淚悲歡，骨肉離合。由此而感覺精氣神形四者實爲神話世界的內涵，所謂精氣神形四者，要而言之，精是精靈怪異，氣是氣寓天地，神是神奇夢幻，形是形體化育，我們分開來看：

精靈怪異，基本上是生民之初，心態的變異，人與自然生物，無論是龍鳥蟲魚，都含有一種生命共有的感覺。但人究竟是怎麼回事，是從那裡來？是經誰的大能所創造？生物的生命的起源究竟是怎樣？楚辭天問首先問道：

遂古之初，誰傳道之？上下未形，何由考之？冥昭瞢闇，誰能極之？馮翼惟像，何以識之？明明暗暗，惟時何爲？

誰傳，誰形，誰知，誰識，爲什麼？

伏羲女媧是初民的祖先嗎？聞家驊在伏羲考中說：

關於伏羲女媧，考古學會，曾發現過些石刻和絹畫兩類的圖象。屬於石刻類者有五種。

武梁祠石室畫象第一石第二層第一圖（參見附圖）

同上左右室第四石各圖（參見附圖）

東漢石刻畫象（參見附圖）

山東魚臺西塞里伏羲陵前石刻畫家

蘭山古墓石柱刻象（以下二種均馬邦玉漢碑錄文所述）

屬於娟畫類者有二種。

隋高昌故趾阿斯塔那（Astana）幕室彩色絹畫（史坦因得）（參見附圖）

吐魯番古塚出土彩色絹畫（黃文弼得）

其中武梁祠畫為著著名，研究根據亦以此為主要參考。由此印證傳說伏羲女媧人首龍（蛇）身，也說明他們夫婦的關係，山海經·海內經說：

南方，有人曰苗民。有神馬，人首蛇身，長如轅，左右有首衣紫衣，冠稱冠，名曰延錐。全得而響之，個天下。

所指：左右有二首，是和玄中記所說：「伏羲龍身，女媧蛇軀」有些分別的。左右有首是蛇身而有二首，這個一身二首，也意味著，他們是二體合而為一的夫婦關係。

上，　東漢武梁祠石室畫象之二（仿東洋文史大系古代支那及印度一三七頁插圖）

左，東漢武梁祠石室畫象之一（仿錢唐黃氏摹刻唐搨本。原圖左柱有餘書「伏羲倉精初造王叢畫卦結繩以理海內」十六字，此未摹出。）

右，東漢石刻（間上東洋文史大系第一七一頁插圖）

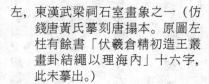

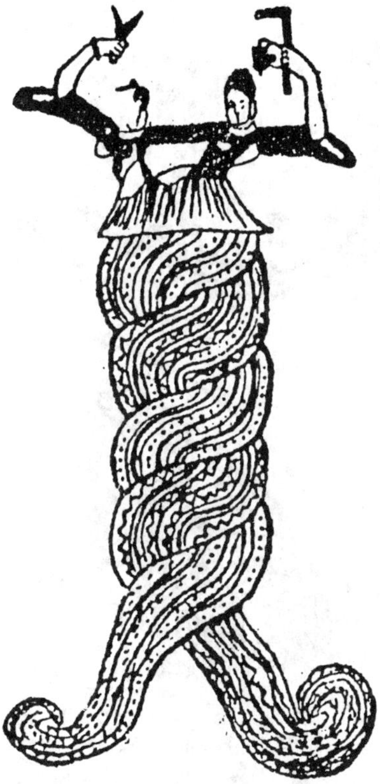

上，隋高昌故址阿期塔那(Astana)墓室彩色絹畫(仿史坦因［Auredl Stein］亞洲腹地考古記［Inner most Asla］圖 G ix)

上，重慶沙坪壩石棺前額畫象(仿常任俠沙坪壩土之石棺畫象研究插圖。時事新報渝版學燈第四十一期)

左，洞神八帝妙精經畫象（左）後天鳥君，人面蛇身，姓風，名庖羲，號太昊。(右)後地皇君，人面蛇身，姓雲，名女媧，號女皇。（仿道藏洞神部洞神八帝妙精經插圖）

上，新鄭出土罍腹上部花紋（仿新鄭彝器第八十八頁）

上，鐸舞花紋（仿葉慈［W.Parceval Yetts］卡爾中國銅器［The Cull Chinese Bronzes］圖21）

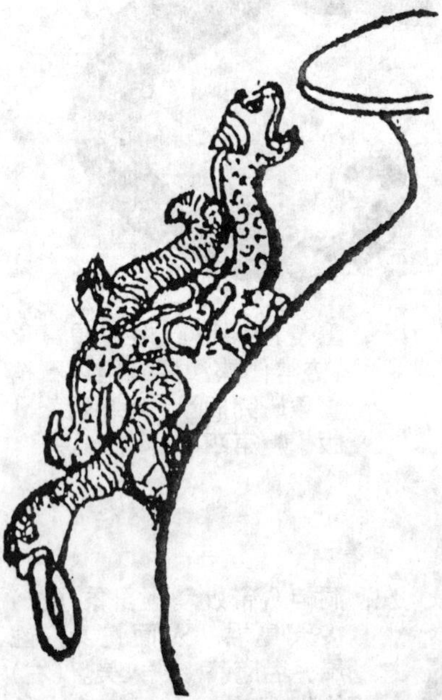

上，間上環鼻（仿鄭冢古鼎圖考卷五，頁二十，第二十四圖）

上，兵古器花紋（仿鄴中片羽卷下第四頁）

女媧摶上造人的傳說，無甯是伏羲與她的子孫衆多，而有的延宗接代的證明。山海經中初民生活於草澤山岩，神遊於人獸共存共生的想像，以免除生活中的恐怖與災難，乃以爲人與龍蛇蟲魚無不相親。如：

自招搖之山以至箕尾之山，其神狀皆鳥身而龍首。

自柜山至於漆吳之山，其神狀龍身而鳥首。

自天虞之山以至南禺之山，其神皆龍身而人面。

自鈐山至於萊山，其十神者皆人面而馬身，其七神皆人面牛身。

崇吾之山至於翼望之山，其神狀皆羊身人面。

自單狐之山至於隄山，其神皆人面蛇身。

自休與之山至于大騩之山，其十六神者皆豕身而人面。苦山、少室、太室，其神狀皆人面而三首，其餘屬皆豕身人面也。

這種人與禽獸難以分辨的形相，就是對不可抗或不可免，不可預知的災難的一種難以全存忍讓的解釋。天帝既然創造了人類，但也創造了精靈怪異不可方物的「其狀如虎而牛尾，其言如吠犬」食人的彘。「窫窳龍首，居弱水牛，食人。」「蚩尤人身牛蹄，四目六手。」等等的生物。無不說明人與禽獸同穴同在的可怕處境。

龍在神話中有最顯著的地位如：山海經：

東方句芒，馬身人面，乘兩龍。

南方祝融，獸身人面，乘兩龍。

西方蓐收，左耳有蛇，乘兩龍。

北方禺疆，人面鳥身，黑身手足，乘兩龍。

又如，應龍殺蚩尤，爲天下黎民除暴戾，應龍自非人形。拾遺記述禹遇伏羲說：

禹鑿龍關之山——亦謂之龍門——至一空巖，深數十里，幽暗不可復行。禹乃負火而進，……見一神，蛇身人面。禹因與語。神即示禹八卦之圖，列於金版之上。又有八神侍側。禹曰「華胥生聖子，是汝耶？」答曰「華胥是九河神女，以生余也。」乃探玉簡授禹，長一尺二寸，以合十二時之度，使量度天地。禹即持執此簡，以平定水土。蛇身之神即羲皇也。

羲皇授禹以玉簡，是在龍門山鑿洞時，不辨方向，見一大黑蛇口銜明珠照亮前路，他就是九河神女之子，伏羲，把丈量天地的玉簡給他，幫助他完成疏導洪水的工程。水飾說：

禹治水，應龍以尾畫地，導洪水之所出。

禹遇江，黃龍負舟。

龍馬銜甲文出河授舜。

黃龍負黃符璽圖，出河授舜。

鳳鳥也是吉祥物：

黃帝齋於元扈，鳳鳥降於洛上。

堯與舜坐舟於河，鳳皇負圖，赤龍載圖，出河並授堯。

魚也是吉祥物：

舜與百工相和而歌，魚躍出水。

白面長人而魚身，捧河圖授禹，舞而入河。

談到蛇，更有極多的例證，我們只舉帝王世紀：類聚：

庖犧氏……蛇身人首。

女媧氏……亦蛇身人首。

相傳惡神黃土也是人面蛇身，大荒西經注引歸藏啓筮篇：

共工人面蛇身朱髮。

神類經：

西北荒有人焉，人面而朱髮，蛇身人手足，而食五穀，禽獸頑愚，名曰共工。

看來，庖犧和共工是一大族分出來的兩個支族。

由上而言，龍鳥蟲魚，在歷史文化的意義上，充分說明初民奮鬥生活記錄，在想像與記憶中，深深的烙著不可磨滅的痕跡。祈望人類與禽獸和平相處，並且把他們的形相成爲各個族群崇拜的圖騰。

氣行天地，列子天瑞第一

昔者聖人因陰陽以統天地，夫有形者生於無形，則天地安從生，故曰：有太易者有太初，有太始有太素，太易者未見氣也。太初者氣之始也，太始者形之始也，太素當質之始也，氣形質具而未相離，故曰渾淪。渾淪言萬物相渾而未相離也。

又說：

清輕者上爲天，濁重者下爲地，沖和者爲人，故天地含精，萬物化生。

天陽地陰之流，在易經「彖傳」中，以天爲乾，坤爲地。天陽地陰，在黃帝四經（馬王堆出土）十六經。果量：

觀天於上，視地於下。……以天爲父，以地爲母。

也印證了乾坤之說。因此乾坤陰陽和天地父母是一體的兩面。所言沖和者，也就是彖傳說的太和，太和即陰陽會合的沖和之氣。彖．咸：

天地感，而萬物化生。

莊子．達生篇：

天地者，萬物之父母也。

列子．天瑞篇：

故有生者，有生生者；有形者，有形形者，有聲者，有聲聲者；有色者，有色色者；有味者，有味味者。生之所生者死矣，而生生者未嘗終；形之所形者實矣，而形形者

> 未嘗有；聲之所聲者聞矣，而聲聲者未嘗發；色之所色者彰矣，而色色者未嘗顯；味之所味者嘗矣，而味味者未嘗呈皆無名之職也。能陰能陽能柔能剛，能短能長，能圓能方，能生能死，能暑能涼，能浮能沈，能宮能商，能出能沒，能玄能黃，能甘能苦，能羶能香，無知也，無能也，而無不知也，無不能也。

列子問關尹曰：

> 至人潛行不空，蹈火不熱，行乎萬物之上，而不慄，請問仍以至於此？

關尹曰：

> 是純氣之守也，非智巧果取之列。

伯昏瞀人曰：

> 夫至人者，上闚青天，下潛黃泉，揮斥八極神氣不變。

上述生命之形成，莊子於達生篇說：

> 天地者萬物之父母也。

齊物論：

> 天地與我並生，萬物與我爲一。

故萬物生育，皆容涵於天地之間。莊子指出：

> 萬物皆種也，以不同形相禪。

列子：天瑞：

天地合精，萬物化生。

常生常化者，無時不生，無時不化。

孔子說的尤其眞切：

天行健，君子以自強不息。

生命不息的創造，在創造裡不息的化育。這是生命的眞理。莊子於此說：

生也死之徒，死也生之始，孰知其紀。

意思是代代相傳，沒有停息。但生命是自有的嗎？列子天瑞中有所解釋：

是天地之委形也。生非汝有，是天地之委和也。性命非汝有，是天地之委順也。孫子非汝有，是天地之委蛻也。故行不知所往，處不知所持，食不知所以。天地強陽氣也，又胡可得而有也。

所謂：天地之委形，是氣之所積，天地之委和，是中和之氣。天地之委順，即氣聚則生，氣散則死。天地之委蛻，是爲蟬蛻而化，是自然的現象，故你的生命是天地運行之道，非人力可以強求的。

關於氣，列子在天瑞第一中先有說：

昔者，聖人因陰陽而統天地。夫有形者生於無形，則天地安從生，故曰：有太易，有太初，有太始，有太素。太易者未見氣也。太初者氣之始也，太始者形之始也，太素者質之始也。氣形質具而未相離也。

這段話蘊藏著天地人三才的眞理。氣不離散而相和，是即渾然一體。也就是人的起始。陰陽氣體運行交會，而萬物生。

列子黃帝篇說生之爲物：

若䵷爲鶉，得水爲㡭。得水土之際則爲䵷蠙之衣，生於陵屯則爲陵舄，陵舄得鬱栖，則爲烏足，烏足之根爲蠐螬，其葉爲蝴蝶。蝴蝶胥也，化而爲蟲生竈下，其狀若脫，其名曰鴝掇，鴝掇千日，化而爲鳥，其名曰乾餘骨。乾餘骨之沫爲斯彌。斯彌爲食醯，頤輅食醯頤輅生乎食醯黃軦。食醯黃軦生乎九猷。九猷生乎瞀芮，瞀芮生乎腐蠸。羊肝化爲地皐，馬血之爲轉鄰也。人血爲野火也。鷂之爲鸇，鸇之爲布穀，布穀久復爲鷂也，燕之爲蛤也，田鼠之爲鶉也，朽木之爲魚也，在老韭之爲莧也，老輸之爲鷂也，老羭之爲猨也，老韭之爲莧也，本之爲魚也，鼠之爲鶉也。朽燕之蛤也，田魚卵之爲蟲。亶爰之獸，自孕而生曰類。河澤之鳥視而生曰鶂。純雌其名大膂，純雄其名稺蜂。思士不妻而感，思女不夫而孕，后稷生乎巨跡，伊尹生乎空桑，厥昭生乎溼，醯鶂生乎酒，羊奚比乎不荀，久竹生青寧，青寧生程，程生馬，馬生人，人久入於機，萬物皆出於機。黃帝書曰：形動不生形而生影，聲動不生聲而生響，無動不生無而生有。形必終者也，天地終乎與我偕終，終進乎不知也。道終乎本，無始進乎本，不久有生則復於不生，有形則復於無形。不生者非本不生者也。無形者非本無形者也。生者理之必經者也，終者不得不終，亦如生者之不得不生。

此種生死輪迴是自然生態現象，也是氣運與氣數的運行。生機形動其始皆由於氣體流行。人的死亡，我們都說：他吐出了最後一口氣，沒有氣的呼吸就是人的去逝。

神奇夢幻

神奇夢幻。古代神話神人之間充滿不可解的，綢繆一體的現象；初民糾纏著敬愛，依賴，畏懼，抗爭的意識，悲歡憎恨交織。人類生存與生活在天地自然中，舉凡目之所見，聲之所至，色之所染，足之所履，心之所往，神之所至，無不產生神奇的感受。眼耳鼻舌聲意，喜怒哀樂愛惡欲，皆無法脫離支配人生的現實環境，人的生活能力是天地的一小部分，微小到隨生隨滅，如夢如幻。而至高至尊的是永遠不死，夢幻中神奇的神。因此，山川草木爲神，英雄尊之爲神，夢幻之中的神，乃成爲神奇的象徵。而且，神獸不分的形相，各有奇特異常的怪模怪樣。如共工之臣相柳九首蛇身，如鍾山山神之子燭龍之子鼓人面龍身，何羅魚一首十身，如肥𧔥（蛇）六足四翼，如天山帝江，狀如黃囊，亦如丹火，六足四翼，渾敦無面目，也無七竅，剛山有神人面獸身，一手一足。山海經域外之國，山精、山魁、山魈，山戎，這些大都爲隱居山阿洞岩危害人畜似人而非人的怪物。是眞實人生險惡的陰暗角落，避之則吉。

城外之國的神遊有些奇事，是值得記述的，有個貫胸國，他們胸口上有個圓洞，據說：禹治水成功，大會天下衆神於會稽山。又命使者御龍巡行天下，過南海，防風氏有二個忠臣，爲了替主上報仇，就用弓矢暗殺使者，不料御龍騰空飛去。二忠臣就用利刃貫胸殉難。禹念他們愚忠，爲他們放上不死草藥療傷，他們的後裔，便都在胸口有貫通的圓洞，穿了木棍竹竿可以抬著走。

又有舌頭反著往喉嚨裡生的反舌國，三個頭的國，高不過三尺的小人國，長有三丈的長臂國，險陽人的奇肱國，只有男人的丈夫國，只有女人的女子國，沒有骨頭的柔利國，長耳的聶耳國，身形巨大的博父國，沒有腳跟的跂踵國，其他還有無頭國，有黑齒國，毛民國，釘靈國的人膝以下是有毛的馬蹄，中輪國的人有的胳下長著翅膀等等。奇形怪狀，不勝枚舉。

這些記載，不完全是臆測與荒誕，有眞相的事實存在於歷史的，不是出之單一的想像，而歸之於子虛烏有的，大都變成通俗小說的素材；也有爲現代小說採用的意象，如刑天的無頭喊天。

夢幻是神話之門，夢幻與想像又爲孿生子。列子·周穆王：

老成子夢幼於尹文先生三年不告，老成子請其過而求退。尹文先生損而進之於室。屏左右而與之言曰：昔老聃之徂西也，顧而告予曰：有生之氣，有形之狀，畫幻也。造化之所始，陰陽之所變者，謂之忘死。窮數達變，因形移易者謂之化，謂之幻。造物者其巧妙，其功深困難窮難終。因形者具巧顯，其功淺，故隨起隨滅，知幻化之不類生死也。始可不幻矣。吾與汝亦幻也，奚須不學哉。

此處說幻化不過過眼煙雲。說到夢，列子說：

> 神遇災夢，形接爲事，故晝想夜夢，神形所遇。

日有所思，夜有所夢，應該是正確的生理現象。列子中說：

> 周之尹氏大治，產其下趣後者，侵晨昏而弗息。有老役夫，筋力竭矣。而使之彌勤，晝則呻呼而即事，夜則昏憊而熟寐，精神荒散。昔昔夢爲國君，居人民之上。總一國之事，逝燕宮觀，恣意所欲，其樂無比。覺則復役人，有慰喻其懃者。役夫曰：人生百年，晝夜各分。吾晝爲僕虜，苦則苦矣，夜爲人君，其樂無比，何所怨哉。尹氏心營世事，慮鍾家業，心形俱疲，夜亦昏憊而寐，昔昔夢爲人僕，趨走作役，無不爲也。罵杖撻，無不至也。眠中啽囈呻呼，徹旦息焉。尹氏病之，以訪其友，友曰：若位足榮身，資財有餘，勝人遠矣。夜夢爲僕，若逸之復，數之常也。覺夢兼之，豈可得邪。尹氏聞其友言，寬其役夫之程，減己思慮之事，疾並少閒。

此言人生之苦樂貧富皆爲夢境，以苦爲樂，以樂爲苦，乃在人的心意與作爲，求生命的存在，要於和諧中見其平衡。

又有記載說：

> 鄭人有薪於野者，遇駭鹿而擊之，斃之恐人見之也，遽而藏諸隍中，覆之以蕉，不勝其喜，俄而遺其藏之處，遂以爲夢焉。

忘夢於其意念與所爲，近乎白日夢之幻覺。然而人神之間的夢幻，是眞實；或是虛無，並不能夠得到眞相與解答。

因爲，神話原始的創造性，開啓了人類文化的黎明。神話與夢幻，夢幻與人生相連結而爲現實人生追求苦樂幸福的生活，在於從文化的根源上創新。

從原始神話中，神與人的性格相輔相成，各在其中。無論是人首龍身，人首蛇身，人面鳥翅，人面魚尾。無論是山靈水伯，風神雨師。無論是浴日，浴月，役鬼，驅魔。而其於歷史軌跡的推展，文化觀念的演進，都歸屬於古代帝王聖賢仁德，英雄俊傑神化的形態，而結構成天地人三才合一，因爲，古代大能者的神，不過是經過大自然歷劫中的人，經過想像的渲染，夢幻的裝飾，使其擔負創造天地的艱巨任務，爲人類的生存與生活，從蠻野洪荒的荆棘叢的山崖水滻，開闢出一條茹毛飲血之外有藍天草原，農舍稼牆的道路。所以，神化蘊育文化，開拓人的生命，超過萬物之上的傳統，是人的神奇夢幻於現實境界中，超越後的，艱苦奮鬥的悲劇情調，莊嚴意象。

形體化育

形體化育，拾遺記裡禹遇伏羲，伏羲以玉簡授禹，言：蛇身之神即伏羲。伏羲在神話世界中被塑造爲創世主。他的形象，體性是人是龍（蛇），在天地無限大的空間，他的面貌隱顯於有無，似眞似幻，他是一個普遍的精神境域的象徵，彷佛存而不存，形而不形，變而不變，象而不象：瞻之在前，忽焉在後，高不可攀，深不可測。他是一個故事的開端，而其發展，則是一種生命的茁放。他的發現與發明，是人類與天地結合而產生的歌謠；因爲，人與龍鳥蟲魚生存的過程，是一個茹毛飲血的過程，在殘酷的現實與焦慮的幻夢裡交會的是，通過黑暗的荒野，見到燦爛的黎明，走出恐怖的沼澤，踩上溫濕的泥土。人與物生命的結合，就是生活的唯一道路。

聞家驊在「伏羲考」中認爲：伏羲與葫蘆是「洪水造人故事」情節，不能忽略造人素材，葫蘆是避水的工具，更是造人的素材，經過他整理出來中國西南部各少數民族及台灣，越南、印度等地傳說，有六種不同的形式：

一、男女從葫蘆中出；

二、男女坐瓜花中結實後，二人包在瓜中；

三、造就人種，放在鼓內；四、瓜子變男，瓜瓤變女；

五、切瓜成片，瓜片變人；

六、播種瓜子，瓜子變人。

特別是苗族，避洪水的是葫蘆，造人的是葫蘆，人種從葫蘆中來，或由葫蘆變成。其次，從字義上說，庖犧就是匏瓠，其義即葫蘆。即「剖之葫蘆謂之瓢」。苗族傳統「南瓜是伏羲女媧的第二代。漢族以葫蘆（瓜）爲伏羲女媧本身」。而葫蘆的形狀，正像一個有孕的婦人，有圓胸和肚子，因此，葫蘆正是家族的標記。

禮就紀明堂位「女媧之笙簧」，苗人的葫蘆笙之體是葫蘆，說女媧是葫蘆的化身。而瓢則是古樂八音之一。大雅綿篇以「綿綿瓜瓞」爲「民之初生」的用意是多子多孫，說初民的始祖是從葫蘆中來，最大最終的想法，是子孫繁衍的最合宜的象徵。葫蘆的秘密，實在神妙。因爲，繁衍是化育中不變的變。

盤古出生於圓形雞子，盤瓠出生於瓠形的繭，蠶末化生時盛瓠於槃，而變爲龍狗五彩斑爛，討人喜歡，等到他立功異族，口吐人言要娶公主，再盛入金鐘變人，其過程眞是戲劇化趣味十足。這種形體的變化，寓意著盤瓠的性人格。他驗證一個美滿的人生，是曲折而又給予藝術的色彩描繪。是智巧的變化，也是奇妙的人生組合。是智與力的結構，也是美與熱的情節。達成了幻設的能事，生命的流動的形態。

顓頊死而復蘇，化身爲魚，這是人魚的奇特的變化，是化育融和溫柔的形相，人的生命長流如水，生命之爲流動的形體，這個生命的觀點，也是生命的奧秘，初民的心靈似乎觸動了音樂的旋律，水浪的波動，人可以爲魚，魚之樂，莊子已說明了他的感應，而且人的想像之無邊無際，無垠無限，可爲蝴蝶，可爲鯨鯤，可爲鵬舉，可爲雲遊。生命在不斷的長河的流聲中，唱出生命之歌，乃說明生命的創造與變化。

淵明讀山海經詩：

巨猾肆威暴。欽䲹違帝旨。窫窳強能變。祖江遂獨死。明明上天鑒。爲惡不可履。長枯固已劇。鵕鶚豈足恃。

鍾山神的兒子鼓與欽䲹殺祖江於昆侖之陽，帝依法斬了二人，欽䲹化成一雙大鶚，鼓也化成鵕鳥。牠飛到那裡，就有大旱發生。窫窳有龍的頭，原是蛇身人臉，弍負殺他之後，就變化爲水中的蛟龍，出沒無常。

這是與大禹變成巨熊開山鑿路的意義完全不相同的，醜惡的凶文神，變成了人類的災殃，受人咀咒。而禹的神力，化爲巨熊，呈現了治水的大能，非人力可爲。這種創造的概念，交通於形體的變化，將人力不可達成的巨大工程，化育而爲一種突然的改造，是想像力的單純化，也是生命力表達的一種信心。原來人力之外，尙有額外茲生的力量，吾心信其可行，則移山塡海亦是不難。故愚公移山，鄰人京城氏之孀妻有遺男始齔跳往助之，寒署易節，始反焉。河曲智叟笑其愚不可及，愚公答以：汝心之固，固不可徹，曾不若孀妻弱子，及我子子孫孫無窮盡之時間與生生不息之力。操蛇之神，也敬佩他不屈不撓的宏毅精神，天帝感其誠，「命夸娥氏二子負二山，一厝朔東，一厝朔南，自此冀之南漢之陰，無隴斷焉」。這是禹化巨態開路，金石爲開，由形象的蛻變而通靈，通神，通物，通力，神與物，人與神交通相應的一種精神的相契，把龍，魚，蟲鳥的習性統合於一體運用的生命。這一統合的生命之運用，無異是大自然的沈默的奧秘，誠如孔子之所言：「天何言哉，四時行矣，百物生焉。」中山經述：帝女死後化爲瑤草，是一種憐惜的心理，產生的效應，所以宋玉高唐賦有言：「我帝之季女，名曰瑤姬，未行而亡，對于巫山之台，精魂爲草，實名靈芝。」這種香草，正合乎於歌唱純潔娟美的少女之夭亡。孔子詠嘆：「逝者如斯乎，不舍晝夜。」時間如逝波，生命如流水，意識的含義，無異是天地萬物感應而有人類生命的進化與延續。

我對神話充滿敬意。是誰把神話的宮殿，日累月積，鬼斧神工，構築的如此巍峨堂皇，從平地上建起，層層疊疊，直上雲霄，但見精靈古怪，氣流充溢，神奇夢幻，形體化育，交相錯綜。天地爲之低昂。人間爲之俯仰。在神話的世界裡，人性乃成爲初民生活的境地中，最眞實的現象。人類的生命有天賦的本能，無論是神與人，是龍鳥蟲魚的物象，生死連繫，氣體相和，土石有靈，河山無恙，故知：天地之大德曰生。生生不息，無窮無盡。

楚騷之賦

對於山海經不僅是地理誌，明代胡應麟在「少室山房筆叢」中認爲：

「山海經：古今語怪之祖。……余嘗疑戰國好奇之士本穆天子傳之文與事，而侈大博極之，雜傳以汲冢紀年之異聞，周書王會之詭物，離騷天問之遐旨，南華鄭圃之寓言，以成此書。」又說：「始余讀山海經而疑其本穆天子傳，雜錄離騷、莊、列，傳會以成者，然以出於先秦，未敢自信。逮讀楚辭辯證云：古今說天問者，皆本山海經，淮南子，今以文章考之，疑此二書，皆緣天問而作；則紫陽已先得矣。」

山海經「是古今語怪之祖」，內裡充滿奇異故事的背景。說他是先民生活，思想，想像，夢幻，信仰，歷史，傳說，精氣神形感應自然天地萬事萬象的產物。特別重要的是：凡人所見所聞所嗅嚐所受所感色身香味觸念者，盡都賦有生命。故而山海日月，風雨雷電莫非神之所爲，英雄美人之死，父母兄弟之亡，山魈海怪之來，洪水猛獸之襲皆爲不可解的神秘，則神話乃從幽冥的蒙昧中，進入人類的意識。

孔子刪輯詩經，但大雅之生民，商頌之玄鳥之感生故事，仍帶有山海經姜嫄的神話色彩，擴大了向南方傳佈文化與詩賦歌謠的風息。

從黃河流域到流湘二水，楚民族有豐富的神話色彩，楚越之地，有自己的信仰崇拜。漢王逸注楚辭章句，於天問

王逸說：「屈原放逐，憂心愁悴，彷徨山澤，經歷陵陸，嗟號昊旻，仰天歎息；見楚有先王之廟及公卿祠堂，圖畫天地山川神靈，琦瑋僪佹，及古賢聖怪物行事。周流罷倦，休息其下，仰見圖畫，因書其壁，呵而問之，以渫憤懣，舒瀉愁思。楚人哀惜屈原，因共論述，故其文義不次序云爾。」

屈原憂思徬徨，於廟宇祠堂，見「山川神靈，先王公卿，古聖先賢，怪物行事，乃呵而問之」，其中如「崑崙」、「巨鼇戴山」，禹化爲熊，羲和與神話，先見之於山海經中，這種神話的類似，顯示出融和的傾向。

離騷自叙生平，開章說：

帝高陽之苗裔兮，朕皇考曰伯庸。

這裡說他是帝高陽，顓頊的後代。父名伯庸。

王逸引帝繫曰：「顓頊娶于騰隍氏女而生老僮，是爲楚先。其後熊繹事周成王，封爲楚子，居於丹陽。周幽王時生若敖，奄征南海，北至江漢。其孫武王求尊爵於周，周不與，遂僭號稱王，始都於郢。是時生子瑕，受屈爲客卿，因以爲氏。」林寶元和姓纂曰：「楚武王子瑕，食采於屈，因氏焉。」

屈原在離騷中，引用歷史出之於神話而言治國之通，亦即忠諫之詞：

啓九辯與九歌兮，頁康娛以自縱，不顧難以圖後兮，五子用失乎家巷。

羿淫遊以佚畋兮，又好射夫封狐；固亂流其鮮終兮，浞又貪夫厥家。

澆身被服強圉兮，縱欲而不忍；日康娛而自忘兮，厥首用夫顛隕。

夏桀之常違兮，乃遂焉而逢殃；后辛之菹醢兮，殷宗用而不長。

湯禹儼而祗敬兮，周論道而莫差；舉賢而授能兮，循繩墨而不頗。

皇天無私阿兮，覽民德焉錯輔；夫維聖哲以茂行兮，苟得用此下土。

九辯九歌是大禹傳子啓的歌，夏康淫娛而致喪亂，使五子失國，無所依靠。后羿恃射，溺用寒浞，羿射河伯，娶雒嬪，不能體恤民艱而死於家臣逢蒙之手。澆是寒浞的兒子，殺夏后相有其國而淫樂不止，爲少康所滅。桀失德爲湯放死，紂業虐爲武王正法。屈原歷述禹、湯、周三代文武周公事略，乃治國之道。

二章四節中如：

朝發軔於蒼梧兮，夕余至乎縣圃；欲少留此靈瑣兮，日忽忽其將暮。

吾令羲和弭節兮，望崦嵫而勿迫；路曼曼其脩遠兮，吾將上下而求索。

飲余馬於咸池兮，總余轡乎扶桑；折若木以拂日兮，聊須臾以相羊。

前望舒使先驅兮，後飛廉使奔屬；鸞皇爲余先戒兮，雷師告余以未具。

吾令鳳鳥飛騰兮，繼之以日夜；飄風屯其相離兮，帥雲霓而來御。

所言蒼梧，爲舜葬於九嶷山之處。懸圃是崑崙山三山之一，另二山爲閬風與板桐。靈瑣爲進入上皇之門。羲和指御日之神，崦嵫山、咸池與扶桑在山海經中是浴日之處，指日出日沒。望舒則指月亮升起，雲師雷師，鸞皇鳳鳥，相從左右。

四章一節中說：

紛總總其離合兮，斑陸離其上下；吾令帝閽開關兮，倚閶闔而望予。
吾令豐隆乘雲兮，求宓妃之所在；解佩纕以結言兮，吾令蹇脩以爲理。
紛總總其離合兮，忽緯繣其難遷；夕歸次於窮石兮，朝濯髮乎洧盤。
保厥美以驕傲兮，日康娛以淫游；雖信美而無禮兮，來違棄而改求。

他要進入天宮晉見上皇和伏羲之女宓妃，但求人不得。他在三章中也想求見有娀之佚女：

覽相觀於四極兮，周流乎天余乃下；望瑤臺之偃蹇兮，見有娀之佚女。
吾令鴆爲媒兮，鴆告余以不好；雄鳩之鳴逝兮，余猶惡其佻巧。
心猶豫而狐疑兮，欲自適而不可；鳳皇既受詒兮，恐高辛之先我。

講到四極：

爾雅釋地曰：「東至於泰遠，西至於邠國，南至於濮鈆，北至於祝栗，謂之四極」。郭璞注曰：「皆四方極遠之國」。洪興祖引淮南子墬形訓所載八極之四目：「東方東極之山曰開明之門，南方南極之山曰暑門，西方西極之山曰閶闔之門，北方北極之山曰寒門」。此云

「覽相觀於四極」者，偏觀四方，至於極遠之地意耳。爾雅、淮南，可助思解，如所舉地名則不必是非之。

有絨問的美女，王逸說是：「謂帝嚳之妃契母簡狄也。配聖帝，生賢子，以喻貞賢也。詩曰：有娀方將，帝立子生商。呂氏春秋曰：有娀氏有美女，爲之高臺而飲食之。」楚辭補注洪興祖引呂覽曰：「有娀氏有二佚女，爲九成之臺。」又引淮南子曰：「有娀在不周北。長女簡翟，少女建疵。」

他想找的介紹人都不是好的，但鳳凰是善良的媒婆，可是高辛氏帝嚳已有玄鳥納聘，娶了有絨氏之女，而且，生了契，做了黃帝的玄孫。因此，屈原所求一一落了空。

九歌

神話的九歌，蘇雪林解說是：人與神的戀愛。她說這種戀愛是由人祭而來。

九歌十一篇，祭祀男女十位神。

男神是東皇泰一、雲中君、大司命、少司命、東君、湘君、河伯、國殤。

女神是湘夫人、山鬼。

東皇泰一與國殤是迎神送神之歌。東皇泰一是神中的神，泰一就是上帝，衆神是跟著上帝同進同出的。聞家驊在「什麼是九歌」中認爲漢書禮樂志中：

武帝定郊祀之禮，祠太一於甘泉，……乃立樂府，采詩夜誦，有趙代秦楚之謳。以李延年爲協律都尉，多舉司馬相如等數十人造爲詩賦，略論律呂，以合八音之調，作爲十九章之歌。以正月上章用事圜丘，使童男女七十人倶歌，昏祠至明。

其中「趙代秦楚之謳」是極關重要的話，因爲可以說明國別與地理分佈：

雲中君，據「靈皇皇兮既降，猋遠舉會雲中，覽冀州兮有餘，橫四海兮焉窮。」雲中就是雲中郡，冀州爲冀州城，此皆三晉之地，屬今之山西。

東君　是太陽神　史記趙世家索隱引譙周語：「余嘗聞之代俗以東西陰陽所出入，宗其神謂之王母父」。祭拜日月（陰陽）是代州民俗，代州是古晉之地。日出東方，「舉長矢兮射天狼」，天狼星晨出東方。「援北斗兮酌桂漿」，拿北方形如酒器的北斗暢飲瓊漿。東君與雲中君並稱，因其相近，故均是晉人所祀之神。

河伯　一般尊爲黃河之神。封禪書：「及秦并天下，令詞官所常奉天地名山大川鬼神……水曰河，祠臨晉」。晉，山西之地。

以上所祠是北方的神，大致可以確定。

湖君湘夫人　是楚地湘水之神。

大司命少司命　風俗通祀典篇：「司命……齊地大尊重之」是齊楚的神。

山鬼　是巫山神女，當是楚神。

國殤　據「操吳戈兮披犀甲」，應是吳越荆楚的戰士，「帶長劍兮挾秦弓」，則是北地戰士。無論如何，這是祭祀英勇陣亡將士忠烈，奉之爲天神的悼念之歌。戰死的勇士「誠既勇兮又以武，終剛強兮不可凌；身既死兮神以靈，子魂魄兮爲鬼雄。」成爲鬼雄的勇士，保衛疆土，死爲國殤，自然是天神。

看起來，九歌是楚人祭神之歌，但其想像的空間，卻進入到北國的天地。因此，他也是全民的歌。

九歌中人神戀愛的情況，大致如蘇雪林教授所說：一是神召的宣傳，神召就是祭祀神的巫覡，他們是神與人之間的媒介，他們說神是苦悶寂寞，需要愛神的善男信女去侍候神，安慰神的孤獨的愁苦的。因此，愛神就要拿生命奉獻。二是對神的愛慕，男與女的相互愛慕，有時會寤寐反側，神馳肉飛，人對神的愛慕，也會達到沸點，迷離恍惚，神魂顛倒。由於神是可望不可近，可思不可至，是夢幻中的神靈，可想像爲至崇高偉大，或至視切溫柔；可傾訴心曲，暢敘衷情，以流瀉心聲，這類文字是離騷九歌中最美的。三是神境的想像，巫媒說人間雖也有山有水有吃有喝，但神境水中築晶屋，雲間搭瓊宮，珠玉香花鋪滿地，魚貝龍鱗爲棟牆，種種稀世珍寶，堂皇富麗，皆非人間所有，祇應天庭如斯，這種豪華高貴，使大家又羨慕又驚喜。四是神的儀仗，風使雲從，鳳旗蘭旌，在天飛龍爲之挽車，玉螭爲之驂乘。在水驂白黿，逐文魚，逝九洲，浴咸池，無憂無慮，無病無痛，挽著神的手臂多美好。

以上借了蘇女史所說四種人神戀愛的情況，以我的見解，說明人們的嚮往與迷信，人是可以做神的侍從侍妾的。特別有一種情況是蘇雪林教授未能說出的，那就是奉獻了生命給神，那奉獻的人升了天就可以不死，嫦娥吃了不死藥昇天而去，不就是一個例子嗎？這裡是不吃不死藥，殉神昇天不死。於此，我們來看看「史記滑稽傳」所述：好女祭水神的事：

魏文侯時，西門豹爲鄴令。豹往到鄴，會長老，問之民所疾苦。長老曰：「苦爲河伯娶婦，以故貧。」豹問其故，對曰：「鄴三老、廷掾常歲賦斂百姓，收取其錢得數百萬，用其二三十萬爲河伯娶婦，與祝巫共分其餘錢持歸。當其時，巫行視小家女好者，云是當爲河伯婦，即娉取，洗沐之，爲治新繒綺縠衣，閒取齋戒；爲治齋宮河上，張緹絳帷，女居其中。爲具牛酒飯食，（行）十餘日。共粉飾之，如嫁女床席，令女居其上，浮之河中。始浮，行數十里乃沒。其人家有好女者，恐大巫祝爲河伯取之，以故多持女遠逃亡。以故城中益空無人，又困貧，所從來久遠矣。民人俗語曰『即不爲河伯娶婦，水來漂沒，溺其人民』云。」西門豹曰：「至爲河伯娶婦時，願三老、巫祝、父老送女河上，幸來告語之，吾亦往送女。」皆曰：「諾。」

至其時，西門豹往會之河上。三老、官屬、豪長者、里父老皆會，以人民往觀之者三二千人。其巫，老女子也，已年七十。從弟子女十人所，皆衣繒單衣，立大巫後。西門豹曰：「呼河伯婦來，視其好醜。」即將女出帷中，來至前。豹視之，顧謂三老、巫祝、父老曰：「是女子不好，煩大巫嫗爲入報河伯，得更求好女，後日送之。」即使吏卒共抱大巫嫗投之河中。有頃，曰：「弟子何久也？復使一人趣之！」復投一弟子河中。凡投三弟子。西門豹曰：「巫嫗弟子是女子也，不能白事，煩三老爲入白

> 之。」復投三老河中。西門豹簪筆磬折，嚮河立待良久。長老、吏傍觀者皆驚恐。西門豹顧曰：「巫嫗、三老不來還，柰之何？」欲復使廷掾與豪長者一人入趣之。皆叩頭，叩頭且破；額血流地，色如死灰。西門豹曰：「諾，且留待之須臾。」須臾，豹曰：「廷掾起矣。狀河伯留客之久，若皆罷去歸矣。」鄴吏民大驚恐，從是以後，不敢復言爲河伯娶婦。

這是一齣活生生高潮疊起的寫實戲，司馬遷列入滑稽傳，眞的令人省思再三的，故事說：鄴地三老廷掾，每年收歛百姓錢數百萬，以二三十萬用於河伯娶親，所餘之多盡入三老與巫祝私囊，眞是賺足了死新娘的錢了。新娘坐薦床，迎向滔滔之波，奉神召沈入洪波。這河伯娶親的盛典便在鄉里父老，官屬豪長，親人戚友，男女老小的觀看下施行。西門豹看了新娘，認爲配河伯不理想，就送大巫嫗下水去告訴河伯選了合意的女子再送去，叫吏卒推了大巫嫗下去，並等她的回話。等了一陣不見大巫嫗回來，又跟著投了他的三個女弟子下水，仍不見回來，西門豹向大家說：如今，只好請三老去請示河伯了。三老去了龍宮也不回來。西門豹說：沒奈何，現在只得請廷椽和豪長一起去稟告河伯吧。廷椽豪長嚇的跪在地上，泥豬癩狗般，磕頭流血不敢起來。西門豹說：「我等等看再說」。等了一陣子，天晚了，西門豹說：「河伯太好客，怕是留住他們不肯放人吧」，「我們只好回去了」。

自後，西門豹發民開河鑿十三渠，引水灌田，福利地方，受民愛戴。

屈原「天問」一百六十一個，有可以解答者，其如神話不可究者，仍是文學的無邊際的想像地帶。所謂：

伯禹復鮌，夫何以變化？纂就前緒，遂成考功：何續初就業，而厥謀不同？洪泉極深，何以窴之？地方九則，何以墳之？應龍何畫，河海何歷？鮌何所營？禹何所成？康回馮怒，墜何故以東南傾？九州安錯？川谷何洿？東流不溢，孰知其故？

上古洪水泛濫，黎民遭殃。東流不溢，自然與地心引力有關；但湖海亦有倒灌的時候，水患之多可知。並於「墜何故以東南傾？」據漢書地理志說楚地卑濕之故。于越地則是：「其君禹後……封於會稽，文身斷髮，以避蛟龍之害。」顧頡剛氏認爲：越人文身，是一種與禽獸相似的保護色，以避蟲蛇之害。

河伯娶婦，在西門豹的事蹟中，長老說：「故城中益空無人，又困貧，所從來久遠矣。」可見河伯娶婦，一者說明河害之深，一者告訴祭俗之久。周公剪爪入河，祈願替成王死，已有祭河的俗習。風俗通說：

秦昭王使李冰爲蜀守，開成都縣兩江，溉田萬頃。神須娶二人以爲婦。冰自以爲女與神婚。徑至祠勸神酒，酒杯澹澹，因厲聲責之，因忽不見……。

隨後，李冰化爲蒼牛繫白腰帶，與江神之蒼牛決鬥，李冰以得屬吏之助，才把蒼牛殺死，除了江神之害。

張長弓氏輯「中國古代水神的傳說」五則，我們參考並加說明：

㈠河伯馮夷

關於河伯馮夷的傳說最早。據竹書紀年所載。

> 夏帝芬十六年，洛伯用與河伯馮夷相鬥。

據此，則夏代馮夷已產生了。又穆天子傳云：

> 天子西征，至於陽紆之山，河伯無夷之所都居。

又山海經曰：

> 中極之淵，深三百仞，惟冰夷都焉。冰夷人面而乘龍。

郭璞注，以爲馮夷無夷實相同。而山海經之冰夷，或亦與馮夷無夷無異也。至於馮夷之所以爲河神，又有兩種不同的說法。一是抱朴子釋鬼篇曰：

> 馮夷以八月上庚日，渡河溺死，天帝署爲河伯。

又莊子司馬彪注引清泠傳曰：

> 馮夷，華陰潼鄉隄首人也。服八石得水仙，是爲河伯。

一個是天帝署爲河伯，一個是得道而爲河伯。這是兩種不同的說法。屈原時候，馮夷之傳說大概很普遍，所以他底述作中，屢屢提到。遠遊篇曰：

> 使湘靈鼓瑟兮，令海若，舞馮夷。

海若是海神名。即河海之神咸相和也。九歌之河伯曰：

與女遊兮九河，衝風起兮橫波。
乘水車兮荷蓋，駕兩龍兮驂螭。
登崑侖兮四望，心飛揚兮浩湯。

又如：

與女遊兮河之渚，流澌紛兮將來下。
子交手兮東行，送美人兮南浦。
波滔滔兮來迎，魚鄰鄰兮媵予。

這裡所說就是一幕人神之戀，也可說就是河伯娶婦的故事：「波滔滔兮來迎，魚鄰鄰兮媵予。」一正說明了史記六國年表：「秦靈公八年，初以君主妻河」的記載。是十分普通的民俗。當初靈公且以公主嫁給河伯，更是如何的隆重。

㈡波神陽侯

關於波神陽侯之傳說，屢見於淮南子之記載：

波神陽侯是怎樣解說的呢？高誘淮南子覽冥訓注曰：

陽侯，陵陽國侯也。其國近水，泳水而死。其神能爲大波，有所傷害，因謂之陽侯之波。

覽冥訓曰：

武王伐紂，渡於孟津。陽侯之波，逆流而擊。疾風晦冥，人馬不相見。

於是武王左操黃鉞，右秉白旄。瞋目而撝之曰：余任天下，請敢害吾意者，於是風濟而波罷。

又道應訓曰：

荊有佽非，得寶劍於干隊。還反度江，至於中流，陽侯之波，兩蛟夾繞其船，佽非謂枻船者曰：嘗有如此者而得活者乎。對曰：未嘗見也。於是佽非瞑目勃然攘臂拔劍曰：武士可以仁義之禮說也，不可劫而奪也。此江中之腐肉朽骨，棄劍而已，余有奚愛焉。赴江刺蛟，遂斷其頭。船中盡活，風波畢除。

此皆見陽侯在水中之爲患。按伍子胥諫吳夫差，賜死，盛以鴟夷革，浮之江中。後相傳爲濤神。素車白馬，形影倏忽。越人畏之，常於錢塘江頭迎祭。是此爲一波神之傳說呢。

㈢虙妃

虙妃相傳爲洛水的女神。

虙妃二字，最早見於屈原之離騷。離騷曰：

吾令豐隆乘雲兮，求宓妃之所在。

王逸注曰：宓妃是神女。又天問曰：

胡躲夫河伯而妻彼雒嬪。

王逸注曰：雒嬪水神，謂宓妃也。

揚雄有一篇羽獵賦云：

鞭洛水之宓妃，餉屈原於彭胥。

此已明指爲洛水之宓妃。於是曹子建在後來就洋洋灑灑作起洛神賦來了。洛神既人格化了，又描寫爲非人間所有的美人。那原文不必在這裡徵引。

至於宓妃之前身，後人亦有有兩種附會之說。

唐李周翰注洛神賦，以宓妃是伏羲氏之女，溺死於洛水，遂爲河神。

明汪瑗注離騷，以爲佚女是高辛之妃，二姚爲少康之妃。

不論伏羲氏之女與高辛氏之妃，都是在宓妃傳說之下的一種附會的假象。

㈣江斐二女

這是關於漢水上的傳說。劉向列仙傳載其事。韓詩外傳亦載其事。列仙傳曰：

江斐二女遊於江濱，逢鄭交甫挑之，不知其神女也。遂解珮與之。交甫悅，受珮而去。數十步空懷無珮，女亦不見。

韓詩外傳以鄭交甫將南適楚，遵彼漢皐台下，乃遇二女，珮兩球，大如荆雞之卵。

據云襄陽縣西七里方山下尚其遺跡，未知確否。

阮籍詠懷詩曰：

二妃遊江濱，逍遙順風翔。交甫懷環珮，婉孌有芬芳。

左思蜀都賦曰：

娉江婓，與神遊。

此二者皆爲詠述漢水之神的。是漢魏晉間，江婓二女神傳說的普遍，可以想見了。

㈤湘君

在屈原九歌上有湘君湘夫人的節目。

湘君與湘夫人有怎樣的分別呢？茲按古人之注解，一一列之於下。

劉向烈女傳曰：

舜陟死於蒼梧，二妃死於江湘之間，俗謂之湘君。

禮記檀弓篇曰：

舜葬於蒼梧之野，蓋二妃未之從也。

其注云：離騷所歌湘夫人舜妃也。

韓退之黃廟碑云：

湘旁有廟曰黃陵，自前古立，以祠堯之二女，舜二妃者。

史記始皇本紀二十八年曰：

問湘君何神，秦博士答曰：湘君者，堯之二女舜妃者也。是劉向鄭玄皆以二妃爲湘君。而離騷九歌既有湘君，又有湘夫人。王逸以爲湘君者，自爲水神；而謂湘夫人，乃二妃也。山海經曰：洞庭之山，帝之二女居之。郭璞疑二女者，帝舜之後，不當降小水爲其夫人。因以二女爲天帝之女。惟有汪瑗陳本禮注楚詞以湘君爲水神，以湘夫人爲湘江神之夫人。

茲將各家之說列比於下：

(1)湘君二妃說——列女傳。

(2)湘君水神　湘夫人堯二女語。——王逸。

(3)湘君水神　湘夫人帝之二女即江妻二女說。——郭璞。

(4)湘君娥皇　湘夫人女英說。——韓愈。

綜合以上之所說，天地、陰陽、日月、龍鳳成爲中國人心目中，普遍於生活間一種歷史文化的象徵。而龍鳳被渲染爲吉祥之物，以龍爲中心的思想，又被稱爲中國人的榮耀。因爲，凡帝王者，皆係龍的化身。龍的傳說，在鳳凰，麒麟，龜，鹿諸多靈物中最神奇，騰雲駕霧，御風鎭海，出沒於仁君之宮，奮迅於空冥之上，爾雅翼「釋龍」描畫其形狀：

世界畫龍之狀，有三停九似之說，謂自首至膊，膊至腰，腰至尾，皆相停也。九似者，角似鹿，頭似駝，眼似鬼，項似蛇，腹以蜃，鱗似鯉，爪似鷹，掌似虎，耳似牛。頭上有物如博山，名曰尺木。龍無尺木不能升天。

如此三停九似之說，其神奇是兼有其他禽獸鬼怪的形相，看來莫測其深妙，但龍的親和性在神話和種種圖記中，隨處可見，若有若無，時隱時現，可歌可頌，可大可久。所謂：神龍見首不見尾，正說明龍非風物。張僧繇當年畫龍不點眼睛，怕的是點了眼睛，龍會破壁飛去。各種龍紋龍圖，不勝枚舉，原來有三座九龍壁，足可觀賞，一在大內皇極殿當點壁，一在山西大同府，一在北海，三座九龍壁各有九條龍盤繞飛舞，觀賞過的人潮，何止億萬，他們大都有一種感覺，就是看久了，就會看見龍頭龍尾，龍爪龍鬚在擺動，那奇妙的一刻，眞的讓人眼花繚亂，心中默默禱告：「龍是有靈的，會在冥冥中保佑平安幸福」。

二郎神

由於李冰江邊蒼牛的事，連繫想到二郎神，對於李冰，他的資料在史記河渠書正義引括地志說：

大江一名汶江，一名管橋水，一名清江，亦名水江，西南自溫江縣界流來。又云，郫江一名成都江，一名市橋江，亦名中日江，亦曰内江，西北自新繁縣界流來。二江並在益州成都縣界。杜預益州記云，『二江者，郫江，流江也。』風俗通云，『秦昭王使李冰爲蜀守，開成都縣兩江，溉田萬頃。神須娶女二人以爲婦，冰自以爲女與神婚。徑至祠，勸神酒，酒杯澹澹，因厲聲責之，因忽不見。良久，有兩蒼牛鬥於江岸。有閒，輒還流江，謂官屬曰，「吾鬥疲極，不當相助耶？南向腰中正白者，我綬也。」主簿刺殺北面者，江神遂死。』(岱南閣叢書孫星衍輯本括地志卷七亦有此條)

後魏酈道元水主沫水條：

昔沫水至南安西溷崖，水脈漂疾，破害舟船，歷代爲患，蜀郡守李冰發卒平溷崖，河神贔怒，冰乃操刀入水，與神鬥，遂平溷崖，通正水路。開處即冰所穿也。

李冰與西門豹的事蹟不同，他是自己代替要做江神新娘的女子，去與江神變的蒼牛決鬥；也是替地方百姓除陋俗的害，這一點的構想卻是與西門豹的出發點一樣，只是在做法上不同，西門的戲劇性較多，李冰的手法是直接下手罷了。

太平廣記卷二百九十一引成都記說道：

李冰爲蜀郡守，有蛟，歲暴，漂墊相望。冰乃入水戮蛟，已爲牛形，江神龍躍，冰不勝。及出，選卒之勇者數百，持彊弓大箭，約曰，『吾前者爲牛，今江神必亦爲牛矣。我以太白練自束以辨，汝當殺其無記者』。遂吼呼而入。須臾，雷風大起，天地一色。稍定，有二牛鬥於上，公練甚長白，武士乃齊射，其神遂斃。從此蜀人不復爲水所病。至今大浪衝濤，欲及公之祠，皆瀰瀰而去。故春冬設有鬥牛之戲，未必不由此也？祠南數千家，邊江低圯雖甚，秋潦亦不移適。有石牛在廟庭。唐太和五年(案即公曆831)洪水驚潰。冰神爲龍，復與龍鬥於灌口，猶以白練爲誌。水遂漂下，左綿，梓潼，皆浮川溢峽，傷數十郡，唯西無害。

太平廣記卷三百一十三引錄異記說道：

天祐七年（案即公曆10年。唐昭宗天祐盡三年，即爲朱溫所篡。此即梁開平四年，當時不奉梁朔者頗多，稱天祐七年以此。）夏，成都大雨，岷江漲，將壞京口。江灌堰上，夜間呼噪之聲若千百人，列炬無數，大風暴雨，而火影不滅。及明，大堰移數百丈，堰水入新津江。李冰祠中所立幟皆濕。是時新津嘉眉水害尤多，而京不加溢焉。

這是宋初以前李冰的傳說。可證蜀人對於李冰的信仰。太平廣記五百卷成於太平興國三年(978)，所引的書籍當是五季以前的。太和五年（831）天祐七年（910）的神異傳說，都沒有說及李冰的兒子，這是很可注意的。

從上看，可知李冰的神靈，都是護堤，退水患的。化牛，化龍，與河神鬥而殺河神，都是他的本領。

朱子語類，賀孫記的有一條，是說二郎是李冰的第二兒子的，他說道：

蜀中灌口二郎廟，當初是李冰，因開離堆有功立廟。今來現許多靈怪，乃是他第二兒子出來。初間封爲王，後來徽宗好道，謂他是甚麼眞君，遂改封爲眞君。向張魏公用兵，禱於其廟，夜夢神語云，『我向來封爲王，有血食之奉，故威福用得行。今號爲眞君，雖尊，凡祭我，以素食，無血食之養，故無威福之靈。今須復封我爲王，當有威靈。』魏公遂乞復其封。

這裡說二郎是李冰的二兒子。張浚用兵夢到二郎神指點，並有「今須封我爲王」的話，以及朱子說：「許多靈異，乃是他第二兒子出來。」恐係民間一般認為二郎神靈異，才有這種說法。二郎神長的樣子，在王士禎秦蜀驛程記中有段日記說：

夜雨晨止，昧爽詣江瀆廟，即事陪祭官四川布政使高起龍，成都府知府張文燦奠獻，禮畢，周視殿宇神像，是一年少，金冠束髮，似世俗所謂灌口二郎者。左右二神女皆南向，不知所指？又云，是神是三閭大夫，尤不經。按成都故有神禹祠，又有秦守李冰祠，當稽舊蹟釐正之。

灌口二郎指的是二郎廟，應與三閭大夫屈原無關。二女在側，當不會使人想到娥皇女英身上吧？想來只是造塑其少年之身者，以為有二女侍奉，免除他的孤寂吧。

張灝通俗論引蜀都碎事說：

蜀人奉二郎神，謂之川主，其像俊雅，侍從者擎鷹牽犬，蓋李冰之子也。

易二女為犬，這隻犬名為哮天犬，是二郎神的侍犬。四川灌口二郎神到了蘇州常州變成了趙昱，柳宗元龍城錄說趙昱：

趙昱，字仲明，與兄冕俱隱青城山。煬帝拜為嘉州太守。時犍為潭中有老蛟為害，昱持刀入水，左手執蛟首，右手持刀，奮波而出，州人事為神。太宗文皇帝賜封神勇大將軍，廟食灌江口。上皇幸蜀加封赤城王，又封顯應侯。昱斬蛟時，年二十六。

三教搜神大全說趙昱：

隋末天下大亂，棄官隱去，不知所終。後因嘉州江水漲溢，蜀人見青霧中乘白馬，引數人，鷹犬彈弓，獵者波面而過，乃昱也。民感其德，立廟於灌江口奉祀焉。俗曰灌口二郎。太宗封爲神勇大將軍。明皇幸蜀，加封赤城王。宋眞宗朝，益州大亂，帝遣張垂崖入蜀治之。公詣祠下求助于神靈，克之，奉請於朝，追尊聖號曰清源妙道眞君。

道教說二郎神姓王與美猴王大戰。不過，說二郎神姓楊，名叫楊戩，西遊記大戰孫悟空，魯迅中國小說史略說：

『如灌口二郎之戰孫悟空，楊本僅有三百餘言，而此十倍之。』可見百回本西遊記變化的厲害了。

因爲，西遊記吳承恩的傳播，知道二郎神名叫楊戩的人更多，他金冠束髮，手持方天畫戟，他是玉泉山金霞洞玉鼎眞人門人，鍊過九轉元功，七十二變化，無窮妙道，肉身成聖，封清源妙道眞君。他有三隻眼睛，放出眞光，哮天犬是神犬。比老虎還厲害。

由李冰到楊戩，其間，灌口二郎廟的神，有人且以爲是三閭大夫，不免使人想到陸游大樓並廟詩：

我生不識柏梁建章宮殿，安得峨冠侍遊宴。又不及身滎陽京索間，擐甲橫戈夜酣戰。胸中迫隘思遠遊，泝江來倚岷山樓。千年雪嶺闌邊出。萬里雲濤坐上浮。禹跡茫茫始江漢，疏鑿功當九州半。丈夫生世要如此，齎志空死能無嘆。白髮蕭條吹北風，手持卮酒酹江中。姓名未死終磊磊，要與此江東注海。

大禹治水引出：「禹跡茫茫始江漢，疏鑿功當九州半」的感嘆，以至又引出來李冰，楊戩的傳說。

北方也有二郎神廟，香火鼎盛。

至於元曲中二郎神的戲曲，此處卻不去說他。

臨水夫人

與水神有關的神話很多，其中臨水夫人和天后因在福州地帶，一般尊稱臨水夫人爲臨水奶或臨水娘。此處先略述臨水夫人來歷，再說天后。

臨水夫人據福建通志記載：

臨水夫人，古田人，唐大曆二年(767)生，歸劉杞；夙慕玄修，年二十四卒。邑臨水有白蛇洞，常吐氣爲疫癘，一日，有朱衣人執劍索蛇斬之。鄉下詰其姓氏，曰：「我江南下渡陳昌女也。」遂不見，乃知其神，立廟洞上，凡禱雨暘，驅疫，求嗣莫不靈應。宋滄祐間（1241-1252）封「崇福昭惠慈濟夫人」，賜額「順懿」，八閩多祀之。

其附註中說：

夫人，唐大歷中(766-779)巡檢黃公之配，姓陳名靖姑，閩縣下渡人，少而靈異。一日，與人言曰，「吾已試劍於太平石，藏書於鼓角巖，不日將還造化矣！」既歿，立廟於黃氏祖居之旁，是西洋宮所自始也。宋淳祐間（1241-1252）封「順懿」；元延祐間（1314-1320）追封（淑靖）；我朝雍正七年（1729）皇后宣封「天上聖母。」

臨水夫人是江南下渡（福州縣）陳昌之女，二十四歲去逝。生前曾嫁黃巡檢爲妻。臨水山洞有白蛇出沒，吐氣爲疫厲，有朱衣人以劍斬蛇，爲民除害。鄉下人崇拜牠，立廟祭祀。除疫之外，祈雨求嗣，莫不應驗。謝金鑾臺灣縣志述：

宋淳祐中封「崇福昭惠慈濟夫人」，賜額「順懿」，後又加封「天仙聖母青靈善化碧霞元君」。

縣志也有記載：

宋時浦城徐清叟子婦產難，夫人幻形救之。謝之不受，問其姓氏里居，但曰古田人陳姓。後徐知福州，令人至古田訪之，見廟中像悟爲夫人幻身，乃請於朝加贈封號。今婦人臨蓐，必供夫人像室中，至洗兒日始拜謝而焚之。

因爲民間崇拜，救人難產的幻身，又廣爲傳佈。吳任臣十國春秋中說靖姑的法術更是神奇：

靖姑，守元女弟也（按本書載守元爲閩縣人），常餉守元於山中，遇餒嫗，發簞飯之，遂援以秘籙符篆，與鬼物交通，驅使五丁，鞭笞百魅。永福有白蛇爲孽，數害郡縣，或隱迹宮禁，幻爲人形。惠宗閩王璘，召靖姑驅之。靖姑率弟子作丹書符，夜圍宮斬蛇爲三；化三女子潰圍出，飛入古井中，靖姑圍井三匝乃就擒。惠宗詔曰：『虵魅行妖術，逆天理，隱淪後宮，誑欺百姓，靖姑親率神兵，服其餘孽，以安元元，功莫大焉！其封靖姑爲「順懿夫人」，食古田三百户，以一子爲「舍人」！』靖姑辭讓食邑不受，乃賜宮女三十六人爲弟子。後數歲，逃居海上不知所終。

這裡述靖姑的善行，救人饑餒，能與鬼神交通，驅妖斬蛇，功德無量。且說她有兒子，不止一人。惠宗封靖姑爲順懿夫人，一子封舍人。他有宮女三十六人爲弟子。辭讓三百戶食邑不受，出海不知所終。

不知所終的臨水夫人，旦夕受人朝拜。

山西晉祠一殿供奉水母娘娘，傳說水母娘娘幼小爲童養媳，受婆婆虐待，十七八歲眞美麗，每日擔水上山崗，有朝遇到一老翁，牽着驢兒喝光兩桶水，三天喝掉水六桶，婆婆處罰她，身體帶傷無憎怨。老翁送她鞭子一條，鞭子入放水滿缸。婆婆貪心把水來賣錢，抽掉鞭兒水漫開，淹了自家不算，淹了街鄰無法辦。小媳婦坐上水缸，一瞬間修成正果。上述這一段，爲臨水夫人一段神仙話。

天后——媽祖

天后如今通稱媽祖，媽祖的勢力較臨水夫人陳靖姑的勢力大的多。她的祠廟遍及各地，廟宇巍峨壯麗，她的來歷在元王元恭四明續志卷九祠祀篇引程端學天妃廟記說：

神姓林氏，興化莆田都巡君之季女。生而神異，能力拯人患難。室居未三十而卒。宋元祐間，邑人祀之。水，旱，癘疫，舟航危急，有禱輒應。宣和五年，給事中路允迪以八舟使高麗，風溺其七，獨允迪舟見神女降於檣而免。事聞於朝，錫廟額曰『順濟』。紹興二十六年，封『靈惠夫人』。三十年，海寇嘯聚江口，居民禱之，神見空中，起風濤煙霧，寇潰就獲。泉州上其事，封「靈惠昭應夫人」。乾道三年，興化大疫，神降曰，「去廟丈餘，有泉可愈」。居民掘斥鹵，甘泉湧出，飲者立愈。又海寇作亂，官兵不能捕；神迷其道，俾至廟前就擒。封「靈惠昭應崇福夫人」。淳熙十一年，福興都巡檢姜特立捕溫台海寇，禱之，即獲。封「靈惠昭應崇福善利夫人」。既而民疫夏旱，禱之愈且雨。紹熙三年，特封「靈惠妃」。慶元四年，甌閩諸郡苦雨，惟莆三邑禱之霽，且有年。封「靈惠助順妃」。時方發閩禹舟師平大奚寇，神復效靈起大霧；我明彼暗，盜悉掃滅。嘉定元年，金人寇淮甸，宋兵載神主戰於花靨鎮，仰見雲間皆神兵旗幟，大捷。及戰紫金山，復見神像，又戰三捷。遂解合肥之圍。封「靈惠順助顯衛妃」。嘉定十年，亢旱，禱之雨海寇犯境，禱之獲。封「靈惠助順顯衛英烈妃」。嘉熙三年，以錢塘潮決，陡至艮山祠，若有限而退。封「靈惠助順嘉應英烈妃」，寶佑二年旱，禱之雨。封「助順嘉應英烈協正妃」。三年，封「靈惠助順嘉應慈濟妃」。四年，封「靈惠協正嘉應善應妃」。景定三年，禱捕海寇，得反風，膠舟就擒，封「靈惠顯濟嘉應善慶妃」。寶佑之封，神之父母女兄以及神佐皆有錫命。皇元至元十八年，封「護國明著天妃」。大德三年，以漕運效靈，封「護國庇民明著天妃」。延佑元年，封「護國庇民廣濟明著天妃」。

處福州「天后宮聖母聖蹟圖誌」等資料所記，天后是唐天寶元年出生，是莆田人林願第六女，能乘蓆渡海，人稱龍女。據宋潛記友臨安志說：

> 宋太宗雍熙四年昇化湄州。常朱衣飛翻海上，士人祀之。

在周振鶴所記的年軍表裡，說她生時地變紫，有祥光異香，通悟秘法，預知休咎，鄉民有病告輒愈。乘席渡海，雲遊島嶼，人呼神女，又呼龍女。

杭州縣志等記其事實與傳說如下：

天后年表

年代（西元）	所引書	事實或傳說
太平興國四年（九七〇）	莆田縣志	天后林姓，世居莆之湄洲嶼，五代閩王時都巡檢林愿之第六女也；母王氏。是年三月二十三日妃始生，而地變紫，有祥光異香。通悟秘法，預知休咎，鄉民以病告，輒愈；長能乘席渡海，雲遊島嶼間；人呼曰神女，又曰龍女。

雍熙四年（九八七）	莆田縣志	雍熙四年二月十九日昇化。
景德三年（一〇〇七）	莆田縣志	一云景德三年十月初十日昇化。是後常衣朱衣，飛翻海上，里人祀之，雨暘禱應。
宣和五年（一一二三）	杭州府志	宣和癸卯，給事中路允迪使高麗，中流震風，八舟七溺，獨路所乘，神降於檣，安流以濟；特賜濟廟號。順濟聖妃本莆田林都巡檢女，自幼不室，數著靈異，死後祠于聖堆口白湖。宋宣和五年，暢順濟廟額。
紹興二十六年（一一五六）	杭州府志	紹興二十六年封靈衛（？）夫人。
紹興二十九年（一一五九）	使琉球雜錄 莆田縣志	天妃宋高宗朝，封崇福靈惠昭應夫人。 紹興己卯，江口海寇倡獗，神駕風一掃而去；其年疫神降子白湖，去湖尺許，掘坎湧泉，飲者輒愈洊封昭應崇福。
乾道五年（一一六九）	使琉球雜錄 莆田縣志	天妃宋孝宗朝以助勦溫台寇，封靈茲（？）照應崇善福利夫人。 乾道己丑，都巡檢使姜立上神獸相捕盜功，加封善利。

淳熙（一一七四—一一八九）	八閩通志	天妃廟神即宏仁普濟天妃，淳熙間，歲屢災旱，隨禱隨應，加封靈惠。
紹熙三年（一一九二）	使琉球雜錄 杭州府志	天妃宋光宗以救旱，封靈惠妃。紹熙三年改封顯惠妃。
慶元四年（一一九八）	使琉球雜錄 莆田縣志 杭志州府	天妃宋甯宗朝，以救潦加封助順。 慶元戊午，朝廷調舟師平大奚寇神障以霧，此明彼暗，寇悉掃除。 順濟聖妃，慶元四年，加封順。敕曰「……夫生不出閨門，死祀于百世，其義烈有過人者矣。靈惠妃宅於白湖，福此閩粵，雨暘不愆，靡所不應。……」
開禧二年（一二〇六）	使琉球雜錄 莆田縣志	天妃宋甯宗，以淮甸退敵，屢加顯衛護國助順嘉應英烈妃。 開禧丙寅，寇迫淮甸，神擁旗，一戰解圍。莆民艱食，朔風彌旬，南舟不至，神反風，不日輻輳；海寇入境，神爲膠舟，悉就擒。
嘉熙三年（一二三九）	杭州府志	順聖聖妃嘉熙三年累封爲靈惠助順嘉應英烈。

景定二年（一二六一）	使琉球雜錄 莆田縣志	天妃宋理宗朝，以濟興泉饑，加封協正；又封靈惠助順嘉應慈濟妃；尋以錢塘隄成，加封善慶；既又以顯靈焚寇，進封顯濟妃。景定辛酉，巨寇泊祠下，禱神不允群肆暴慢，醉臥廊廡間，神縱火焚之，賊駭遁，風沙晝晦，各跨踐而敗，有司以聞，累封助順顯惠英烈協正善慶等號。
至元十五年（一二七八）	元史世祖本紀 元史祭祀志	至元十五年封泉州神女號護國明著靈惠協正善慶顯濟天妃。 南海女神靈惠夫人，至元中以護海運有奇應，加封天妃神，號積至十字，廟曰靈慈（？）。直沽平江周涇泉福興化等處皆有廟。
大德三年（一二九八）	元史成宗本紀	大德三年二月壬申，加泉州海神曰護國庇民明著天妃。
皇慶（一三一二—一三一三）	元史祭祀志 使琉球錄	南海女神靈惠夫人，皇慶以來。歲遣使齎香偏祭，金幡一合，銀一錠，付平江官，漕司，本府官，用柔毛，酒醴，便服行事。祝文云「維年月日皇帝特遣某官等致祭於護國庇民廣濟福惠明著天妃……」 天妃仁宗朝加封廣濟。
至治元年（一三二一）	元史英宗本紀	英宗至治元年五月辛卯，海漕糧至直沽遣使祀海神天妃。

至治元年（一三二三）	同上	至治三年二月，海漕糧至直沽遣使祀海神天妃。
泰定元年（一三二四）	續文獻通考	泰定元年，以鹽官州海水溢，遣使祀海神。（？）
泰定三年（一三二五）	元史泰定帝本記	泰定三年秋七月，遣使祀海神天妃；八月作天妃宮於海津鎮鹽官州，大風海溢，遣使祭海神。
泰定四年（一三二七）	同上	泰定四年，秋七月，遣使祀海神天妃。
致和元年（一三二八）	同上	致和元年，春正月甲申，遣使祀海神天妃；三月甲申，遣戶部尙書李家奴往鹽官祀海神，仍集議修海岸。
天曆二年（一三二九）	元史文宗本記 使琉球雜錄	天曆二年冬十月巳亥，加封天妃爲護國庇民廣濟福惠明著天妃；賜廟額曰靈慈？遣使致祭；十一月戊午，遣使代祀天妃。 天妃文宗朝加封靈感助順福惠徽烈賜額靈慈；皆以漕運危險，立見顯應故也。
至正十四年（一三五四）	元使順帝本記	至正十四年，冬十月甲辰，詔加號海神爲輔國護聖庇民廣濟福惠明著天妃。

洪武五年（一三七二）	閩書	洪武初，天妃有護海運舟之功；五年封孝順純正孚濟感應聖妃。
永樂五年（一四〇七）	明會典 大政紀	天妃宮在龍江關，永關五年建；每歲以正月十五日三月二十三日遣南京太常寺官祭。 五年九月戊午，建龍江天妃關，命太常寺少卿朱輝祭告。時太監鄭和使古里賴加諸番國，還言神多感應，故有是命。
永樂七年（一四〇九）	使琉球雜錄 莆田縣志	天妃明成祖朝護國庇民妙靈照應宏仁普濟天妃。 永樂間，內官甘泉鄭和有暹羅西洋之役，各上靈蹟，命修祠宇；已丑加封宏仁普濟護國庇民明著天妃；自是遣官致祭，歲以爲常。
康熙十九年（一六八〇）	大清會典	天妃康熙十九年，議准封爲護國庇民妙靈昭應宏仁普濟天妃，遣官獻香帛，讀文致祭；祭文由翰林院撰，香燭由太常寺備辦，遣禮部司官前往致禮；一應禮儀，照黃河神例行。
康熙二十年（一六八一）	莆田縣志	康熙二十年，舟師南征，大捷；提督萬正色以妃靈，有反風之功，聞于朝，詔封昭靈顯應仁慈天后，遣官致祭。

媽祖的稱號，據趙翼陔餘叢考卷三十五說：

吾鄉陸廣霖進士云：「台灣往來，神訴尤著。土人呼神爲媽祖。倘過風浪危急，呼媽祖則神披髮而來，其效立應。若呼天妃，則神女冠帔而至，恐稽時刻。媽祖云者，蓋閩人在母家之稱也。」

神的名號，是一般泉，漳，潮等地方民衆朝拜，叫出來的，是不待帝皇封號，便流行於各地的。不僅是泉漳潮三地，連浙，閩，粵三地及其他各省，也都祭祀天后，此天后宮，天妃廟四處建立之緣由。

我們看以下的說法：

1.范端昂粵中見聞卷四說：

古人帝天而后地，以水爲妃。天妃者，泛言水神也。

2.趙翼陔餘叢考卷三十五說：

竊意神之功效如此，豈林氏一女子所能，蓋水爲陰類，其象維女。地媼配天則曰后，水陰次之則曰妃，天妃之名，即謂水神之本號可，林氏女之說，不必泥也。

3.全祖望 埼亭集卷三十五有天妃廟說，是爲最不滿於民間所信仰的林氏女，而欲以祝融代之者。更可以證明我所說的一部分學者，他們的信仰和民間的信仰衝突，欲使原來的神失其依據，而換以較大的或自然的神。今錄天妃廟說全文於下：——

今世淅中，閩中，粵中，以及吳淞近海之區，皆有天妃廟，其姓氏則閩中之女子林氏也，死爲海神，遂有天妃夫人之稱，其靈爽非尋常之神可比，歷代加封焉。子全子曰：異哉，聖人之所不語也。生爲明聖，死爲明神，故世之死而得祀者，必以其忠節貞孝而後尊。以巾幗言之湘夫人之得祀也，以其從舜而死；女嬃之得祀也，以其弟屈原；曹娥之得妃也，以其孝。若此例者，不可屈指。若夫流俗之妄，如蝪磯夫人祠，亦以傳其殉漢而祠之。至於介山妒女之流，則所謂俚誕之不足深詰者也。若天妃者，列于命祀，遍于南方海上州縣，其祀非里巷祠宇所可比。然何其漫無稽也。夫婦人之爲德也，其言不出於閫，其議不出於酒食之微，其步趨不出於屏廳之近；其不幸而嫠，所支持亦不出於門户之閒，所保護亦不出於兒女之輩；若當其在室，則尤深自閟匿，而一無所豫。林氏之女，即云生有異稟，其于海上樓船之夷險，商賈之往還，亦復何涉，而忽出位謀之，日接夫天吳，紫鳳之流，以强作長鯨波汎之管勾，以要鮫人蛋户之崇奉，甚無謂也。古來巾幗之奇，蓋遭逢不幸，出於變故之來，勃菀煩冤以死，故其身後魂魄所之，不可卒化，世入亦遂因而祀之，以勵風教，以維末俗，是三禮之精意，不可廢也。天妃果何居乎？自有天地以來，即有此海。有此海，即有神以司之。林氏之女，未生以前，誰爲司之？而直待昌期之至，不生男而生女，以爲林氏門楣之光，海若斂袵，奉爲總持，是一怪也，天之配爲地，今不以富媪爲伉儷而有取於閨產，是二怪也。林氏生前固處子耳。彼世有深居重闥之淑媛，媒妁之流，突過而呼之曰妃，曰夫人，曰娘，則有摑其面，避之惟恐不速，而林氏受之，而不以爲泰，是三怪也。爲此説者，蓋出於南方好鬼之人，妄傳其事，鮫人蛋户，本無知識，展轉相愚，造爲靈跡以實之，于是梯航所過，弓影蛇形，皆有一天妃在其意中，在其目中，以至縢蠻之盛，惟恐或後，上而秩宗，下而海隅官吏，又無深明典禮者以折之，其可嘆也。前乎吾而爲此說者，明會稽唐氏也。然略示其旨而未暢，吾故爲之申而明之，以俟世有狄文惠公其人者。曰，然則，海上之應祀者誰也？曰海之瀕于南者，祝融是也。是眞海神也。祝融爲火而海爲水，天一生水，地二生火，水火相配，故海之瀕于南者，其神有妃之稱，而東西北三方之海無之。後人不知，妄求巾幗以實之，吾憐其愚也。是則唐氏所未及發者也。(原注：唐氏之後，明人有江氏，其辨略同。)

全祖望以儒學的眼光，不信「怪力亂神」，反對迷信。趙翼亦以爲：

水陰類，其象維女，天妃之名，即水神之本號，非實有林氏女其人。

粵中見聞卷四：

吾粵水國，多廟祀天妃。新安赤灣沙上有天妃廟，背南山，面大洋，大小零丁數峰壁立爲案，最顯靈，凡渡海者必禱，謂之辭沙，蓋以廟在沙上也。每年三月二十三日，天妃渡海南，必有北風，渡海者皆候之。是日粵中邊海地面，皆有風雨。

清末以來，媽祖的信衆愈來愈多。僅台灣一地，媽祖廟即多至五百餘座，威靈顯赫，香火鼎盛。稱天后、天妃，齊呼媽祖，廟宇且以地方冠其名如：「開台媽」、「開基媽」、「鹿耳門媽」、「新港媽」、「笨港媽」、「澎湖媽」、「台南媽」、「鹿港媽」、「北港媽」、「梧棲媽」、「清水媽」、「大甲媽」、「鹽水媽」、「關渡媽」等不一而足。且因其年代、地區、歷史、背景而有

「正統」、「開台」、「開基」、「開元」、「開盛」、「最靈」、「最古」之宣導。每逢媽祖生日，「潮州祖廟」便成爲「老媽」誕辰聖地，萬里朝拜，水陸交通絡繹不絕於途者，皆爲進香割火，祝祀祈傳而穿梭，合十叩首，求福保命；寺廟以此而興盛，地方並此而繁榮。甚至，媽祖的造型，文物的博覽，亦成媽祖信仰的風尙。

如果，藉媽祖的朝拜，而增進四方民衆情感的融洽，觀光的交流，未嘗不是意外的收獲。而海上守護神，稱譽媽祖如千手千眼，大慈大悲，救苦救難的觀世音菩薩，誰曰不宜。

寓言

莊子寓言

司馬遷爲莊子寫傳，說莊子：「著書十餘萬言，大率皆寓言也。」山海經中「愚公移山」、「夸父追日」、「精衛塡海」的故事，含有知其不能而爲之的精神。列子：「造父御六轡而得心應手」，「大道以多歧亡羊」，都含有寓言的性質，所謂寓言，就是在極短的故事裡含有啓示人生的道理。莊子的寓言，大都以主客的人物相對，從他們說的話中表達出來。他的意義是在形色名聲之外的，如他在「天道篇」中所說：

> 世之所貴道者，書也。書不過語，語有貴也，語所貴者，意也，意有所隨。意之所隨者，不可以言傳之也。而世因貴言傳書，世雖貴之哉，猶不足貴也。爲其貴非其貴也。故視而可見者，形與色也；聽而可聞者，名與聲也。悲夫！世人以彩色名聲爲足以得彼之情，夫形色名聲果不足得彼之情，則知者不言，言者不知，而世豈識之哉！

因爲，形色名聲，是俗世之物，不足範圍在形色名聲之外的無窮大的境界，這才是情的至理。

至於美惡，在「山木篇」中他說：

陽子之宋，宿於逆旅。逆旅人有妾二人，其一人美，其一人惡，惡者貴而美者賤。陽子問其故，逆旅小子對曰：「其美者自美，吾不知其美也；其惡者自惡，吾不知其惡也。」陽子曰：「弟子記之！行賢而去自賢之行，安往而不愛哉！」

美惡不在其形態，而在其事象的本質，惡者貴以其本質好，美者賤以其爲人所賤，自其美而賤的原因，正如逆旅小子之所言：「美者自美」而認識她的人不以爲然，可能她是個惡行昭彰的人，故人以爲她的美不美。而面貌醜的，有善德在，故不知其惡。小子未經世故是純潔的見證。在美學的意識上，這是超越美醜的認定。

形色名聲對莊子來說，就是一種生命的束縛，他在「逍遙遊」中，用大小的比喻說明天地造物自有其妙用，不必強迫它的率性與眞情屈從於不合於它的天地，天地一體的觀念，成爲莊子的宇宙觀。他說明鯤鵬的大用：

北冥有魚，其名爲鯤。鯤之大，不知其幾千里也。化而爲鳥，其名爲鵬。鵬之背，不知其幾千里也；怒而飛，其翼若垂天之雲。是鳥也，海運則將徙於南冥。南冥者天池也。齊諧者，志怪者。諧之言曰：「鵬之徙於南冥也，水擊三千里，摶扶搖而上者九萬里，去以六月息者也。」野馬也，塵埃也，生物之以息相吹也。天之蒼蒼，其正色邪？其遠而無所至極邪？其視下也，亦若是則已矣。

但鯤鵬的大用，仍然要靠風來借力，否則，不能飛高與飛遠。下面有段話說：

蜩學鳩笑之曰：「我決起而飛，搶榆枋而止，時則不至而控於地而已矣，奚以之九萬里而南爲？」適莽蒼者，三飡而反，腹猶果然；適百里者，宿舂糧；適千里者，三月聚糧。之二蟲又何知！

蜩與鳩只能飛的低飛的近只是小用，大用小用只是遠近不同；大鵬飛到南冥又怎樣呢？因爲，蒼蒼莽莽的天是「無極之外，復無極」的。所以：

斥鴳笑之曰：

彼且奚適也？我騰躍而上，不過數仞而下，翱翔蓬蒿之間，與亦飛之重至也。而彼且奚適也？

天地無極，鵬飛到南冥是夠遠了，但又能遠到那裡呢？

若夫乘天地之正，而禦六氣之辯，以遊無窮者，彼且惡乎待哉！故曰：

至人無己，神人無功，聖人無名。

在這裡，莊子說出他的思想：

忘己、忘功、忘名。

這也就是堯讓天下給許由，許由不肯接受的道理。

對於美，莊子說出了他的千古名言：

藐姑射之山，有神人居焉，肌膚若冰雪，綽約若處子，不食五穀，吸風飲露，乘雲氣，御飛龍而遊乎四海之外，其神凝，使物不疵癘，而年穀熟。

逍遙遊是借比喻一層一層來表現他的哲思的。美對他來說就是：神來之筆，睹之在前，忽焉在後，隱約迷離，花非花，霧非霧，美的形象，就是意象，在眞幻之間的瞬息，讓空間爲不可方物的美全部佔有，此是不可言傳的，即「乘天地之正，御六氣之辯，以遊無窮」，化「萬物爲一體的化育之理」。

在「齊物論」中他闡釋物之原用：

物無非彼，物無非是。自彼則不見，自知則知之。故曰：彼出於是，是亦因彼。彼是方生之說也。雖然，方生方死；方死方生。方可方不可：方不可方可，因是因非：因非因是。

所以，物無是非，但看是否執著於自然之理，這個是非是在於天人之行的均衡而已，在此，他以朝三暮四的偏執來說明：

勞神明爲一，而不知其同也。謂之朝三。何謂朝三？狙公賦芧，曰：「朝三。」衆狙皆怒。曰：「然則朝四而暮三。」衆狙皆悅。名實未虧，而喜怒爲用。亦因是也。是以聖人和之以是非，而休乎天鈞，是謂之兩行。

這種偏執不過是智愚之不同罷了。對於大小他又在此太山與秋毫，秋毫與微塵，殤子與彭祖，彭祖與蜉蝣之相比，不過指天地之一瞬，滄海之一粟也：

天下莫大於秋毫之末，而太山爲小。莫壽於殤子，而彭祖爲夭。天地與我並生，萬物與我爲一。

以佛家而言，人生不過：「如夢幻，泡影，如露亦如電，應作如是觀也」。不過，莊子認爲天地無論是非久暫，皆爲生命之一體，都是包含在萬有之中，所以，他指出：「天地與我並生，萬物與我一體」的箴言，故宇宙是合而爲一的：

既已爲一矣，且得有言乎？既已謂之一矣，且得無言乎？

這個無言，就是天地萬物的脗合：

旁日月，挾宇宙，爲其脗合，置其滑涽。以隸相尊。衆人役役，聖人愚芚。參萬歲而一成純，萬物盡然，而以是相蘊。

這種萬物相蘊的觀念，就是相忘於江湖的灑脫，這樣的開闊，才會產生出來：

昔者莊周夢爲蝴蝶，栩栩然胡蝶也。自喻適志與，不知周也。俄然覺，則蘧蘧然周也。不知周之夢爲蝴蝶與？蝴蝶之夢爲周與？周與蝴蝶，必有分矣。此之謂物化。

這不僅是物化，也是飄然於物外的化育，是與自然合一的栩栩然，因爲，自然就是無拘束的自由，開放的自由，無遠弗屆。是與孔子說：

天何言哉，四時行矣，百物生矣，天何言哉。

純任自然，就是夢與現實不分，蝴蝶與莊周一體，也就是與自然不分與天地萬物一體。

「養生主」篇最出名的寓言是庖丁解牛的譬喻之說：

庖丁爲文惠君解牛，手之所觸，肩之所倚，足之所履，膝之所踦，砉然嚮然，奏刀騞然，莫不中音，合於桑林之舞，乃中經首之會。文惠君曰：「嘻，善哉！技蓋至此乎？」庖丁釋刀對曰：「臣之所好道也，進乎技矣。始臣之解牛之時，所見無非牛者，三年之後，未嘗見全牛也。方今之時，臣以神遇而不以目視，官知止而神欲行。依乎天理，批大郤，導大窾，因其固然。枝經肯綮之未嘗，而況大軱乎！良庖歲更刀，割也；族庖月更刀，折也。今臣之刀十九年矣。所解數千牛矣，而刀刃若新發於硎。彼節者有閒，而刀刃者無厚；以無厚入有閒，恢恢乎其於遊刃必有餘地矣，是以十九年而刀刃若新發於硎。雖然，每至於族，吾見其難爲，怵然爲戒，視爲止，行爲遲。動刀甚微，謋然已解，如土委地，提刀而立，爲之四顧。爲之躊躇滿志，善刀而藏之。」文惠君曰：「善哉！吾聞庖丁之言，得養生焉。」

養生的眞理就是順應自然，你若懂得庖丁解牛的道理，你就應該了解養生，了解牛的經脈關節，舉重若輕，神乎其運，游刃有餘。庖丁之解牛所謂：「手之所觸，肩之所倚，足之所履，膝之所躊，砉然嚮然，奏刀騞然，莫不中音合於桑林之舞，乃中經首之會」。庖丁解牛其手肩足膝的動作，無不配合了刀的節奏起伏，飄然如桑林之舞，怡然如經首之曲。如此而言，庖丁之解牛乃成爲音樂的舞蹈的藝術的美的旋律；養生亦該這樣，其精神就在順乎自然，不要違反生命自有的原理。人面對生命，便不要「以無厚入其間」，間小入厚，則是行不通的，這種道理，就是養生的功夫。

「人間世」說明明哲保身的處世哲學，從仲尼與顏回的對話中說出名聞不爭的態度。如不量力而爲，則如「螳臂擋車」其結果可想而知。他又用養虎愛馬，各種樹的作用東北方，在諸多譬喻之後，他創造了一個叫做支離疏的怪人：

> 支離疏者，頤隱於臍，肩高於頂，會撮指天，五管在上，兩髀爲脅。挫針治繲，足以餬口；鼓筴播精，足以食十人。上徵武士，則支離攘臂而遊於其間；上有大役，則支離以有常疾不受功；上與病者粟，則受三鍾與十束薪。夫支離其形者，猶足以養其身，終其天年，又況支離其德者乎！

這種怪人，下巴擠在肚子上，肩膀高聳頭上，頭髮指天，五官扭曲，大腿連著肋骨，飯量很大，做著粗活。皇上徵召武士，他穿梭其間，有勞役他可免除，有濟病人的粟米，他領的比常人多。他這樣的一個怪人，尚能得享天年，何況那些背行喪德的人？

在這篇的結論中，他講出順應「人間世」的道理：

> 孔子適楚，楚狂接輿遊其門曰：「鳳兮鳳兮，何如德之衰也。來世不可待，往世不可追也。天下有道，聖人成焉；天下無道，聖人生焉。方今之時，僅免刑焉！福輕乎羽，莫之知載；禍重乎地，莫之知避。已乎，已乎，臨人以德！殆乎，殆乎，畫地而趨！迷陽迷陽，無傷吾行。吾行卻曲，無傷吾足。」
>
> 山木，自寇也；膏火，自煎也。桂可食，故伐之；漆可用，故割之。人皆知有用之用，而莫知無用之用也。

避開一切的阻礙與傷害，跳出自囿的小圈子，不要畫地爲牢，躲開危險的道路，就不會受到傷害。有用之物人們都要去用它。但那些無用的用處，人們大多是不知道的。

「應帝王」中有一則開竅的寓言，十分值得玩味：

南海之帝爲儵，北海之帝爲忽，中央之帝爲渾沌，儵與忽相與遇於渾沌之地，渾沌待之甚善。儵與忽謀報渾沌之德，曰：「人皆有七竅以視聽食息，此獨無有，嘗試鑿之。」日鑿一竅，七日而渾沌死。

天地開創之初，渾沌是沒有面目的，儵和忽因爲渾沌對他倆親近和善，要報答渾沌的恩德，二帝商量好，爲了他的視聽食息方便，嘗試著爲他每日鑿開一竅，鑿到了七日渾沌便嗚呼哀哉了。這裡說明：渾沌原來是沒有竅的，你要報恩，也得看開了竅，對他是否好，不合適的報答，其效果反是害了他；保持原有的生命，誠如莊子在前面說的話：

原人之用心若鏡，不恃不迎，應而不藏，故能勝物而不傷。

因爲儵和忽不明瞭「用心若鏡」之理，不知道渾沌本來面目是沒有七竅的，給他開鑿七竅，破壞原有的面目形相，加了人工的裝飾，把自然的本質破壞了，所以，渾沌便死了。如果，將自然之美比做文學藝術，這是發人深省的美學思想。誠如湯顯祖「牡丹亭」中之誦唱：「平生所愛是天然」。天然之美是文藝至高的意象。

「秋水」一篇以河伯與北海的對話，闡明自然界的運行，河水之逝非人力可以挽回，河伯遊北海，乃知萬物爲一的道理。對於這個道理，莊子反復論證，是他散文的精華，具有極高的文學性。他啓示吾人要深入而靜觀這個天與人自得相對的世間，他在「秋水」篇結語中，告訴惠子，他視名利權位如看到腐爛的死鼠一樣要遠遠的避開：

惠子相梁，莊子往見之。或謂惠子曰：「莊子來，欲代子相。」於是惠子恐，搜於國中三日三夜。莊子往見之，曰：「南方有鳥，其名爲鵷鶵，子知之乎？夫鵷鶵，發於南海而飛於北海，非梧桐不止，非練實不食，非醴泉不飲。於是鴟得腐鼠，鵷鶵過之，仰而視之曰：『嚇！』今子欲以子之梁國而嚇我邪？」

惠施聽了莊子的話，放了心，就和莊子同遊濠水橋上，莊子和他有一段絕妙的對話：

莊子與惠子遊於濠梁之上。莊子曰：「儵魚出遊從容，是魚之樂也。」惠子曰：「子非魚，安知魚之樂？」莊子曰：「子非我，安知我不知魚之樂？」惠子曰：「我非子，固不知子矣；子固非魚也，子之不知魚之樂，全矣。」莊子曰：「請循其本。子曰『汝安知魚樂』云者，既已知吾知之而問我，我知之濠上也。」

莊子說的「魚之樂」，是體會到：魚有水而自在優遊的樂趣，惠子在現實生活中，脫不出名利羈絆，不能逍遙於莊子的「萬物一體」的心靈境界，所以，他只看見魚在水中游，而不能感受魚水之樂的美感，這個美在文學上說就是情景相融，在美學上說就是「忘我」。忘我的境界，就是與自然合一的思想。這是莊子思想超越人世，與魚同水爲一體的至樂。

「至樂」篇，是莊子討論人的生死問題，我們來看他的故事和寓言：

莊子妻死，惠子弔之，莊子則方箕踞鼓盆而歌。惠子曰：「與人居，長子、老、身死，不哭亦足矣，又鼓盆而歌，不亦甚乎！」莊子曰：「不然。是其始死也，我獨何能無概！然察其始而本無生；非徒無生也，而本無形；非徒無形也，而本無氣。雜乎芒芴之間，變而有氣，氣變而有形，形變而有生，今又變而之死，是相與爲春秋冬夏四時行也。人且偃然寢於巨室，而我噭噭然隨而哭之，自以爲不通乎命，故止也。」

莊子妻子死亡之時，他也哀傷過，這是至情的表現，在哀傷悼念之餘，他深一層想，氣息與形體的運行，是生命的常態，一旦氣息斷絕，形體也會跟著喪失，如此說來，不斷的哀傷，才不是必要的了，所以，就停止了悲傷的哭泣。

爲生死的嚴肅問題，他舉譬說：

「且女獨不聞邪？昔者海鳥止於魯郊，魯侯御而觴之於廟，奏《九韶》以爲樂，具太牢以爲膳。鳥乃眩視憂悲，不敢食一臠，不敢飲一杯，三日而死。此以己養養鳥也，非以鳥養養鳥者也，夫爲養養鳥者，宜棲之深林，遊之壇陸，浮之江湖，食之鰌鯈，隨行列而止，委虵而處。彼唯人言之惡聞，奚以夫譊譊爲乎！《咸池》《九韶》之樂，張之洞庭之野，鳥聞之而飛，獸聞之而走，魚聞之而下入，人卒聞之，相與還而觀之。魚處水而生，人處水而死。彼必相與異，其好惡故異也。故先聖不一其能，不同其事，名止於實，義設於適，是之謂條達而福持。」

鳥兒是在天空自由飛翔，才有生命的活力，因爲愛鳥而剝奪了牠生命中賴以生活的藍天與自然景物，給牠好吃的食品，給牠好聽的音樂，對牠來說，都是殺害牠生機的毒害，牠自然就死了。這和魚沒有水而死，是相同的道理。

在「天地」篇中他講「無心得道」的寓言：

黃帝遊乎赤水之北，登乎崑崙之丘而南望，還歸，遺其玄珠。使知索之而不得，使離朱索之而不得，使喫詬索之而不得也。乃使象罔，象罔得之。黃帝曰：「異哉！象罔乃可待之乎？」

黃帝於遊巡時，掉了珍貴的玄珠，命智者之神知去尋找，空手而歸，繼命三頭六眼的離朱去找，也不曾找回來，又派神通廣大能言善道的喫詬去找，也沒有辦妥，不得已，叫粗心大意的象罔碰碰運氣，想不到，象罔去黃帝經過的草地上找了回來。

能夠找回玄珠的象罔用的是無心之心，不是智慧，不是才幹，不是言辯可以尋回玄珠。這段比喻是用了山海經的神話，成爲一段「無心得道」的故事。在山海經中，玄珠的神話，有其結果，蜀典卷二說：

蜀檮杌曰：『古史云，震蒙氏之女，竊黃帝玄珠，沈江而死，化爲奇相，即今江瀆神也。』按「黃帝傳」云：『象罔得之，復爲蒙氏女奇相竊之，沈海去爲神。』

雷蒙氏的女兒略施小技，便從大意的象罔那裡偷來了玄珠，她怕天帝怪罪，把玄珠呑到肚裡，自沈於江，變成了馬首鱗身的汶水之神。雖然，莊子不曾說明象之失玄珠，是無心之失。何謂「無心」，這是要我們細細的去體會的。

莊子並不是不談義與利的，他在「山木篇」中，說了一段感人的事：

林回棄千金之璧，負赤子而趨。或曰：「爲其布與？赤子之布寡矣，爲其累與？赤子之累多矣。棄千金之璧，負赤小而趨，何也？」林回曰：「彼以利合，此以天屬也。」夫以利合者，迫窮禍患相棄也；以天屬者，迫窮禍患害相收也。夫相收之與相棄亦遠矣。且君子之交淡若水，小人之交甘若醴；君子淡以親，小人甘以絕。彼無故以合者，則無故以離。

在這裡他只是說林回不顧千金之璧，卻背了一個小孩子逃難，難道這小孩子比千金之璧還貴重嗎？他能賣多少錢？背了一個孩子逃難，又沒有錢，那多累呀？如果是爲了圖利，利値多少錢？利不是永遠的，利沒有了又怎樣？以圖利爲目的，見利忘義，而視親友爲寇讎，酒肉朋友不就是這樣的嗎？所以「君子之交淡如水，小人之交甜如蜜」，這就是君子與小人的分別。只有天性是與利益不同的，天性是「迫窮禍患」而「不相棄」的。又在「達生」篇裡，他也說明專一誠意到「忘我」之境的道理：

梓慶削木爲鐻，鐻成，見者驚猶鬼神。魯侯見而問焉。曰：「子何術以爲焉？」對曰：「臣工人，何術之有！雖然有一焉，臣將爲鐻，未嘗敢於耗氣也，必齋（原作齊）以靜心。齋三日，而不敢懷慶賞爵祿；齋五日，不敢懷非譽巧拙；齋七日，輒然忘吾有四肢形體也。當是時也，無公朝，其巧專而外骨消；然後入山林，觀天性；形軀至矣，然後成見鐻，然後加手焉；不然則已，則以天合天，器之所以疑神者，其是與！」

鐻是個鐘鼎架，在工作之前，工匠梓慶要靜心養氣，要齋戒，要肅然面對山林之木，看它的性質與形狀，忘記自己的四肢形體，忘記慶賞爵祿世俗的雜念，只有把整顆心放在如何做好這個鐘鼎架上面，巧拙只在一念之間，名利非我所有，故而連巧拙也是沒有的，若有，那就是我和木鐻合爲一體了。

孟子及韓非子寓言

孟子學識淵博，雄辯滔滔，他的寓言雖然沒有莊子多，但是淑世的含意卻較莊子爲切中時弊，尤其孟子說理善用譬喻，把文章厚實的力量，以婉轉的言語，襯托出富麗的色彩，賈玄「譬喻與修辭」中說：

如五十步與百步之喻，舉一羽與見輿薪之喻，折技與執泰山之喻，兩兩相形而事理自顯，就省掉了不少廢話。又如白羽之白與白雪之白，白雪之白與白玉之白，紾兄之臂而奪之食，踰東家牆而摟其處子諸喻設爲友詰，那就不必正面說話，而針鋒相接，也自然使人無從置答。至如緣木求魚之喻，揠苗助長之喻，更能想入非非，於警策之中具幽默之趣。

孟子通常在氣勢磅礴的宏文，排山倒海的巨濤上，出現絢爛的彩虹，於相映成趣中，把如巨石般堅固的事理，說成輕鬆有情的意趣。寓言則更是其味雋永，如「公孫丑」上篇說：

必事焉而勿正，必勿忘，忽助長也。無若宋人然，宋人有閔其苗之不長而揠之者，芒芒然歸，謂其人曰：「今日病矣，予助苗長矣。」其子趨而往視之，苗則槁矣。天下之不助苗長者，寡矣。以爲無益，而舍之者，不耕苗者也，助之長者，揠苗者也。非徒無益，而又害之。

「揠苗助長」，乃速其死。較渾沌開竅更爲愛之實足以害之，何況養氣者需有恆久的修持，更勝一朝一夕之功，又豈能揠其苗助其長呢？

又如「滕文公」下篇：

戴盈之曰：「什一，去關市之征，今茲未能。請輕之，以待來年然後已，何如？」孟子曰：「今有人日攘其鄰之雞者，或告之曰：『是非君子之道。』曰：『請損之，月攘一雞，以待來年然後已。』如知其非義，斯速已矣，何待來件？」

「關市之征請待來年」，「凡攘一鷄請待來年」，如此寓意，不義之舉，何待來年，應趕快停止。這是「掃苗助長」的另一例。

「緣木求魚」見於梁惠王上篇：

孟子曰：「然則王之所大欲可知已。欲辟土地，朝秦楚，莅中國，而撫四夷也。以若所爲，求若所欲，猶緣木而求魚也。」王曰：「若是其甚與！」曰：「殆有甚焉！緣木求魚，雖不得魚，無後災；以若所爲，求若所欲，盡心而爲之，後必有災。」

「椽木求魚」的寓言，勸其少欲念，行仁政，發生了極大的作用。

在孟子的文章中理性的客觀的事物，易之以感性的主觀的比喻，來表現他的「智者不惑」，「順乎天理」，「行乎仁義」的道理，舉重若輕，迴環流漾，在自然暢適的寓言裡，表明他人性本善的人生觀和宇宙觀。如他的「鷸蚌相爭」只會使漁翁得利的心理是自私的。如他的「五十步笑百步」，忘了笑他人的人，自己也是可笑的。

孟子的寓言，是在較長篇的說理的言辭與篇章中，突然出現幾句發人猛醒，使人反省，所謂勁動矢猝發，中人要害。他較長的一篇寓言，是故事性極濃，而帶有小說性質，見於「離婁」下篇的「齊人故事」：

> 齊人有一妻一妾而處室者，其良人出，則必饜酒食而後反。其妻問所與飲食者，則盡富貴也。
>
> 其妻告其妾曰：「良人出，則必饜酒肉而後反；問其與飲食者，盡富貴也；而未嘗有顯者來。吾將瞷良人之所之也。
>
> 蚤起，施從良人之所之，偏國中，無與立談者；卒之東郭墦間之祭者，乞其餘；不足，又顧而之他；此其爲饜足之道也。」
>
> 其妻歸，告其妾曰：「良人者，所仰望而終身也。今若此！」與其妾訕其良人，而相泣於中庭。而良人未之知也，施施從外來，驕其妻妾。
>
> 由君子觀之，則人之所以求富貴利達者，其妻妾不羞也，而不相泣者，幾希矣！

話說這個不知羞恥的齊人，娶有妻妾二人，每天回家總是酒醉飯飽，言說自己地方尊貴，高朋滿堂，宴會不斷。妻妾二人不明就理，妻子忍不住跟去看看，只見過往人等皆不理他避開他。跟到一處墓園，見他把掃墓留下的食物吃了，又去乞討。妻子敗興歸來告訴妾，她們嫁的託負終身的良人竟然是此等下做之人。齊人歸來，仍是得意洋洋，妻妾二人相擁哭泣，爲的是，「怎麼嫁了這樣的丈夫」！

最後，他以「捨生取義」來說明他的價値觀；見告子上：

孟子曰：「魚，我所欲；熊掌，亦我所欲也，二者不可得兼，舍魚而取熊掌者也。生，亦我所欲也；義，亦我所欲也，二者不可得兼，舍生而取義者也。」

魚與熊掌二者不可得兼。而生與義亦不可得兼。「捨生取義」是「知恥近乎勇」的最佳詮釋。借魚與熊掌來欲兼二者的人，其取捨就難了。不過，這種人，在功利的社會，是愈來愈多了。

韓非子的寓言如「矛與盾」，「守株待兔」，「度足買履」，「和氏之璧」，也是文學的意趣十分濃厚的，他重視質的意義和教育的價値。我們先看「五蠹」中所喻：

宋人有耕田者，田中有株，兔走觸株，折頸而死，因釋其耒而守株，冀復得兔，兔不復得，而身爲宋國笑。今欲以先王之政，治當世之民，皆守株之類也。

他說的「五蠹」之民，指的是：儒生、說客、遊俠、近侍之臣、工商之民，無益國家，應棄而不用。因他們是天下亂源。不過，在「守株待兔」的寓言中，諷諭的是那些懶惰無能，以爲不事耕耘，便等收獲的人。

「矛與盾」是「難勢」中的寓言；說的是應世之道：

客曰：「人有鬻矛與盾者，譽其盾之堅，『物莫能陷也』。俄而又譽其矛曰：『吾矛之利，物無不陷也。』人應之曰：『以子之矛，陷子之盾，何如？』其人弗能應也。」以爲不可陷之盾，與無不陷之矛，爲名不可兩立也。夫賢之爲道不可禁，而勢之爲道也無不禁，以不可禁之賢與無不禁之勢，此矛盾之說也。夫賢勢之不相容亦明矣。

這應世之道借推銷兩種攻擊與防禦性武器的人喊道：「我賣的矛是可以刺穿一切東西的」，放下矛拿起盾來喊道：「我賣的盾是能夠擋住一切刺來的刀鎗的」。觀看的人問道：「用你無堅不穿的矛用力刺你刀鎗不入的盾會有怎樣的結果發生呢？」這就像不可禁的賢與不可禁的勢之不能相容，是與矛盾一樣的可笑的。因爲，自相矛盾，原來是說不通的。

「度足買履」是「外儲說」左上的一節：

鄭人有且買履者，先自度其足，而置之其坐。至之市，而忘操之；已得履，乃曰：「吾忘持度。」反歸取之。及反，市罷，遂不得履。人曰：「何不試之以足？」曰：「寧信度，無自信也。」

這個寓言譬喻是僵化的頭腦，固步自封，不知通權達變，捨本逐末的人。因爲，他只知道一種鞋樣，不知道自己的腳，適合買怎樣的鞋。

「和氏」記載楚人卞和獻璞被刖的故事：

楚人和氏得玉璞楚山中，奉而獻之厲王。厲王使玉人相之。玉人曰：「石也。」王以和爲誑，而刖其左足。及厲王薨，武王即位。和又奉其璞而獻之武王。武王使玉人相之。又曰：「石也。」王又以和爲誑，而刖其右足。武王薨，文王即位。和乃抱其璞而哭於楚山之下，三日三夜，淚盡而繼之以血。王聞之，使人問其故，曰：「天下之刖者多矣，子奚哭之悲也?」和曰：「吾非悲刖也，悲夫寶玉而題之以石，貞士而名之以誑，此吾所以悲也。」王乃使玉人理其璞而得寶焉，遂命曰「和氏之璧」。

這篇寓言是韓非子最膾炙人口的，他指明法家應世的處境之困難，如卞和獻璞之遭遇。特別是卞和哭泣說：他不是悲痛自己被砍掉雙腳，而是悲痛大人不認識這塊玉璞呀！玉人理璞得寶，「和氏之璧」遂得留傳千古，這則寓言，也說明了懷才不遇的悲哀。

笑林

作者東漢穎川人邯鄲淳，一名竺。獻帝時居荆州，曹操平荆州召見他。魏文帝時官博士給事中。所作「孝女曹娥錍」一揮而就，蔡邕稱之爲「絕妙好辭」。「笑林」三卷散佚甚多，所錄五則，大都詼諧，而寓意兼有教育性。

楚人

楚人居貧，讀「淮南方」：「得螳螂伺蟬自障葉，可以隱形。」遂於樹下仰取葉。螳螂執葉伺蟬，以摘之，葉落樹下。樹下先有落葉，不能復分別，掃取數斗歸。一一以葉自障，問其妻曰：「汝見我否？」妻始時恆答言見，經日仍厭倦不堪，云：「不見。」默然大喜。齎葉入市，對面取人物。吏遂縛詣縣。縣官受辭；自說本末。官大笑，放而不治。

淮南方是淮南王安作論方術的書，楚人看了螳捕蟬隱形於樹葉後的句子，以爲他躲在樹葉之後也可以隱形，這是借樹葉可以隱形來諷諭那些自欺欺人的愚庸者。

某甲

某甲夜暴疾，命門人鑽火。其夜陰暝，不得火，催之。門人忿然曰：「君責人亦太無理！今暗如漆，何以不把火照我！我當得覓鑽火具，然後易得耳。」孔文舉聞之，曰：「責人當以其方也。」

這眞是急病遇到了慢郎中，令人痛上加痛，哭笑不得。孔文舉是孔融之子，漢末魯國人，任北海相，文名甚著。孔融讓梨是孔融幼時故事。後爲曹操所殺。

漢世老人

漢世有人，年老無子，家富，性儉嗇。惡衣蔬食，侵晨而起，侵夜而息，營理產業，聚斂無厭，而不敢自用。或人從之乞求丐者，不得已而入內，取錢十，自堂而出，隨步輒減，比至於外，才餘半在。閉目以授乞者。尋復囑云：「我傾家贍君，愼勿他說，復相效而來。」老人俄死，田宅沒官，貨財充於內帑矣。

老人吝嗇如此，話著時不肯捨錢濟貧，死後貨財充於國庫，苦了一生，所爲何來？這是給有錢的小氣鬼，一大教訓。

有甲

有甲欲謁見邑宰，問左右曰：「令何所好？」或語曰：「好『公羊傳』。」後入見，令問：「君讀何書？」答曰：「惟業公羊傳。」試問誰殺陳他者。甲良久對曰：「平生實不殺陳他。」令察謬誤，因復戲之曰：「君不殺陳他，請是誰殺？」於是大怖，徒跣走出。人問其故，乃大語曰：「見明府，便以死事見訪，後直不敢復來，遇赦當出耳。」

某人見縣令，縣令旁邊的人說縣令喜歡讀「公羊傳」，公羊傳是一本注釋「春秋」的書，書中有「蔡人殺陳他，陳他爲何？陳君也。……淫於蔡人，蔡人殺之。」其人見了縣令，縣令問他「讀什麼書」？他說：「公羊傳」。縣令問他「誰殺了陳他？」（他原作佗）其人回答說：「平生實在沒有殺陳佗」。縣令知道他誤會了接著問：「你沒有殺陳佗，是誰殺的呢？」他聽了便嚇跑了。別人問他何故跑出來？他說：「縣令以死人的事問我，我再也不敢來了，這次好運，幸虧縣令赦免了我，我才能出來呀」！如此不求見解，眞是可笑。

陶丘出妻

平原陶丘氏，取渤海黑台氏女，女色甚美，才甚令，復相敬，已生一男而歸，母丁氏，年老，進見女婿，女婿既歸而遣婦，婦臨去請罪，夫曰，「曩見夫人年德已衰，非昔日比，亦恐新婦老後，必復如此，是以遣，實無他故。」

陶丘先生娶了黑台小姐，黑台小姐才貌雙全，美麗的岳母才生了美麗的太太。若干年後，陶丘再見岳母已經年老貌衰，回家後，他叫太太走路。妻反問他：「我有何罪？」他回答說：「你的母親當年漂亮，現在老了難看，你老了也是這樣，所以才遣你走路。」這眞是「以色貌取人」而不顧夫妻恩情的一大諷刺。文筆簡潔，用語健爽，而意念深刻。

啟顏錄

作者侯白，是隋人，史傳上說其人「性滑稽，尤辯俊，好爲俳諧雜文」。「啓顏錄」十卷，多已散失，只在太平廣記裡保存了一少部分。他的作品，雖然叫人看了「啓顏」作會意之微笑，但也有寓言智慧兩者兼有的趣味。

晏嬰

齊晏嬰短小，使楚，楚爲小門於大門側，乃延晏子。嬰不入，曰：「使狗國，狗門入，今臣使楚，不當從狗門入。」王曰：「齊無人耶？」對曰：「齊使賢者使賢王，不肖者使不肖王。嬰不肖，故使王耳。」王謂左右曰：「晏嬰辭辯，吾欲傷之。」坐定，縛一人來。王問何謂者。左右曰：「齊人坐盜。」王視晏曰：「齊人善盜乎？」對曰：「嬰聞橘生於江南，至江北爲枳，枝葉相似，其實味且不同，水土異也。今此人生於齊，不解爲盜，入楚則爲盜，水土使之然也。」王笑曰：「寡人反取病焉。」

晏嬰是個長的不起眼的小個子，在楚國做大使，卻遇到十分苛刻無禮的待遇，但他能在不怒而威的情況下，表現出凜然的氣概，讓楚王不得不辭窮理屈，甘拜下風。眞是孟子遺風，辯才無礙。

魏市人

後魏孝文帝時，諸王及貴臣多服石藥，皆稱石發。乃有熱者，非富貴者，亦云服石發熱，時人多嫌其詐作富貴體。有一人於市門前臥，宛轉稱熱，因衆人競看。同伴怪之，報曰：「我石發。」同伴人曰：「君何時服石，今得石發？」曰：「我昨在市得米，米中有石，食之，乃今發。」衆人大笑。自後少有人稱患石發者。

後魏孝文帝拓跋宏，好神仙之術，當時魏晉人迷信長生，服食石藥發熱叫石發，久則毒性發作，可要人命。所言一人患了石發的時髦病，誤以爲吃了米飯中的砂子，便躺在街市人家門外說是石發，讓行人來看他裝作的怪象。這種幼稚與無知的行爲，令人發笑。自稱石發的人，也不是隨時就可以發燒的。

山東人

山東人娶蒲州女，多患癭，其妻母項癭甚大。成婚數月，婦家疑不慧，婦翁置酒盛會親戚，欲以試之。問曰：「某郎在山東讀書，應識道理。鴻鶴能鳴，何意？」曰：「天使其然。」又曰：「松柏冬青，何意？」曰：「天使其然。」又曰：「道邊樹有骨骴，何意？」曰：「天使其然。」婦翁曰：「某郎不識道理，何因浪住山東！」因之戲之，曰：「鴻鶴能鳴者，頸項長；松柏冬青者，心中強；道邊樹有骨骴者，車撥傷：豈是天使其然！」曰：「請以所聞見奉酬，不知許否？」曰：「可言之。」曰：「蝦蟆能鳴，豈是頸項長？竹亦冬青，豈是心中強？夫人項下癭如許大，豈是車撥傷？」婦翁羞愧，無以對之。

這種巧言對答，不過解嘲而已。但本文之內容，卻是長短對稱的一篇佳構。很像孔子與小兒的問答。

劉道真

晉劉道眞遭亂，於河側與人牽船，見一老嫗操櫓。道眞嘲之曰：「女子何不調機弄杼，因甚傍河操櫓？」女答曰：「丈夫何不跨馬揮鞭，因甚傍河牽船？」又嘗與人共飯素盤草舍中，見一嫗將兩小兒過，並著青衣，嘲之曰：「青羊引雙羔。」婦人曰：「兩豬共一槽。」道眞無語以對。

不要認爲老嫗爲家計生活在河邊作棵櫓舟船的工作，便以爲她無知無識，隨便可以譏嘲；卻不知人不可貌相，海水不可斗量。老嫗人生經驗豐富，竟可令出口嘲弄人者，閉口無言。可見嘲弄人者的下場，不是愉快的。這也是一種人生哲學。

柳宗元

漢唐之際，寓言不多，有則多爲笑林志怪。到了宋代柳宗元頗有寓言之作，雖然用力嫌薄，但對承先啓後的功用，卻是不可抹殺，如下面所舉出的等篇：

柳宗元寓言「郭橐駝」傳：

郭橐駝，不知始何名。病，隆然伏行，有類橐駝者，故鄉人號之「駝」。駝聞之曰：「甚善！名我固當。」因捨其名，亦自謂橐駝云。其鄉曰豐樂鄉，在長安西。駝業種樹，凡長安豪富人爲觀游及賣果者，皆爭迎取養。視駝所種樹，或移徙，無不活，且碩茂早實以蕃。他植者雖窺伺效慕，莫能如也。

有問之，對曰：「橐駝非能使木壽且孳也，能順木之天，以致其性焉爾。凡植木之性：其木欲舒，其培欲平，其土欲故，其築欲密。既然已，勿動勿慮，去不復顧。其蒔也若子，其置也若棄，則其天者全而其性得矣。故吾不害其長而已，非有能碩茂之也；不抑耗其實而已，非有能早而蕃之也。他植者則不然，根拳而土易，其培之也，若不過焉則不及。苟有能反是者，則又愛之太恩，憂之太勤，旦視而暮撫，已去而復顧，甚者爪其膚以驗其生枯，搖其本以觀其疏密，而木之性日以離矣。雖曰愛之，其實害之，雖曰憂之，其實仇之，故不我若也。吾又何能爲哉！」

問者曰：「以子之道，移之官理，可乎？」駝曰：「我知種樹而已，理，非吾業也。然吾居鄉，見長人者好煩其令，若甚憐焉，而卒以禍。旦暮吏來而呼曰：『官命促爾耕，勗爾植，督爾穫。早繅而緒，早織而縷，字而幼孩，遂而雞豚。』鳴鼓而聚之，擊木而召之。吾小人輟飧饔以勞吏者，且不得暇，又何以蕃吾生而安吾性耶？故病且怠。若是，則與吾業者其亦有類乎？」

問者曰：「嘻，不亦善夫！吾問養樹，得養人術。」傳其事以爲官戒。

這篇雖然是郭橐駝的小傳，但說的是種樹者必須知曉樹的性質，讓它順其勢不害其長，否則，愛之其實害之，憂之實仇之。以此喻人，其寓意自在其中了。

羆說

鹿畏貙，貙畏虎，虎畏羆。羆之狀被髮人立，絕有力而甚害人焉。

楚之南有獵者，能吹竹爲百獸之音。寂寂持弓矢罌火，而即之山。爲鹿鳴以感其類，伺其至，發火而射之。貙聞其鹿也，趨而至，其人恐，因爲虎而駭之。貙走而虎至，愈恐，則又爲羆，虎亦亡去。羆聞而求其類，至則人也，捽搏挽裂而食之。

今夫不善內而恃外者，未有不爲羆之食也。

所謂「引羆驅虎」，虎去而羆仍復爲患，則如何治之？這是一篇對當時現實政治很生動有力的寓言。

蝜蝂傳

蝜蝂者，善負小蟲也。行遇物，輒持取，卬其首負之。揹愈重，雖困劇不止也。其背甚澀，物積因不散，卒躓仆不能起。人或憐之，爲去其負，苟能行，又持取如故。又好上高，極其力不已，至墜地死。

今世之嗜取者，遇貨不避，以厚其室，不知爲己累也，唯恐其不積。及其怠而躓也，黜棄之，遷徙之，亦以病矣。苟能起，又不艾。日思高其位，大其祿，而貪取滋甚，以近於危墜，觀前之死亡，不知誡。雖其形魁然大者也，其名人也，而智則小蟲也。亦足哀夫！

這是一篇諷諭性強烈的寓言，以「蝜蝂」背負的「包袱」與自己的身體力量不能成比例，而仍然不知死活，拼命往上爬，到後來只有力竭墜地而死。爲爭名利而死者，猶似此類也。

三誡

吾恆惡世之人，不知推己之本，而乘物以逞。或依勢以干非其類，出技以怒強，竊時以肆暴，然卒迨於禍。有客談麋、驢、鼠三物，似其事，作《三誡》。

臨江之麋

臨江之人畋得麋麑，畜之。入門，群犬垂涎，揚尾皆來。其人怒，怛之。自是日抱就犬，習示之，使勿動，稍使與之戲。積久，犬皆如人意。麋麑稍大，忘己之麋也，以爲犬良我友，抵觸偃仆，益狎。犬畏主人，與之俯仰甚善，然時啖其舌。三年，麋出門，見外犬在道甚衆，走欲與爲戲。外犬見而喜且怒，共殺食之，狼藉道上，麋至死不悟。

黔之驢

黔無驢，有好事者船載以入。至則無可用，放之山下。虎見之，尨然大物也，以爲神。蔽林間窺之，稍出近之，憖憖然莫相知。

他日，驢一鳴，虎大駭，遠遁，以爲且噬己也，甚恐。然往來視之，覺無異能者。益習其聲，又近出前後，終不敢搏。稍近益狎，蕩倚衝冒。驢不勝怒，蹄之。虎因喜，計之曰：「技止此耳！」因跳踉大㘎，斷其喉，盡其肉，乃去。

噫！形之尨也類有德，聲之宏悄類有能。向不出其技，虎雖猛，疑畏，卒不敢取。今若是焉，悲夫！

永某氏之鼠

永有某氏者，畏日，拘忌異甚。以爲己生歲直子，鼠，子神也，因愛鼠，不畜貓犬，禁僮勿擊鼠。倉廩庖廚，悉以恣鼠不問。由是鼠相告，皆來某氏，飽食而無禍。某氏室無完器，椸無完衣，飲食大率鼠之餘也。晝累累與人兼行，夜則竊嚙鬥暴，其聲萬狀，不可以寢，終不厭。

數歲，某氏徙居他州。後人來居，鼠爲態如故。其人曰：「是陰類惡物也，盜暴尤甚，且何以至是乎哉！」假五六貓，闔門，撤瓦，灌穴，購僮羅捕之。殺鼠如丘，棄之隱處，臭數月乃已。

嗚呼！彼以其飽食無禍爲可恆也哉！

「臨江之麋」，「黔之驢」，「永某氏三鼠」三篇，皆言：「不知災禍近在眉睫」猶自嬉戲度日之害。

鞭賈

市之鬻鞭者，人問之，其賈宜五十，必曰五萬。復之以五十，則伏而笑；以五百，則小怒；五千，則大怒；必五萬而後可。有富者子適市買鞭，出五萬，持以誇余。視其首，則拳蹙而不遂；視其握，則蹇仄而不植；其行水者，一去一來不相承；其節朽黑而無文，掐之滅爪，而不得其所窮。舉之，翲然若揮焉。余曰：「子何取於是而不愛五萬？」曰：「吾愛其黃而澤。且賈者云。」余乃召僮爚湯以濯之。則遬然枯，蒼然白，向之黃者梔也，澤者蠟也。富者不悅，然猶持之三年，後出東郊，爭道長樂下，馬相踶，因大擊，鞭折而爲五六。馬踶不已，墜於地，傷焉。視其內則空空然，其理若糞壤，無所賴者。

今之梔其貌，蠟其言，以求賈技於朝者，當其分則善。一誤而過其分，則喜；當其分，則反怒，曰：「余曷不至於公卿？」然而至焉者亦良多矣。居無事，雖過三年不害。當其有事，驅之於陳力之列以御乎物，以夫空空之內，糞壤之理，而責其大擊之效，惡有不折其用，而獲墜傷之患者乎？

本篇言：「賣鞭者騙人」，「買鞭者被騙」，兩者洋洋得意，「梔其貌，蠟其言」，騙名騙利騙高官厚爵，不知廉恥爲何物，乃至最後的下場是鞭斷人傷。

宋時所傳蘇軾作「艾子雜話」不過紀事。寓言代表作是在元之後，明人馬中錫所作「中山狼傳」。「中山狼傳」初見之於「古今說海」及「宋人小說百種」之中，題名爲宋之謝良撰，但均簡略比不上馬中錫的作品，有聲有色，人物場景的動作，叙述生動，歷歷如繪。仔細看來，馬中錫的「中山狼傳」，應是寓言作品，歷來最可寶貴的佳構，文字練達，內容充實，有如一幅連環圖畫。今將此篇錄載如下：

中山狼傳

趙簡子大獵於中山虞人道前，鷹犬羅後，捷禽鷙獸，應弦而倒者，不可勝數。有狼當道，人立而啼。簡子垂手登車，援烏號之弓，挾肅愼之矢，一發飲羽，狼聲失而逋。簡子怒，驅車逐之。驚塵蔽天，足音鳴雷，十步之外，不辨人馬。時墨者東郭先生，將北適中山以干仕。策蹇驢，囊圖書，夙行失道，望塵驚悸。狼奄至，引首顧曰：『先生豈有志於濟物哉？昔毛寶放龜而得渡，隨侯救蛇而獲珠。龜蛇固弗靈於狼也。今日之事，不使我得早處囊中，以苟延殘喘乎？異時倘得脫穎而出，先生之恩，生死而肉骨也。敢不努力，以效龜蛇之誠。』先生曰：『嘻，私汝狼，以犯世卿，忤權貴，禍且不測，敢望報乎！然墨之道，兼愛爲本。吾終當有以活汝脫有禍，固所不辭也。』乃出圖書，空囊橐，徐徐焉實狼其中。前虞跋胡，後恐疐尾，三納之而未克。徘徊容與，追者益近。狼請曰：『事急矣！先生果將揖遜救焚溺，而鳴鑾避寇盜邪？惟先生速圖！』乃跼蹐四足，引繩而束縛之，下首至尾，曲脊掩胡，蝟縮蠖屈，蛇盤龜息，以聽命先生。先生如其指，內狼於囊口，肩舉驢上。引避道左，以待趙人之過。已而簡子至，求狼弗得。盛怒，拔劍斬轅端示先生，罵曰：『敢諱狼方向者，有如此轅！』先生伏質就地匍匐以進，跽而言曰：『鄙人不慧，將有志於世。奔走遐方，自迷正途，又安能發狼蹤，以指示夫子之鷹犬也。然嘗聞之，大道以多歧亡羊。夫羊一童子可制之，如是其馴也，尚以多歧而亡。狼非羊比，而中山之歧，可以亡羊者何限。乃區區循大道以求之，不幾於守株緣木乎？況田獵，虞人之所事也。君請問諸皮冠。行道之人何罪哉！且鄙人雖愚，獨不知夫狼乎？性貪而狠，黨豺爲虐，君能除之固當窺左足以效微勞，又肯諱之而不言哉！』簡子默然，回車就道。先生亦驅驢兼程而進。良久，羽旄之影漸沒，車馬之音不聞。狼度簡子之去遠，而作聲囊中曰：『先生可留意矣。出我囊，解我縛，拔矢我臂，我將逝矣。』先生舉手出狼。狼咆哮謂先生曰：『適爲虞人逐，其來甚速，幸先生生我。我餒甚，餒不得食，亦終必亡而已。與其飢死道路，爲群獸食，毋寧斃於虞人，以俎豆於貴家。先生既墨者，摩頂放踵思一利天下，又何吝一軀啖我，而全微命乎？』遂鼓吻奮爪以向先生。先生倉卒以手搏之，且搏且卻。引蔽驢後，便旋而走。狼終不得有加於先生。先生亦極力拒。彼此俱倦，隔驢喘息。先生曰：『狼負我！狼負我！』曰：『吾非固欲負汝，天生汝輩，固需吾輩食也。』相持既久，日晷游移。先生竊念：『天色向晚，狼復群至，吾死矣夫！』因紿狼曰：『民俗事疑，必詢三老。第行矣，求三老而問之。苟謂我可食即食，不可即已。』狼大喜，即與偕行。踰時，道無人行。狼饞甚。望老木僵立路側，謂先生曰：『可問是老。』先生曰：『草木無知，叩焉何益。』狼曰：『第問之。彼當有言矣。』先生不得已，揖老木，具述始末，問曰：『然，狼當食邪？』木中轟轟有聲，謂先生曰：『我杏也。往年老圃種我時，費一核耳。踰年華，再踰年實，三年供把，十年合抱。至於今，二十年矣。老圃食我，老圃之妻食我，外至賓客，下至於僕，皆食我。又復鬻實於市，以規利我。其有功於老圃甚巨。今老矣，不得斂華就實。賈老圃怒，伐我條枚，芟我枝葉，且將售我工師之肆取直焉。噫，樗朽之材，桑榆之景，求免於斧鉞之誅而不可得，汝何德於狼，乃覬免乎？是固當食汝。』言下，狼復鼓吻奮爪以向先生。先生曰：『狼爽盟矣。矢詢三老，今值一杏，何遽見迫耶？』復與偕行。狼愈急，望見老牸，曝日敗垣中。謂先生曰：『可問是老。』先生曰：『嚮者草木無知，謬言害事。今牛禽獸耳，更何問爲？』狼曰：『第問之。不問將咥汝。』先生不得已，揖老牸，再述始末以問。牛皺眉瞪目，舐鼻張口，向先生曰：『老杏之言不謬矣。老牸繭栗。少年時筋力頗健。老農賣一刀以易我，使我貳群牛事南畝。既壯，群牛日以老憊，凡事我都任之。彼將馳驅，我伏田車，擇便途以急奔趨。彼將躬耕，我脫輻衡，走郊坰以闢榛荊。老農親我，猶左右手。衣食仰我而給，婚姻仰我而畢，賦稅仰我而輸，倉庾仰我而實。我亦自諒，可得帷席之敝，如馬狗也。往年家儲無儋石，今麥收十斛矣。往年窮居無顧藉，今掉臂行村社矣。往年塵卮罌，涸脣吻，盛酒瓦盆，半生未接，今醞黍稷，據尊罍，驕妻妾矣。往年衣短褐，侶木石，手不知揖，心不知學，今侍兔園，載笠子，腰韋帶，衣寬博矣。一絲一粟，皆我力也。顧欺我老弱，逐我郊野。酸風射眸，寒日弔影，瘦骨如山，老淚如雨。涎垂而不可收，足攣而不可舉。皮毛具亡，瘡痍未瘥。老農之妻，妒且悍，朝夕進說曰：「牛之一身，無廢物也。肉可脯，皮可鞟，骨角且切磋爲器。」指大兒曰：「汝受業庖丁之門有年矣，胡不礪刃硎以待。」跡是觀之，是將不利於我，我不知死所矣！夫我有功，彼無情，乃若是，行將蒙禍。汝何德於狼，覬幸免乎？』言下，狼又鼓吻奮爪以向先生。先生曰：『毋欲速。』遙望老子杖藜而來，鬚眉皓然，衣冠閑雅，蓋有道者也。先生且喜且愕，舍狼而前，拜跪啼泣，致辭曰：『乞丈人一言而生。』丈人問故。先生曰：『是狼爲虞人所窘，求救於我。我實生之。今反欲咥我。力求不免。我又當死之，欲少延於片時，誓定是於三老。初逢老杏，強我問之，草木無知，幾殺我。次逢老牸，強我問之，禽獸無知，又幾殺我。今逢丈人，豈天之未喪斯文也。敢乞一言而生。』因頓首杖下，俯伏聽命。丈人聞之，欷歔再三，以杖叩狼曰：『汝誤矣？夫人有恩而背之，不祥莫大焉。儒謂受人恩而不忍背者，其爲子必孝。又謂虎狼之父子。今汝背恩如是，則併父子亦無矣。』乃厲聲曰：『狼速去！不然，將杖殺汝。』狼曰：『丈人知其一，未知其二。請愬之，願丈人垂聽。初，先生救我時，束縛我足，閉我囊中，壓以詩書。我鞠躬不敢息，又蔓詞以說簡子，其意蓋將死我於囊，而獨竊其利也。是安可不咥。』丈人顧先生曰：『果如是，羿亦有罪焉。』先生不平，具狀其囊狼憐惜之意。狼亦巧辯不已以求勝。丈人曰：『是皆不足以執信也。試再囊之，吾觀其狀，果困苦否。』狼欣然從之。信足先生。先生復縛寘囊中，肩舉驢上，而狼未知之也。丈人附耳謂先生曰：『有匕首否？』先生曰：『有。』於是出匕。丈人目先生使引匕刺狼。先生曰：『不害狼乎？』丈人笑曰：『禽獸負恩如是，而猶不忍殺，子固仁者，然愚亦甚矣！從井以救人，解衣以活友，於彼計則得，其如就死地何！先生其類乎？仁陷於愚，固君子之所不與也。』言已大笑。先生亦笑。遂舉手助先生刃，共殪狼，棄道上而去。

「中山狼傳」的故事情節如此強烈，把人性與獸性，借趙簡子打獵到牛、杏、樹的過程，而至杖藜老人的解困，終於「共殪」這個「忘恩」的惡狼，而結局於智慧的判決，使這凶惡狡詐的禽獸得到處罰，眞是讓人大大的了口氣。這是小說類型中最富於啓示性的寓言且對墨家的兼愛，有所評論。馬中錫的「中山狼傳」，康海有中山雜劇，王九思有中山狼院本。

艾子後語

教子

艾子後語有一篇「教子」的寓言，是陸灼之作：

艾子有孫，年十許，慵劣不學，每加榎楚而不悛。其子僅有是兒，恆恐兒之不勝杖而死也，責必涕泣以請。艾子怒曰：「吾爲若教子，不善邪」杖之愈峻。其子無如之何。一旦雪作，孫搏雪而嬉。艾子見之，褫其衣，使跪雪中，寒戰之色可掬。其子不復敢言，亦脫其衣跪其旁。艾子驚問曰：「汝兒有罪，應受此罰，汝何與焉？」其子泣曰：「汝凍吾兒，吾亦凍汝兒。」艾子笑而釋之。

其諧趣，讀後令人莞爾。又如「病忘」使人啞然失笑：

病忘

齊有病忘者，行則忘止，臥則忘起。其妻患之，謂曰：「聞艾子滑稽多知，能愈膏肓之疾，盍往師之？」其人曰：「善」。於是乘馬挾弓矢而行。未一舍，內逼，下馬而便焉。矢植於土，馬繫於樹。便訖，左顧而覩其矢曰：「危乎！流矢奚自？幾乎中予！」右顧而覩其馬，喜曰：「雖受虛驚，乃得一馬！」引轡將旋，忽自踐其所遺糞，頓足曰：「踏卻犬糞，污吾履矣，惜哉！」鞭馬反向歸路而行。須臾抵家，徘徊門外，曰：「此何人居？豈艾夫子所寓邪？」其妻適見之，知其又忘也，罵之。其人悵然曰：「娘子素非相識，何故出語傷人。」

「大言」是篇綜合山海經、穆天子傳與艾子戲謔方士的寓言，其結果卻有富於巧智與諧趣，錄之如下：

大言

趙有方士好大言，艾子戲問之曰：「先生壽幾何？」方士啞然曰：「余亦忘之矣。憶童稚時，與群兒往看宓羲畫八卦，見其蛇身人首，歸得驚癎。賴宓羲以草頭藥治余，得不死。女媧之世，天傾西北，地陷東南。余時居中央平穩之處，兩不能害。神農播厥穀，余已辟穀久矣，一粒不曾入口。蚩尤犯余以五兵，因舉一指擊傷其額，流血被面而遁。蒼氏子不識字，欲來求救。爲其愚甚，不屑也，慶都十四月而生堯，延余作湯餅會。舜爲父母所虐，號泣於旻天，余手爲拭淚，敎勉再三，遂以孝聞。禹治水，經余門，勞而觴之，力辭不飲而去。孔甲贈予龍醢一臠，余誤食之，於今口尙腥臭。成湯開一面之網，以羅禽獸，嘗面笑其不能忘情於野味。履癸強余牛飲，不從，寘余炮烙之刑，七晝夜而言笑自若，乃得釋去。姜家小兒釣得鮮魚，時時相餉，余以飼山中黃鶴。穆天子瑤池之宴，讓余首席。徐偃稱兵，天子乘八駿而返。阿母留余終席，爲飲桑落之酒過多，醉倒不起；幸有董雙成萼綠華兩箇丫頭，相扶歸舍。一回沈醉，至今猶未全醒，不知今日世上是何甲子也？」艾子唯唯而退。

俄而趙王墮馬傷脅。醫云：「須千年血竭傳之。」乃差下令求血竭，不可得。艾子言於王曰：「此有方士，不啻千歲，殺取其血，其效當愈速矣。」王大喜，密使人執方士，將殺之。方士拜且泣曰：「昨日吾父母皆年五十，東鄰老姥攜尊爲壽。臣飲至醉，不覺言詞過度，實不曾活千歲。艾先生最善說謊，王其勿聽！」趙王乃叱而赦之。

方士即求神鍊丹禁咒祈禳有術者。其文說的辟穀，今世人稱爲不食人間煙火。蒼氏子指造字的倉頡，慶都是唐堯之母。湯餅會俗習生了兒子三日宴客叫湯餅會。龍醢是醃的龍肉。履癸指紂王，姜家小兒指姜子牙，徐偃是穆天子傳中愛民如子的好帝王。阿母指西王母，董雙成萼綠華二女是侍奉西王母的侍兒。本篇名大言，即誇大之言，文心雕龍劉彥和稱之爲夸飾。

雪濤小說 二則

心高

「雪濤小說」二則是江盈科號綠羅山人的作品，他曾任四川提學副使，有「雪濤談叢」、「讀言」等作：

余郡迤西三十里，有河洑山。山隈有王婆廟，不知何代人。父老相傳：此婆釀酒爲業，一道士往來寓其家。每索酒，輒予。飲累數百壺，不酬値，婆不與較。一日，道士謂婆曰：「予飲若酒，無錢相償，請爲若掘井。」井成，泉湧出，皆醇酒。道士曰：「此所以償耳。」遂去。婆不復釀酒，但持井所出泉應酤者；比夙釀更佳，酤者踵至。踰三年，得錢凡數萬，家遂富。前道士忽又至。婆深謝之。道士問曰：「酒好否」？答曰：「好倒好，只豬無糟耳。」道士笑題其壁曰：

天高不算高，人心第一高。井水做酒賣，還道豬無糟。

題訖去，自是井不復出酒矣。

國初，蜀中一耆儒，題張果倒跨蹇驢圖云：

世間多少人，誰似這老漢？不是倒騎驢，凡事回頭看。

語雖淺，然其喻世切矣。噫！人心羶慕，非名即利。名利之途，愈趨愈永；趨而不已，害及厥躬，然後悔之。其不爲貪得之王婆，能爲回頭之果老者，幾人哉！

人心不知足，名利不知足，貪心不足，本篇戒世之心十分淸楚。

妄心

……

一市人貧甚，朝不謀夕。偶一日拾得一雞卵，喜而告其妻曰：「我有家當矣！」妻問安在。持卵示之曰：「此是。然須十年，家當乃就。」因與妻計曰：「我持此卵，借鄰人伏雞乳之。待彼雛成，就中取一雌者，歸而生卵，一月可得十五雞。兩年之內，雞又生雞，可得三百雞，堪易十金。我以十金易五牸。牸復生牸，三年可得二十五牛，牸所生者又復生牸，三年可得百五十牛，堪易三百金矣。吾持此金舉責，三年間半千金可得也。就中以之二市田宅，以三之一市僮僕，買小妻。我與爾優游以終餘年，不亦快乎？」妻聞欲買小妻，怫然大怒，以手擊雞卵碎之，曰：「毋留禍種！」夫怒，撻其妻，仍噫，玆人之計利，貪心也。其妻之毀，妒心也。總之皆妄心也。知其爲妄，泊然無嘖，頹然無起，則見在者且屬諸幻，況未來乎？嘻，世之妄意早計希圖非望者，獨一算雞卵之人乎。

斤斤計較似乎也是人的本性，由雞卵推演至婦人之妒，雖然相像，但在現實世界生活中，妻提防夫由雞卵而動妾之念，妻不得不妨他此著，也是人情。

質於官，曰：「立敗我家者，此惡婦也。請誅之！」官司問家何在，敗何狀。其人歷數自雞卵起至小妻止。官司曰：「如許大家當，壞於惡婦一拳，眞可誅！」命烹之。妻號曰：「夫所言，皆未然事，奈何見烹？」官司曰：「你夫言買妾，亦未然事，奈何見妒？」婦曰：「固然；第除禍欲蚤耳。」官笑而釋之。

虛妄不實之事雖出之於想像，但仍是一種貪心，知足常樂，本篇仍以勸世爲主。

應諧錄

滑稽之作，劉元卿「應諧錄」（又名賢弈編）中的寓言，看了也是令人發笑的如：

貓說

齊家畜一貓，自奇之，號於人曰：「虎貓。」客說之曰：「虎誠猛，不如龍之神也，請更曰龍貓。」又客說之曰：「龍固神於虎也。龍升天浮雲，雲其尙於龍乎，不如名曰雲。」又客說之曰：「雲靄蔽天，風倏散之，雲故不敵風也，請更名風。」又客說之曰：「大風飆起，維屛以牆，斯足蔽矣。風其如牆何？名之曰牆貓可。」又客說之曰：「維牆雖固，維鼠穴之，牆斯圮矣。牆又爲鼠何？即名曰鼠貓可也。」東里丈人嗤之曰：「噫嘻！捕鼠者故貓也。貓即貓耳。胡爲自失其本眞哉！」

性急

于彈子與友連床圍爐而坐。其友據案閱書，而裳曳於火，甚熾。于彈子從容起，向友前拱立作禮，而致慨曰：「適有一事，欲之奉告。諗君天性躁急，恐激君怒。若不以告，則與人非忠。敢請。惟君寬假，能忘甚怒而後敢言。」友人說：「君有何陳，當謹奉教。」于彈子復謙讓如初，至再至三，乃始逡巡言曰：「時火燃君裳也。」友起視之，則燬甚矣。友作色曰：「奈何不急以告，而迂緩如是。」于彈子曰：「人謂君性急，今果然耶。」

多憂

沈屯子偕友入市聽，打談者，說楊文廣圍困柳州城中。內乏糧餉，外阻援兵，蹙然踊歎不已。友拉之歸，日夜念不置，曰：「文廣圍困至此，何由得解！」以此邑邑成疾。家人勸之相羊坰外，以紓其意。又忽見道上有負竹入市者，則又念曰：「竹末甚銳，衢上行人，必有受其戕者。」歸益憂病。家人不得計，請巫。巫曰：「稽冥籍，若來世當輪迴爲女人；所適夫，姓麻哈，回夷族也，貌陋甚。其人益憂，病轉劇。友來省者，慰曰：「善自寬，病乃愈也。」沈屯子曰：「若欲吾寬，須楊文廣圍解，負竹者抵家，又麻哈子作休書見付，乃得也。」夫世之多憂以自苦者，類此也夫。

多憂無益，憂多有害。樂天知命是儒家教人生活樂觀，適應生存的話，仔細想來，是非常有道理的。

志　怪

山海經，穆天子傳，列子等志神志怪，至莊子有哲理性的寓言。莊子脫離志神志怪，但啓示人生有無窮的想像世界，遂使志怪到傳奇由荒誕到志人的境界，是一大功德。莊子在逍遙遊中說：

齊諧者，志怪者也。

由此可見，齊諧之作，甚早。目前，手中有「齊諧記」數則，皆魏晉間作品，產生此類作品的背景，佛教故事傳播是一原因。豪門貴族寄情閒適生活，侈談神仙術士，品藻朝政人物爲原因之二。學術思想，文學藝術自由開放，多采多姿，遊山玩水，清談笑話皆可入文爲原因之三，南北朝變革紛繁，社會人生浮沈不定，現實生活每有挫折，則夢想便在無憂無慮安逸的仙境中出現此又爲一大原因。所謂志怪者，便是這些背景下面的產品。

齊諧記

吳當陽縣董昭之，嘗乘船過錢塘江，中央，見有一蟻著一短蘆走，一頭迴復向一頭，甚遑遽，昭之曰：『此畏死也。』因以繩繫蘆，欲取著船頭。船中人罵：『此是毒螫物，不可長，我當蹋殺之。』昭意甚憐此蟻，會船至岸，蟻緣繩得出。中夜夢一人，烏衣，從百許人來，謝曰：『僕不愼墮江，慚君濟活。僕是蟲王，君若有急難之日，當見告語！』歷十餘年，時江左所在劫盜，昭之從餘杭山過，爲劫主所牽，繫餘姚獄。昭之忽思蟻王之夢，結念之際，同被禁者問之，昭之曰：『蟻云緩急當告，今何處告之？』有囚言：『但取兩三蟻著掌中祝之。』昭之如其言，莫果夢烏衣人言云：『可急去入餘杭山，天子將下赦，今不久也。』於是便覺。蟻齧械已盡，因得出獄，過江投餘杭山。旋遇赦得免。

文中說的是放生蟻王報恩的故事。

其二

太元元年，江夏郡安陸縣薛道詢年二十二。少來了了，忽得時行病，差後發狂，百治救不痊。乃服散狂走猶多劇，忽失蹤跡，遂變作虎；食人不可復數。後有一女子，樹下採桑，虎往取食之。食竟，乃藏其釵釧著山石間；後還作人，皆知取之。經一年還家，復爲人。遂出都仕官，爲殿中令史。夜共人語，忽道天地變怪之事。道詢自云：『吾昔曾得病發狂，化作虎，瞰人一年。』中兼道其處所姓名。其同坐人，或有食其父子兄弟者，於是號哭；捉以付官。遂餓死建康獄中。

此則記薛生化虎食人之事。又有一則記吳道宗之母化虎食人，爲捕者所傷，復爲人形而死。

其三

有范光祿者，得病；腹腳並腫，不能飲食。忽有一人，清朝不自通達，進入光祿齋中；就光祿邊坐。光祿謂曰：『先不知君，君那得來而不自通？』此人荅曰：『佛使我來治君病也。』發衣見之。因以甘刀針腫上，倏忽之間，頓針兩腳及膀胱百餘下，然不覺痛。復欲針腹，其兒黃門不聽語，竟便去。後針孔中黃膿汁嘗二三升許。至明曉，腳差都，針亦無孔范甚喜。

此則爲佛使人救范光祿。

其四

國步山有廟，有一亭，呂思與少婦投宿，失婦。思食逐覓，見大城，有廳事，一人紗帽馮几。左右競來擊之，思以刀斫，計當殺百餘人，餘者乃便大走，向人盡成死狸。看向廳事，乃是古時大冢，冢上穿下甚明，見一群女子在冢裡；見其婦如失性人，因抱出冢口，又入抱取在先女子，有數十，中有通身已生毛者，亦有毛腳面成狸者。須臾天曉，將婦還亭，亭長問之，具如此答。前後有失兒女者，零丁有數十。吏便斂此零丁至冢口，迎此群女，隨家遠近而報之，各迎取於此。後一二年，廟無復靈。

此則爲狸精虜虐婦女之事。

續齊諧記

作者是南朝梁故鄣人吳均所作。柳渾爲吳興刺史，請他作郡主簿的官，賦詩有名，稱「吳均體」。注後漢者，錢塘先賢傳，通史，故而他是位文史家。不過，「續齊諧記」中的作品，也是多屬於志怪之類的，我們也選錄幾則：

其一

紫荊樹

京兆田眞兄弟三人，共議分財生貲，皆平均，惟堂前一株紫荊樹，共議欲破三片，明日就截之，其樹即枯死狀如火然，眞往見之，大驚，謂諸弟曰，樹木同株，聞將分斫，所以顦顇，是人不如木也，因悲不自勝，不復解樹，樹應聲榮茂，兄弟相感，合財寶，遂爲孝門，眞仕至大中大夫。

這個說兄弟分產的故事，後來出現在馮夢龍編撰的合古奇觀中。言草木有情，何況兄弟骨肉。

其二

華含黃雀

弘農楊寶，性慈愛，年九歲，至華陰山，見一黃雀，爲鴟梟所搏逐樹下，傷瘢甚多宛轉復螻蟻所困，懷之以歸，置諸梁上，夜聞啼聲甚切，親自照視，爲蚊所囓。乃移置巾箱中，啖以黃花逮十餘日，毛羽成飛翔，朝去暮來，宿巾箱中，如此積年，忽與群雀俱來，哀鳴遶堂，數日乃去，是夕寶三更讀書，有黃衣童子曰，我王母使者，昔使蓬萊，爲鴟梟所搏，蒙君之仁愛見救，今當受賜南海，別以四玉環與之，曰，令君子孫潔白，且從登三公，事如此環矣。寶之孝，大聞天下，名位日隆，子震，震生秉，秉生彪，四世名公，及震葬時，有大鳥降，人皆謂眞孝招也。

所謂救人一命如造七級浮屠，黃雀也是一命，這是一篇勸人爲善之作。黃雀知恩啣環以報，人有忘情者，應有所悟。

其三

陽羨書生

陽羨許彥，於綏安山行，遇一書生年十七八，臥路側，云腳痛，求寄鵝籠中，彥以爲戲言，書生便入籠，籠亦不更廣，書生亦不更小，宛然與雙鵝並坐，鵝亦不驚，彥負籠而去都不覺重，前行息樹下，書生乃出籠，謂彥曰，欲爲君薄設，彥曰，善，乃口中吐出一銅奩子，奩子中具諸飾饌珍羞方丈，其器皿皆銅物，氣味香旨，世所罕見，酒數行，謂彥曰，向將一婦人自隨今欲暫邀之，彥曰，善，又於口中，吐一女子，年可十五六，衣服綺麗，容貌殊紀，共坐宴，俄而書生醉臥，此女謂彥曰，雖與書生結妻，而實懷怨，向亦竊得一男子同行，書生既眠，暫喚之，君幸勿言，彥曰，善女子於口中吐出一男子，年可二十三四，亦穎悟可愛，乃與彥敍寒溫，書生臥欲覺，女子口吐一錦行障遮書生，書生乃留女子共臥，男子謂彥曰，此女子雖有心情亦不甚向，復竊得一女人，同行今欲暫見之，願君勿洩，彥曰，善，男子又於口中吐一婦人年可二十，許共酌戲，談甚久，聞書生動聲，男子曰，二人眠已覺，因取所吐女人還內口中，須臾書生處女乃出，謂彥曰，書生欲起，乃吞向男子，獨對彥坐，然後書起，謂彥曰，暫眠遂久，君獨坐當悒悒邪，日又晚當與君別，遂吞其女子諸器皿悉內口中，留大銅盤，可二尺廣，與彥別曰，無以藉君，與君相憶也。彥大元中爲蘭臺令史，以盤餉侍中張散，散看其銘，題云，是永平三年作。

所謂男女間事似眞似幻，如有情如無情。其手法與今日魔術幻影有若干彷佛之處。此篇另有使人復思者，就是人之廣居實不過一籠者，而奩中諸多器物，均可出入於口中，僅一大銅盤爲紀念，人生變幻不過一戲耳。

其四

清溪廟神

會稽趙文韶，爲東宮扶侍，坐清溪中橋，與尚書王叔卿家隔一巷，相去二百步許，秋夜嘉月，悵然思歸，倚門唱西夜烏飛，其聲甚哀怨，忽有青衣婢年十五六，前曰，王家娘子白扶侍，聞君歌聲，有門人逐月游戲遣相聞耳，時未息，文韶不疑，委曲答之，亟邀相過，須臾女到，年十八九，行步容色可憐。猶將兩婢自隨。問家在何處舉手指王尚書宅曰，是聞君歌聲，故來相詣，豈能爲一曲邪，文韶即爲歌。草生盤石，音韻清暢，又深會女心，乃曰，但令有瓶何患不得水。顧謂婢子，還取箜篌爲扶侍鼓之，須臾至，女爲酌兩三彈，冷冷更增楚絕，乃令婢子歌繁霜，自解裙帶繫箜篌腰，叩之以倚歌歌曰，日暮風吹，葉落依枝，丹心寸意，愁君未知，歌繁霜侵曉幕，何意空相守。坐待繁霜落歌闋，夜已久，遂相佇燕寢竟四更別去，脱金簪以贈文韶，文韶亦答以銀椀白琉璃匕各一枚，既明，文韶出，偶至清溪廟歇，神坐上見椀甚疑，而委悉之屏風後，則琉璃匕在焉，箜篌帶縛如故，祠廟中惟女姑神像，青衣婢立在前，細視之，皆夜所見者，於是遂絕。當宋元嘉五年也。

此篇所述恍若一夢。

魯迅著古小說收成中有青史子一書五十七篇，今則只遺三則片斷，內容述胎教之道，習禮樂聲律，述懸弧矢射，草木桑棘，雞狗牛羊，名山通谷等。其於就學之道，則如下所述：

古者年八歲而出就外舍；學學小藝焉，履小節焉。束髮而就大學；學大藝焉，履大節焉。居則習禮文，行則鳴珮玉，升車則聞和鸞之聲，是以非僻之心無自入也。在衡爲鸞，在軾爲和；馬動而鸞鳴，鸞鳴而和應；聲曰和，和則敬，此御之節也。上車以和鸞爲節，下車以珮玉爲度，上有雙衡，下有雙璜，衝牙玭珠以納其閒，琚瑀以雜之，行以采茨，趨以肆夏，步環中規，折還中矩，進則揖之，退則揚之，然後玉鏘鳴也。古之爲路車也：蓋圓以象天，二十八橑以象列星，軫方以象地，三十輻以象月。

> 故仰則觀天文，俯則察地理，前視則睹鸞和之聲，側聽則觀四時之運，此巾車教之道也。

其中御車之道，上車和鸞，下車鳴珮。又言觀天文，察地理，行四時之運，中規中矩的道理，都不是志怪之類的，而是給老師和學生，家庭社會看的。

又如祭祀之說：

> 雞者，東方之牲也，歲終更始，辨秩東作，萬物觸戶而出，故以雞祀祭也。

在胎教之中，以雞爲東方之牲，狗爲南方之牲，牛爲中央之牲，羊爲西方之牲，彘爲北方之牲。這都是供祭祀之禮奉供的。祭祀在古代是屬之於生活的重要部分，所以，在百姓的教育中，無論家庭與社會，都是必需有的課程。

大致而言，志怪包含：

俗說　列異記　古異傳　甄異記　述異記　靈鬼志　祖台志怪　孔氏
志怪　神怪錄　齊諧記　集靈記　玄中記　異林　曹毗志怪　集異記
搜神記　搜神後記　幽明錄　冥祥記　神仙傳等

漢武故事

除上述外，「漢武故事」中甚多神異之事，宋史「藝文志」題作班固撰，唐張柬之書

「洞冥記」後言：漢武故事，南朝王儉造，又有「漢武帝內傳」多修煉符籙的話。班固續寫其父班彪鉅著「漢書」，花了大半生的時期才完成，文筆整飭，亦與「漢武故事」內文不類。「漢武故事」如係王儉所撰，則仍待證實。不過，「漢武故事」屬之於志怪，如述他求方士神仙，見王母的記述，如以現世觀之，則是荒誕不稽之談。其中除神怪之外，有可信者有不可信者，可信者乃是歷史的眞相，其不可信者則是虛構的內容居多。秦皇漢武世之梟雄人物，功高蓋世，留名萬古。當其虎視天下，總括九洲之時，王土百姓，皆爲其所有，王公大臣，六宮粉黛，皆爲其役使。然帝王之尊，故亦血肉之軀；如何長生不老，永生不死，乃其夢寐所求。今錄「漢武帝內傳」，以見其尤過於「漢武故事」者：

> 漢孝武皇帝。景帝子也。未生之時。景帝夢一赤彘。從雲中下。直入崇芳閣。景帝覺而坐閣下。果有赤龍如霧。來蔽戶牖。宮內嬪御。望閣上。有丹霞蓊蔚而起。霞滅。見赤龍盤迴棟間。景帝召占者姚翁以問之。翁曰。吉祥地。此閣必主命世之人。攘夷狄而獲嘉瑞。爲劉宗盛主也。然亦大妖。景帝使王夫人移居崇芳閣。欲以順姚翁之言也。乃改崇芳閣爲猗蘭殿。旬餘。景帝夢神女捧日以授王夫人。夫人吞之。十四月而生武帝。景帝曰。吾夢赤氣化爲赤龍。占者以爲吉。可名之吉。至三歲。景帝抱於膝上。撫念之。知其心藏洞徹。試問兒樂爲天子否。對曰。由天不由兒。願每日居宮垣。在陛下前戲弄。亦不敢逸豫。以失子道。景帝聞而愕然。加敬而訓之。他日復抱之几前。試問兒悅習何書。爲朕言之。乃誦伏羲以來。群聖所錄陰陽診候。及龍圖龜

策。數萬言無一字遺落。至七歲。聖徹過人。景帝令改名徹。及即位。好神仙之道。常禱祈於名山大川五嶽以求神仙。元封元年正月甲子。登高山。起道宮。帝齋七日。祠訖乃還。至四月戊辰。帝閒居承華殿。東方朔董仲舒在側。忽見一女子著青衣。美麗非常。帝愕然問之。女對曰。我墉宮玉女王子登也。乃爲王母所使。從崑崙山來。語帝曰。聞子輕四海之祿。尋道求生。降帝王之位。而屢禱山嶽。勤哉。有似可教者也。從今日清齋。不閑人事。至七月七日。王母暫來也。帝下席跪諾。言訖。玉女忽然不知所在。帝問東方朔此何人。朔曰。是西王母紫蘭宮玉女。常傳使命。往來扶桑。出入靈州。交關常陽。傳言玄都阿母。昔出配北燭仙人。近又召還。使領命祿。眞靈官也。帝於是登延靈之臺。盛齋存道。其四方之事。權委於家宰焉。到七月七日。乃修除宮掖。設坐大殿。以紫羅薦地。燔百和之香。張雲錦之幃。然九光之燈。列玉門之棗。酌蒲萄之醴。宮監香果。爲天宮之饌。帝乃盛服立於堦下。勑端門之內。不得有妄窺者。內外寂謐。以候雲駕。到夜二更之後。忽見西南如白雲起。鬱然直來。逕趨宮庭。須臾轉近。聞雲中簫鼓之聲。人馬之響。半食頃。王母至也。縣投殿前。有似鳥集。或駕龍虎或乘白麟。或乘白鶴。或乘軒車。或乘天馬。群仙數千。光耀庭宇。既至。從官不復知所在。唯見王母乘紫雲之輦。駕九色斑龍。別有五十天仙。側近鸞輿。皆長丈餘。同紈綵旄之節。佩金剛靈璽。戴天眞之冠。咸住殿下。王母唯扶二侍女上殿。侍女年可十六七。服青綾之袿。容眸流眄。神姿清發。眞美人也。王母上殿。東向坐。著黃金褡襹。文采鮮明。光儀淑穆。帶靈飛大綬。腰佩分景之劍。頭上太華髻。戴太眞晨嬰之冠。履玄璚鳳文之舄。視之可年三十許。脩短得中，天姿掩藹。容顏絕世。眞靈人也。下車登床。帝跪拜。問寒暄畢。立。因呼帝共坐。帝面南。王母自設天廚。眞妙非常。豐珍上果。芳華百味。紫芝萎蕤。芬芳塡樏。清香之酒。非地上所有。香氣殊絕。帝不能名也。又命侍女更索桃果。須臾。以玉盤盛仙桃七顆。大如鴨卵。形圓青色。以呈王母。母以四顆與帝。三顆自食。桃味甘美。口有盈味。帝食輒收其核。王母問帝。帝曰。欲種之。母曰。此桃三千年一生實。中夏地薄。種之不生。帝乃止。於坐上酒觴數遍。王母乃命諸侍女王子登。彈八琅之璈。又命侍女董雙成。吹雲和之笙。石公子擊昆庭之金。許飛瓊鼓震靈之簧。婉淩華拊五靈之石。范成君擊湘陰之磬。段安香作九天之鈞。於是衆聲徹朗。靈音駭空。又命法嬰歌玄靈之曲。歌畢。王母曰。夫欲脩身。當營其氣。太仙眞經。所謂行益易之道。益者益精，易者易形。能益能易。名上仙籍。不益不易。不離死厄。行益易者。謂常思靈寶也。靈者神也。寶者精也。子但愛精握固。閉氣吞液。氣化爲血。血化爲精。精化爲神。神化爲液。液化爲骨。行之不倦。神精充溢。爲之一年易氣。二年易血。三年易精。四年易脈。五年易髓。六年易骨。七年易筋。八年易髮。九年易形。形易則變化。變化則成道。成道則爲仙人。吐納六氣。口中甘香。欲食靈芝。存得其味。微息揖吞。從心所適。氣者水也。無所不成。至柔之物。通致神精矣。此元始天王在丹房之中。所説微言。今勑侍笈玉女李慶孫書。錄之以相付。子善錄而修焉。於是王母言語既徉。嘯命靈官。使駕龍嚴車欲去。帝下席叩頭。請留殷勤。王母乃止。王母乃遣侍女郭密香。與上元夫人相問云。王九光之母敬謝。但不相見四千餘年矣。天事勞我。致以愆面。劉徹好道。適來視之。見徹了了。似可成進。然形慢神穢。腦血淫漏不淳。關胄彭孛。骨無津液。脈浮反升。肉多精少。瞳子不夷。三尸狡亂。玄白失時。雖當語之以至道。殆恐非仙才也。吾久在人間。實爲臭濁。然時復可遊望。以寫細念。庸主對坐。悒悒不樂。夫人可暫來否。若能屈駕。當停相須。帝見侍女下殿。俄失所在。須臾郭侍女返。上元夫人又遣一侍女答問云。阿環再拜。上問起居。遠隔絳河。擾以官事。遂替顏色。近五千年。仰戀光潤。情係無違。密香至奉信。承降尊於劉徹處。聞命之際。登當命駕。先被太帝君勑。使詣玄洲。校定天元。正爾暫住。如是當還。還便束帶。願暫少留。帝因問王母。不審上元何眞也。王母曰。是三天上元之官。統領十萬玉女名仙者也。俄而夫人至。亦聞雲中簫鼓之聲。既至。從官文武千餘人。并是女子。年皆十八九許。形容明逸。多服青衣。光彩耀目。眞靈官也。夫人年可二十餘。天姿精耀。靈眸絕朗。服青霜之袍。雲彩亂色。非錦非繡。不可名字。頭作三角髻。餘髮散垂至腰。戴九雲夜光之冠。曳六出火玉之佩。垂鳳文林華之綬。腰流黃揮精之劍。上殿向王母拜。王母坐而止之。呼同坐北向。夫人設廚。廚亦精珍。與王母所設者相似。王母勑帝曰。此眞元之母。尊貴之神。女當起拜。帝拜問寒溫。還坐。夫人笑曰。五濁之人。躭酒榮利。嗜味淫色。固其常也。且徹以天子之貴。其亂目者。倍於凡焉。而復於華麗之墟。拔嗜欲之根。願無爲之事。良有志矣。王母曰。所謂有心哉。夫人謂帝曰。汝好道乎。聞數招方術。祭山嶽。祠靈神。禱河川。亦爲勤矣。勤而不獲。實有由也。汝胎性暴。胎性淫。胎性奢。胎性酷。胎性賊。五者恆舍於營衛之中。五藏之內。雖獲良鍼。固難愈也。暴則使氣奔而攻神。是故神擾而氣竭。淫則使精漏而魂疲。是故精竭而魂消。奢則使眞離而魄穢。是故命逝而靈失。酷則使喪仁而自攻。是故失仁而眼亂。賊則使心鬭而口乾。是故內戰而外絕。此五事者。皆是截身之刀鋸。刳命之斧斤矣。雖復志好長生。不能遣茲五難。亦何爲損性而自勞乎。然由是得此小益。以自知性爾若從今。已捨爾五性。反諸柔善。明務察下。慈務矜冤。惠務濟貧。賑務施勞。念務存孤。惜務及愛身。恆爲陰德。救濟死厄。旦夕孜孜。不泄精液。於是閉諸淫。養汝神。放諸奢。從至儉。勤齋戒。節飲食。絕五穀。去羶腥。鳴天鼓。飲玉漿。蕩華池。叩金梁。按而行之。當有異耳。今阿母迂天尊之重。下降於蟪蛄之窟。睿虛之靈。而詣狐鳥之俎。且阿母至誠。妙唱玄音。驗其敬勗節度。明修所奉。比及百年。阿母必能致汝於玄都之墟。迎汝於昆閬之中。位以仙官。遊於十方。信吾言矣。子勵之哉。若不能爾。無所言矣。帝下席跪謝曰。臣受性凶頑。生長亂濁。面牆不啓。無由開達。然貪生畏死。奉靈敬神。今日受教。此乃天地。徹戢聖命以爲身範。是小醜之臣。當獲生活。唯垂哀護。

願賜。上元夫人使帝還坐。王母謂夫人曰。卿之爲戒。言甚急切。更使未解之人。畏於至意。夫人曰。若其志道。將以身投餓虎。忘軀破滅。蹈火履水。固於一志。必無憂也。若其志道。則心凝眞性。嫌惑之徒。不畏急言。急言之發。欲成其志耳。阿母既有念。念必當賜以尸解之方耳。王母曰。此子勤心已久。而遇良師。遂欲毀其正志。當疑天下必無仙人。是故我發閬宮。暫舍塵濁。既欲堅其仙志。又欲令向化不惑也。今日相見。令人念之。至於尸解下方。吾甚不惜。後三年。吾必欲賜以成丹半劑。石象散一具與之。則徹不得復停。當今匈奴未彌。邊陲有事。何必令其倉卒舍天下之尊。而便入林岫。但當問篤向之志。必卒何如。其無迴改。吾方數來。王母因撫帝背曰。汝用上元夫人至言。必得長生。可不勗勉耶。帝跪曰。徹書之金簡。以身模之焉。帝又見王母巾笈中有一卷書。盛以紫錦之囊。帝問此書是仙靈方耶。不審其目可得瞻眄否。王母出以示之曰。此五嶽眞形圖也。昨青城諸仙。就吾請求。今當過以付之。乃三天太上所出。文秘禁重。豈穢質所宜佩乎。今且與汝靈光生經。可以通神勸心也。帝下地叩頭。固請不已。王母曰。昔上皇清虛元年。三天太上道君。下觀六合。瞻河海之長短。察丘山之高卑。立天柱而安於地理。植五嶽而擬諸鎭撫。貴昆陵以舍靈仙。尊蓬丘以館眞人。安水神於極陰之源。棲太地于扶桑之墟。於是方丈之阜。爲理命之室。滄浪海島。養九老之堂。祖瀛玄炎長元流光生鳳麟聚窟。各爲洲名。並在滄流大海玄津之中。水則碧黑俱流。波則震蕩群精。諸仙玉女。聚居滄溟。

其名難測。其實分明。乃因山源之規矩。睹河嶽之盤胃。陵迴阜轉。山高隴長。周旋逶迤。形似書字。是故因象制名。定實之號。書形秘於玄臺。而出爲靈眞之信。諸仙佩之。皆如傳章。道士執之。經行山川。百神群靈。尊奉親近，汝雖不正。然數訪仙澤。扣求不忘於道。欣子有心。今以相與。當深奉愼。如事君父。泄示凡夫。必禍及也。上元夫人語帝曰。阿母今以瓊笈妙韞。發紫臺之文。賜汝入會之書。五嶽眞形。可謂至珍且貴。上帝之玄觀矣。子自非受命合神。弗見此文矣。今雖得其眞形。觀其妙理。而無五帝六甲左右靈飛之符。太陰六丁通眞逐靈玉女之籙。太陽六戊招神天光策精之書。左乙混沌東蒙之文。右庚素收攝殺之律。壬癸六遯隱地八術。丙丁入火赤班符。六辛入金致黃水月華之法。六已石精金光藏景化形之方。子午卯酉八稟十訣六靈咸儀。丑辰未戌地眞素訣長生紫書三五順行。寅申巳亥紫度炎光內視中方。凡缺此十二事者。當何以召山靈。朝地神。攝總萬精。驅策百鬼。束虎豹。役蛟龍乎。子所謂適知其一。未見其他也。帝下席叩頭曰。徹下土濁民。不識清眞。今日聞道。是生命。會遇聖母。今當賜以眞形。修以度世。夫人云。今告徹。應須五帝六甲六丁六符致靈之術。既蒙啓發。弘益無量。唯願告誨。濟臣飢渴。使已枯之木。蒙靈陽之潤。焦炎之草。幸甘雨之溉。不敢多陳。帝啓叩不已。王母又告夫人曰。夫眞形寶文。靈宮所貴。此子守求不已。誓以必得。故虧科禁。特以與之。然五帝六甲。通眞招神。此術眇邈。必須清潔至誠。殆非流濁所宜施行。吾今既賜徹以眞形。夫人當授之以至靈之途矣。吾嘗憶與夫人。共登玄隴朔野。及曜眞之山。視王子童王子立。就吾求請太上隱書。吾以三元祕言。不可傳泄於中仙。夫人時亦有言。見助於童之言志矣。既難違來意。不獨執惜。至於今日之事。有以相似。後造諸火丹陵。食靈瓜味甚好。憶此未久。而已七千歲矣。夫人既以告徹篇目十二事畢。必當匠而成之。緣何令人主稽首請乞。叩頭流血耶。上元夫人曰。阿環不苟惜。向不持來耳。此是太虛群文。眞人赤童所出。傳之既自有男女之限禁。又宜授得道者。恐徹下才。未應得此耳。王母色不平。乃曰。天禁漏泄。犯違明科。傳必其人。授必知眞者。夫人何向下才。而說其靈飛之篇目乎。妄說則泄。泄而不傳。是衒天道。此禁豈輕於傳耶。別勑三官司。直推夫人之輕泄也。吾之五嶽眞形太寶。乃太上天皇所出。其文寶妙。而爲天仙之信。豈復應下授於劉徹耶。直以徹孜孜之心。數請川嶽。勤修齋戒。以求神仙之應。志在度世。不遭明師。故吾等有以下眄之耳。至於教仙之術。不復限惜而弗傳。夫人且有致靈之方。能獨執之乎。吾今所以授徹眞形文者。非謂其必能得道。欲使其精誠有驗。求仙之不惑。可以誘進向化之徒。又欲令悠悠者。知天地間有此靈眞之事。足以卻不信之狂夫耳。吾意在此也。此子性氣淫暴。服精不純。何能得成眞仙。浮空參差十方乎。勤而行之。適可度於不死耳。明科所云。非長生難。聞道難也。行之難。非行之難也。終之難。良匠能與人規矩。不能使人必巧也。何足隱之耶。夫人謝曰。謹受命矣。但環疇昔蒙倒景君無常先生二君。傳靈飛之約。以四千一傳女。授女不授男。太上科禁。已表於昭生之符矣。環授書以來。弁賢大女即抱蘭。凡傳六十八女子。固不可授男也。伏見扶廣山青眞小童。受六甲靈飛於太甲中元。凡十二事。與環授者同。青眞是環入火弟子。所受六甲。未聞是別授於人。彼男官也。今止敕取之。將以授徹也。先所以告篇目者。意是愍其有心。將欲堅其專氣。令且廣求。他日與之。亦欲以男授男。承科而行。使勤而方獲。令知天眞之珍貴耳。非徒苟執。衒泄天道。阿環主臣。願不罪焉。阿母眞形之貴。愍於勤志。亦已授之。可謂大不宜矣。王母笑曰。亦可恕乎。上元夫人即命侍女紀離容。徑到扶廣山。勅青眞小童出六甲左右靈飛致神之方十二事。當以授劉徹也。須臾。侍女還。捧五色玉笈鳳之文蘊。以出六甲之文。曰弟子何昌言。向使奉絳河攝南眞七元君。檢校群龍猛獸之數。事畢授教。承阿母相詣劉徹家。不意天靈至尊。乃復下降於臭濁中也。不審起居比來何如。侍女紀離容至云。尊母欲得金書祕字六甲靈飛左右策精之文十二事。欲授劉徹。輒封一通付信曰。徹雖有心。寔非仙才。詎宜以此傳泄於行尸乎。昌近在帝處。見有上言者甚衆。云山鬼哭於叢林。孤魂號於絕域。興師旅而族有功。忘賞勞而刑士卒。縱橫白骨。煩擾黔首。淫酷自恣。罪已彰於太上。怨已見於天氣。囂言互聞。必不得度世也。奉尊見勅。不敢違耳。王母歎曰。言此子者誠多。然帝亦不必推也。夫好道慕仙者。精誠志念。齋戒思愆。輒除過一月。克己反善。奉敬眞神。存眞守一。行此一月。輒除過一年。徹念道累年。齋亦勤矣。累禱名山。願求度脫。校計功過。

殆已相掩。但今以去勤修至誠。奉上元夫人之言。不宜復奢淫暴虐。使萬兆勞識此物。是先帝所珍玩者。因認以告有司詰之。買者乃商人也。從關外來宿鄽市。其日見一人於此車巷中。賣此二物。青布三十疋。錢九萬。即售之。度實不知賣箱杖主姓名。事實如此。有司以聞商人放還。詔以二物付太廟。又帝崩時。遺詔以雜經三十餘卷。常讀玩之。使隨身斂。到建康二年。河東功曹李友。入上黨抱犢山採藥。於巖室中得此經。盛以金箱。卷後題東觀臣姓名年月日。武帝時也。河東太守張純。以經箱奏進。帝問先帝時左右侍臣。有典書中郎冉登。見經及箱。流涕對曰。此孝武皇帝殯時物也。臣當時以著梓宮中。不知何緣得出。宣帝大愴然驚愕。以經付孝武帝廟中。按九都龍眞經。云得仙之下者皆先死。過太陰中。鍊尸骸。度地户。然後乃得尸解去耶。且先斂經杖。乃忽顯出。貨於市中經見山室。自非神變幽妙。孰能如此者乎。

「漢武故事」中記述太后弟田蚡欲棄太后兄子竇嬰田而紛爭，帝殺竇嬰後月餘，田蚡全身病痛，帝使能見鬼的術者察看，看見死去的竇嬰鞭打田蚡。以此，武帝頗信鬼神。

說到淮南王安的事：

淮南王安好學多才藝，集天下遺書，招方術之士，皆爲神仙，能爲雲雨。百姓傳云：「淮南王，得天子，壽無極。」上心惡之，徵之。使覘淮南王，云王能致仙人，又能隱形升行，服氣不食。上聞而喜其事，欲受其道。王不肯傳，云無其事。上怒，將誅。淮南王知之，出令與群臣，因不知所之。國人皆云神仙，或有見王者。常恐動人情，乃令斬王家人首，以安百姓爲名。收其方書，亦頗得神仙黃白之事，然試之不驗。上既感淮南道術，乃徵四方有術之士，於是方士自燕齊而出者數千人。齊人李少翁，年二百歲，色如童子，上甚信之，拜爲文成將軍，以客禮之。於甘泉宮中畫太一諸神像，祭祀之。少翁云：「先致太一，然後升天，升天然後可至蓬萊。」歲餘而術未驗。會上所幸李夫人死，少翁云能致其神。乃夜張帳，明燭，令上居他帳中，遙見李夫人，不得就視也。

其中說安能與仙人相通，又能隱形升行，服氣不食，國人視之爲神仙。又言齊人李少翁二百歲，色如童子，帝在宮中祭祀神像。李少翁不過方術之士，至李夫人死，乃設帳明燭，帝他在帳遙見李夫人，遂興「是耶，非耶？」之嘆。

故事中有一段，頗具人事無常的情節：

上嘗輦至郎署，見一老翁，鬚鬢皓白，衣服不整。上問曰：「公何時爲郎，何其老也？」對曰：「臣姓顏名駟，江都人也，以文帝時爲郎。」上問曰：「何其老而不遇也？」駟曰：「文帝好文，而臣好武；景帝好老，而臣尚少；陛下好少，而臣已老；是以三世不遇，故老於郎署。」上感其言，擢拜會稽都尉。

顏駟老郎的遭遇，說出了三世帝王之所好，亦間接言明此三世政情環境的風尚，以此鋪陳記事，當是一個好題材。

至武帝在遊前自嘆愚惑：「天下豈有仙人，盡妖妄年！節食服藥，故差可少病。」這才是養生之道。

以此視「漢武帝內傳」之志怪陸離，皆非人世所有，不過，內傳中上元夫人告訴武帝的一席話，不能不說諄諄懇懇為政達德的至理之言，她說：

> 五濁之人。躭酒榮利。嗜味淫色。固其常也。且徹以天子之貴。其亂目者。倍於凡焉。而復於華麗之墟。拔嗜慾之根。願無為之事。良有志矣。王母曰。所謂有心哉。夫人謂帝曰。汝好道乎。聞數招方術。祭山嶽。祠靈神。禱河川。亦為勤矣。勤而不獲。實有由也。汝胎性暴。胎性淫。胎性奢。胎性酷。胎性賊。五者恆舍於營衛之中。五藏之內。雖獲良鍼。固難愈也。暴則使氣奔而攻神。是故神擾而氣竭。淫則使精漏而魂疲。是故精竭而魂消。奢則使真離而魄穢。是故命逝而靈失。酷則使喪仁而自攻。是故失仁而眼亂。賊則使心鬬而口乾。是故內戰而外絕。此五事者。皆是截身之刀鋸。刳命之斧斤矣。雖復志好長生。不能遣茲五難。亦何為損性而自勞乎。然由是得此小益。以自知性爾若從今。已捨爾五性。反諸柔善。明務察下。慈務矜寃。惠務濟貧。賑務施勞。念務存孤。惜務及愛身。恆為陰德。救濟死厄。旦夕孜孜。不泄精液。於是閉諸淫。養汝神。放諸奢。從至儉。勤齋戒。節飲食。絕五穀。去羶腥。鳴天鼓。飲玉漿。蕩華池。叩金梁。按而行之。當有異耳。

在這一段話中，上元夫人確實指出武帝酷暴淫賊之禍，是刀鋸斧斤促帝早死耳。雖然「鳴天鼓，飲玉漿，蕩華池，叩金梁」之事，仍不免涉及道家之術，但「放諸奢，去羶腥」

仍是長生之道。

內傳中談到東方朔說他：「一旦乘龍飛去，同朝之人是從西北上冉冉。仰天良久，大霧覆之，不知所適。」更是荒誕不經。

東方朔傳說是漢郭憲所撰，我們看這篇傳記的內容：

東方朔傳

東方朔。小名曼倩。父張氏。名夷。字少平。母田氏。夷年二百歲。顏若童子。朔生三日。而田氏死。死時漢景帝三年也。鄰母拾朔養之。時東方始明。因以姓焉。年三歲。天下秘讖。一覽暗誦於口。恆指揮天上空中獨語。鄰母忽失朔。累月暫歸。母笞之。後復去。一年乃歸。母見之大驚曰。汝行經年一歸。何以慰吾。朔曰。兒暫之紫泥之海。有紫水污衣。仍過虞泉湔浣。朝發中還。何言經年乎。母又問曰。汝悉經何國。朔曰。兒湔衣竟。暫息冥都崇臺一寤眠。王公啖兒以安栗霞漿。兒食之既多。飽悶幾死。乃飲玄天黃露半合。即醒。還遇一蒼虎息於路。初兒騎虎而還。打捶過重。虎嚙兒腳傷。母便悲嗟。乃裂青布裳裹之。朔復去家萬里。見一枯樹。脫布掛樹。布化爲龍。因名其地爲布龍澤。朔以元封中。遊鴻濛之澤。忽遇母採桑於白海之濱。俄而有黃眉翁。指母以語朔曰。昔爲我妻。託形爲太白之精。今汝亦此星之精也。吾卻食吞氣。已九千餘年。目中重子。皆有青光。能見幽隱之物。三千年一返骨洗髓。二千年一剝皮伐毛。吾生來已三洗髓。五伐毛矣。朔既長。仕漢武帝爲大中大夫。武帝暮年好仙術。與朔狎暱。一日謂朔曰。朕欲使愛幸者不老。可乎。朔曰。臣能之。帝曰。服何藥。曰東北地有芝草。西南有春生之魚。帝曰。何知之。曰。三足烏欲下地食此草。羲和以手掩烏目。不許下。畏其食此草也。鳥獸食此。即美悶不能動。帝曰。子何知之。朔曰。小兒時掘井。陷落井下。數十年無所託。有人引臣往取此草。乃隔紅泉不得渡。其人與臣一隻履。臣乃乘履泛泉。得而食之。其國人皆織珠玉爲簟。要臣入雲韍之幕。設玄珉雕枕。刻縷爲日月雷雲之狀。亦曰縷空枕。亦曰玄雕枕。又薦珉毫之珍褥。以百蚳之毫織爲褥。此毫褥而冷。常以夏日舒之。因名柔毫水藻之褥。臣舉手拭之。恐水濕席。定視乃光也。其後武帝寢於靈光殿。召朔於青綺窗綈紈幕下。問朔曰。漢年運火德。統以何精。何瑞爲祥。朔對曰。臣嘗遊昊然之墟。在長安之東。過扶桑七萬里。有雲山。山頂有井。雲從井中出。若土德則黃雲。火德則赤雲。金德則白雲。水德則黑雲。帝深信之。太初二年。朔從西那邪國還。得聲風木十枝以獻帝。長九尺。大如指。此木出因洹之水。則禹貴所謂因桓是來。即其源也。出甜波。上有紫燕黃鵠集其間。實如細珠。風吹株如玉聲。因以爲名。帝以枝遍賜群臣年百歲者。頒賜此人有疾。枝則有汗。將死者枝則折。昔老聃有周七千七百年。此枝未汗。洪崖先生。堯時年已三千歲。此枝亦未一折。帝乃賜朔。朔曰。臣見此木三遍枯死。死而復生。何翅汗折而已。語曰。年復年。枝忽汗。此木五千歲一溼。萬歲一枯也。帝以爲然。又天漢二年。帝升蒼龍館思仙術。召諸方士。言遠國遐鄉之事。唯朔下席操筆疏曰。臣游北極。至境火山。日月初不照。有龍銜火以照山四極。亦有園囿池苑。皆植異草木。有明莖草。如金燈。折爲燭。照見鬼物形。仙人甯封。嘗以此草然爲夜。朝見腹内外有光。亦名洞腹草。帝剉此草爲蘇以塗明雲之觀。夜坐此觀。即不加燭。亦名照魅草。採以籍足。則入水不沉。朔又嘗東遊吉雲之地。得神馬一匹。高九尺。帝問朔何獸。曰王母乘雲光輦。以適東王公之舍。税此馬於芝由。東王公怒。棄此馬於清津天岸。臣至王公壇。因騎而返。遶日三匝。此馬入漢關。關門猶未掩。臣於馬上睡。不覺還至。帝曰。其名云何。朔曰。因事爲名。名步景駒。朔曰。自馭之。如駑馬蹇驢耳。朔曰。匝有吉雲草千頃。種於九景山東。二千年一花。明年應生臣走往刈之以秣馬。馬立不饑。朔曰。臣至東極。過吉雲之澤。帝曰。何爲吉雲。曰其國常以雲氣占凶吉。若有喜慶之事。則滿室雲起。五色照人。著於草樹。皆成五色露。露味皆甘。帝曰。吉雲甘露可得否。曰臣負吉雲草以備馬。此立可得。日可三二往。乃東走。至夕而還。得玄白青黃露。盛以青琉璃。各受五合授帝。帝遍賜群臣。其得之者。老者皆少。疾者皆除也。又武帝嘗見彗星。朔折指星木以授帝。帝指慧星應時星沒。時人莫之測也。朔又善嘯。每曼聲長嘯。輒塵落漫飛。朔未死時。謂同舍郎曰。天下人無能知朔。知朔者唯大王公耳。朔卒後。武帝得此語。即召大王公問之曰。爾知東方朔乎。公對曰。不知。公何所能。曰頗善星曆。帝問諸星皆具在否。曰諸星具在。獨不見歲星十八年。今復見耳。帝仰天嘆曰。東方朔生在朕傍十八年。而不知是歲星哉。慘然不樂。其餘事跡。多故在別卷。此不備載。

其中提到東方朔原本姓張，因生於黎明故姓東方，母親田氏生朔三日而死，父夷二百歲，鄰母養育朔三歲，外出累月不歸，或經事一歸，實則朔只暫息一眠，醒則騎蒼虎，依化龍，又遇其母與黃眉翁，卻食呑氣，是太白之精，已九千餘年，所記玄而又玄，後爲武帝大中大入，武帝要長生不老，塑說：「東北地有芝草，西南有養生之魚。」帝問他如何得到，朔說：「三足烏欲下地食此草，羲和以手掩鳥目不許下」就是不讓烏兒食此草。這裡引用山海經中事，支離補奏。又言玄雕枕，珉珍褥，蒼龍館，照魅草當亦皆荒誕離奇，非夷所思。

倒是漢趙驊「楚王鑄劍記」讀來令人感動：

楚王鑄劍記

楚干將莫邪。爲楚王作劍。三年乃成。王怒欲殺之。劍有雌雄。其妻重身當產。夫語妻曰。吾爲王作劍。三年乃成。王怒。往必殺我。若生子是男。大。告之曰。出户望南山。松生石上。劍在其背。於是即將雌劍往見楚王。王大怒。使相之。劍有二。一雄一雌。雌來雄不來。王怒。即殺之。莫邪子名赤。比後壯。乃問其母曰。吾父所在。母曰。汝父爲楚王作劍。三年乃成。王怒殺之。去時囑我語汝。子出户望南山松生石上。劍在其背。於是子出户。南望不見有山。但睹堂前松柱下石砥之上。即以斧破其背。得劍。日夜思欲報楚王。王夢見一兒。眉間廣尺。言欲報讎。王即購之千金。兒聞之亡去。入山行歌、客有逢者。謂子年少。何哭之甚悲耶。曰吾干將莫邪子也。楚王殺吾父。吾欲報之。客曰。聞王購子頭千金。將子頭與劍來。爲子報之。兒曰。幸甚。即自刎。兩手捧頭及劍奉之。立僵。客曰。不負子也。於是屍乃仆。客持頭往見楚王。王大喜。客曰。此乃勇士頭也。當於湯鑊煮之。王如其言。煮頭三日三夕不爛。頭踔出湯中。瞋目大怒。客曰。此兒頭不爛。願王自往臨視之。是必爛也。王即臨之。客以劍擬王。王頭隨墮湯中。客亦自擬己頭。頭復墮湯中。三首俱爛。不可識別。乃分其湯肉葬之。故通名三王墓。今在汝南北宜春縣界。

干將莫邪鑄劍，夫妻均爲楚王所殺，子赤爲父母報仇，楚王千金懸賞購赤，赤人山遇客願代赤前往，赤自刎，客以赤之首級見楚王，楚王下其頭於沸湯觀看，客斷王頸幷自己的頭，均入湯鑊中，三頭俱爛，不識何者爲王之首級，遂同葬一穴，名叫三王墓。這個故事相傳甚久，使人想到山海經刑天的死而不肯甘心的神話，赤遁入山中所遇的豪俠之士，想必也是一個要去向楚王報仇的人，犧牲了赤，赤便是一個報仇的媒介，有周全的計劃，引誘以殺人爲樂的楚王來看鑊湯中翻滾的人頭，不知自己的頭也是要被砍的。故事的情節，也有些螳螂捕蟬黃雀在後的寓意。

搜神記

「四庫全書總目」著錄手卷，明人胡元瑞輯錄，大都眞假不分，在干寶序中，他取用的題材一爲「考先志於載籍」，二爲「收遺逸於當時」。是二者幷採的撰述方法。至於採訪「近世之事」，他也努力去作。所謂「群言百家，不可勝覽，耳目所受，不可勝載。今粗取足以演八略之旨，成其微說而已。」「微說」大致就是小說。從內容看就是談怪異的故事。他說的八略，有些近似列子周穆王：『覺有八徵，夢有六候。奚謂八徵？一曰故，二曰爲，三曰得，四曰喪，五曰哀，六曰樂，七曰生，八曰死。此八徵者，形所接也。』晉干寶搜神記有「蘇娥訴冤記」一則，述冤鬼蘇娥向交州刺史何敞鳴冤，終於報仇的故事：

漢九江何敞。爲交州刺史。行部到蒼梧郡高安縣。暮宿鵠奔亭。夜猶未半。有一女從樓下出。呼曰。妾姓蘇名娥。字始珠。本居廣信縣修里人。早失父母。又無兄弟。嫁與同縣施氏。薄命夫死。有雜繒帛百二十疋。及婢一人。名致富。妾孤窮羸弱。不能自振。欲之傍縣賣繒。從同縣男子王伯。賃車牛一乘。直錢萬二千。載妾幷繒。令致富執轡。乃以前年四月十日到此亭外。於時日已向暮。行人斷絕。不敢復進。因即留止。致富暴得腹痛。妾之亭長舍。乞漿取火。亭長龔壽。操戈持戟。來至車旁。問妾曰。夫人從何所來。車上所載何物。丈夫安在。何故獨行。妾應曰。何勞問之。壽因持妾臂曰。少年愛有色。冀可樂也。妾懼怖不從。壽即持刀。刺脅下。一創立死。又刺致富亦死。壽掘樓下合埋。妾在下。婢在上。取財物去。殺牛燒車。車釭及牛骨。貯亭東空井中。妾既冤死。痛感皇天。無所告訴。故來自歸于明使君。敞曰。今欲發出汝屍。以何爲驗。女曰。妾上下著白衣青絲履猶未朽也。願訪鄉里。以骸骨歸死夫。開之果然。敞乃馳還。遣吏捕捉。拷問具服。下廣信縣驗問。與娥語合。壽父母兄弟。悉捕繫獄。敞表壽常律殺人。不致族誅。然壽爲惡首。隱密數年。王法自所不免。今鬼神訴者。千載無一。請皆斬之。以明鬼神。以助陰誅。上報聽之。亭長龔壽姦殺劫財，蘇娥冤死，亡魂不散，向何敞告狀，冤情大白，龔壽終於伏法。

干寶晉人，曾著「晉記」、「隋書」等書，「搜神記」有二十卷。

韓憑夫婦

宋康王舍人韓憑，娶妻何氏，美。康王奪之。憑怨，王囚之，論爲城旦。妻密遺憑書，繆其辭曰：「其雨淫淫，河大水深，日出當心。」既而王得其書，以示左右，左右莫解其意。臣蘇賀對曰：「其雨淫淫，言愁且思也；河大水深，不得往來也；日出當心，心有死志也。」俄而憑乃自殺。其妻乃陰腐其衣。王與之登臺，妻遂自投臺；左右攬之，衣不中手而死。遺書於帶曰：「王利其生，妾利其死，願以屍骨賜憑合葬！」王怒，弗聽，使里人埋之，冢相望也。王曰：「爾夫婦相愛不已，若能使冢合，則吾弗阻也。」宿昔之間，便有大梓木生於二冢之端，旬日而大盈抱。屈體相就，根交於下，枝錯於上。又有鴛鴦雌雄各一，恆棲樹上，晨夕不去，交頸悲鳴，音聲感人。宋人哀之，遂號其木曰相思樹，相思之名，起於此也。南人謂此禽即韓憑夫婦之精魂。今睢陽有韓憑城。其歌謠至今猶存。

宋康王名偃，是戰國末年宋君剔成之弟，奪兄君位自立為王。他霸佔舍人韓憑的妻子，憑妻何氏貞烈不從，夫婦二人俱死。偃怒使夫婦二人分葬，其下有梓樹，旬日長大，枝體相就，有鴛鴦偎鳴樹上，里人以鴛鴦為韓憑夫婦精魂，樹名相思樹。這一個故事述宋康王奪人之所好，逼情好彌篤的夫婦於絕路，里人追惜，亦令人痛感其悲。

天上玉女

魏濟北郡從事掾弦超，字義起，以嘉平中，夜獨宿，夢有神女來從之。自稱：「天上玉女，東郡人，姓成公，字知瓊，早失父母，天帝哀其孤苦，遣令下嫁從夫。」超當其夢也，精爽感悟，嘉其美異，非常人之容。覺寤欽想，若存若亡。如此三四夕。一旦，顯然來遊，駕輜軿車，從八婢，服綾羅綺繡之衣。姿顏容體，狀若飛仙。自言年七十，視之如十五六女。車上有壺榼，青白琉璃五具。飲啗奇異，饌具醴酒，與超共飲食。謂超曰：「我天上玉女，見遣下嫁，故來從君，不謂君德。宿時感運，宜為夫婦；不能有益，亦不能為損。然往來常可得駕輕車，乘肥馬；飲食常可得遠味異膳；繒素常可得充用不乏。然我神人，不為君生子，亦無妒記之性，不害君婚姻之義。」遂為夫婦。贈詩一篇，其文曰：

飄飄浮勃逢，敖曹雲石滋。芝英不須潤，至德與時期。神仙豈虛感，應運來相之。納我榮五族，逆我致禍災。……

此其詩之大較，其文二百餘言，不能悉錄。兼注「易」七卷，有卦有象，以象為屬。

故其文言，既有義理，又可以占吉凶，猶揚子之「太玄」，薛氏之「中經」也。超皆能通其旨意，用之占候。

作夫婦經七八年。父母爲超娶婦之後，分日而宴，分夕而寢。夜來晨去，倏忽若飛。唯超見之，他人不見。雖居閒室，輒聞人聲；常見蹤跡，然不睹其形。後，人怪問，漏泄其事，玉女遂求去，云：「我，神人也，雖與君交，不願人知，而君性疏漏——我今本末已露，不復與群通接。積年交接，恩義不輕，一旦分別，豈不愴恨？勢不得不爾，各自努力！」又呼侍御下酒飲啗。發簏，取織成裙衫兩副遺超，又贈詩一首。把臂告辭，涕泣流離，肅然升車，去若飛迅。超憂感積日，殆至委頓。

去後五年，超奉郡使至洛，到濟北魚山下陌上西行，遙望曲道頭，有一車馬，似知瓊。驅馳至前，果是也。遂披帷相見，悲喜交切。控左授綏，同乘至洛，遂爲室家，克復舊好。至太康中猶在，但不日日往來，每於三月三日，五月五日，七月七日，九月九日，旦，十五日，輒下往來，經宿而去。張茂先爲之作「神女賦」。

這篇內容，若以現世的眼光看，不過是貴婦人外遇的故事，以神仙情節渲染，是這類作品的一個先例。

秦巨伯

瑯琊秦巨伯，年六十。嘗夜行飲酒，道經蓬山廟。忽見其兩孫迎之，扶持百餘步，便捉伯頸著地，罵，「老奴，汝某日捶我，我今當殺汝！」伯思惟某時信捶此孫，伯乃佯死；乃置伯去。伯歸家欲治兩孫，兩孫驚惋叩頭，言：「爲子孫寧可有此！恐是鬼魅。乞更試之。」伯意悟。數日，乃詐醉行此廟間，復見兩孫來扶持伯，伯乃急持，鬼動作不得；達家，乃是兩人也。伯著火炙之，腹背俱焦坼。出著庭中，夜皆亡去。伯恨不得殺之。後月餘，又佯酒醉夜行，懷刃以去，家不知也。極夜不還。其孫恐又爲此鬼所困，乃具往迎伯；伯竟刺殺之。

呂氏春秋愼行論有「黎丘奇鬼」一篇，說河南黎丘有奇鬼變形爲人，有一老者酒醉回家，見兒子來接他，卻又百般戲弄他，由喜爲怒，回家責罵兒子不孝順。兒子跪下說並無此事，因爲去東門討債，怎麼能分身去接父親。老人一聽，就認定是奇鬼作祟，帶把刀打算除去黎鬼之害。爲了壯膽，又喝了酒回家，兒子想父親又去喝酒，可能怪他沒去接，恐怕再遇到什麼鬼作弄他，便急忙去接父親，只見父親走路不穩，跑上去扶他。父親以爲是奇鬼出現，就殺了他。回家後，才知道是殺了兒子。我想秦巨伯的故事由此而來，不過呂氏春秋所記，是諷諭爲政者要明辨是非，莫混淆黑白。誤殺有用之人。巨伯這篇的用意是勸人戒酒，用鬼來做引子，以便脫卸巨伯酒醉殺掉自己孫兒的罪行而已。

李寄

下面一篇名「李寄」內容是破除迷信，引犬入蛇穴，以利劍殺巨蛇的英勇故事：

東越閩中有庸嶺，高數十里。其西北隙中，有大蛇，長七八丈，六十餘圍。土俗常懼。東冶都尉及屬城長吏，多有死者。祭以牛羊，故不得福。或與人夢，或下諭巫祝，欲得啗童女年十二三者。都尉、令、長，並共患之。然氣厲不息。共請求人家生婢子，兼有罪家女養之。至八月朝祭，送蛇穴口，蛇出吞囓之。累年如此，已用九女。

爾時預復募索，未得其女，將樂縣李誕，家有六女，無男。其小女名寄，應募欲行。父母不聽。寄曰：「父母無相，惟生六女，無有一男，雖有如無。女無緹縈濟父母之功，既不能供養，徒費衣食，生無所益，不如早死。賣寄之身，可得少錢，以供父母，豈不善耶？」父母慈憐，終不聽去。寄自潛行，不可禁止。

寄乃告請好劍，及咋蛇犬。至八月朝，便詣廟中坐，懷劍將犬。先將數石米餈，用蜜麨灌之，以置穴口。蛇便出——頭大如囷，目如二尺鏡——聞餈香氣，先啗食之。寄便放犬，犬就囓咋；寄從後斫得數創，瘡痛急，蛇因踊出，至庭而死。寄入視穴，得九女髑髏，悉舉出，咤言曰：「汝曹怯弱，爲蛇所食，甚可哀愍！」於是寄女緩步而歸。

越王聞之，聘寄女爲后，拜其父爲將樂令，母及姊皆有賞賜。自是東冶無復妖邪之物。其歌謠至今存焉。

這個故事使人想到西門豹的去陋習，此則祭祀鬼神之外，又有祭蛇的迷信，九女以祭蛇而死，眞是死的冤枉。

列異傳

人言書爲曹丕撰，共三卷，但新唐書認爲是晉張華所作。其中有一「孫阿」一篇，甚覺詭異，其文爲下：

孫阿

蔣濟爲領軍，其妻夢見亡兒涕泣曰：「死生異路！我生時爲卿相子孫，今在地下爲泰山伍伯，憔悴困辱，不可復言。今太廟西謳士孫阿今見召爲泰山令，願母爲白侯囑阿，令轉我得樂處。」言訖，母忽驚寤。明日，以白濟，濟曰：「夢爲爾耳，不足怪也。」明日暮，復夢，曰：「我來迎新君，止在廟下；未發之頃，暫得來歸。新君明日日中當發，臨發多事，不復得歸。永辭於此。侯氣強難感悟，故自訴於母，願重啓侯；何惜不一試驗也！」遂道阿之形狀，言甚備悉。天明，母重啓侯曰：「昨又夢如此，雖云夢不足怪，此何太適適，亦可惜不一驗之？」濟乃遣人詣太廟下推問孫阿，果得之；形狀證驗，悉如兒言。濟涕泣曰：「幾負吾兒！」于是乃見孫阿，具語其事。阿懼當死，而喜得爲泰山令，惟恐濟言不信也。曰：「若如節下言，阿之願也。不知賢子欲得何職？」濟曰：「隨地下樂者與之。」

阿曰：「輒當奉教！」乃厚賞之。言訖，遣還。濟欲速知其驗，從領軍門至廟下，十步安一人，以傳阿消息。辰時，傳阿心痛；已時，傳阿劇；日中，傳阿亡。濟泣曰：「雖哀吾兒之不幸，且喜亡者有知。」後月餘，兒復來，語母曰：「已得轉爲錄事矣。」

原書三卷已佚亡。蔣濟爲太尉，所領爲禁軍。其妻連次夢到兒子已死，前來託夢，言其所處泰仙役卒困境。並言太廟孫阿爲泰山令，可請孫阿爲之解除苦役。蔣濟初不信，但孫阿之形狀，蔣至太廟見孫阿，果如夢境所言，即請孫阿轉調其子職務以安其心。不久，孫阿去逝。月餘後，其亡兒復來託夢，言已轉任錄事了。

張奮

魏郡張奮者，家巨富。後暴衰，遂賣宅與黎陽程家。程入居，死病相繼；轉賣與鄴人何文。文日暮乃持刀上北堂中梁上坐。至二更，忽見一人，長丈餘，高冠黃衣，升堂呼問：「細腰，舍中何以有生人氣也？」答曰：「無之。」須臾，有一高冠青衣者，次之，又有高冠白衣者，問答如前。

及將曙，文乃下堂中，如向法呼之。問曰：「黃衣者誰也？」曰：「金也，在堂西壁下。」「青衣者誰也？」曰：「錢也，在堂前井邊五步。」「白衣者誰也？」曰：「銀也，牆東北角柱下。」「汝誰也？」曰：「我，杵也，在竈下。」及曉，文按次掘之，得金銀各五百斤，錢千餘萬。仍取杵焚之，宅遂清安。

此文所言，不是在張奮之因巨富而暴衰，乃是在程家入死病之後，轉賣給住在河北魏郡的河南臨漳縣人何文，何文不信邪，夜持刀坐北堂，看見高冠著黃青白衣者三巨人，及黎明之時問知乃是黃金白銀及錢千萬。焚杵不過求清安，是錢財乃屬天命，非其人不可得。

宗定伯

南陽宗定伯，年少時，夜行逢鬼。問曰：「誰？」鬼曰：「鬼也。」鬼曰：「卿復誰？」定伯欺之，言：「我亦鬼也。」鬼問：「欲至何所？」答曰：「欲至宛市。」鬼言：「我亦欲至宛市。」共行數里。鬼言：「步行太亟，可共迭相擔也。」定伯曰：「大喜。」鬼便先擔定伯數里。鬼言：「卿太重，將非鬼也？」定伯言：「我新死，故重耳。」定伯因復擔鬼，鬼略無重。如是再三。

定伯復言：「我新死，不知鬼悉何所畏忌？」鬼曰：「唯不喜人唾。」於是共道遇水，定伯因命鬼先渡，聽之了無聲。定伯自渡，漕漼作聲。鬼復言：「何以作聲？」定伯曰：「新死不習渡水耳。勿怪！」行欲至宛市，定伯便擔鬼至頭上，急持之。鬼大呼，聲咋咋，索下。不復聽之，徑至宛市中。著地化爲一羊，便賣之。恐其變化，乃唾之。得錢千五百，乃去。

於時言：「定伯賣鬼，得錢千五百。」

宗定伯賣鬼一事，恐怕是民間的一項傳說，借宗定伯之口說出與鬼同行異端之事，而把賣鬼的事與賣竿的事混淆而談，不過逗趣罷了。

談生

談生者，年四十，無婦。常感激，讀「詩經」。夜半，有女子可年十五六，姿顏服飾，天下無雙，來就生爲夫婦，言：「我與人不同，勿以火照我也。三年之後，方可照。」爲夫妻，生一兒，已二歲；不能忍。夜同其寢後，盜照視之。其腰以上生肉如人，腰下但有枯骨。婦覺，遂言曰：「君負我。我垂生矣，何不能忍一歲而竟相照也？」生辭謝。涕泣不可復止，云：「與君雖大義永離，然顧念我兒。若貧不能自存活者，暫隨我去，方遺君物。」生隨之去，入華堂，室宇器物不凡。以一珠袍與之，曰：「可以自給。」裂取生衣裾，留之而去。後，生持袍詣睢陽王家，買之，得錢千萬。王識之，曰：「是我女袍，此必發墓。」乃取考之。生具以實對。王猶不信，乃視女冢；冢完如故。發視之，果棺蓋下得衣裾。呼其兒，正類王女。王乃信之。即召談生，復賜遺衣，以爲主婿。表其兒以爲侍中。

這恐怕是「書中自有顏如玉」的另一說，不過王家之女以女袍相贈，言王女死而有靈，雖死猶生，至於談生不能忍耐三年之期，而以火照之，王女竟然是鬼。事雖奇怪，但可說明的是：雖有誓言可信守，但終無法忍耐不能相見之苦。所以，就人性的觀點看談生的作爲，是值得原諒的。

靈鬼志

嵇中散

嵇中散神情高邁，任心遊憩。嘗行西南游，去洛數十里，有亭名華陽，投宿。夜了無人，獨在亭中。此亭由來殺人，宿者多凶；中散心神蕭散，了無懼意。至一更中操琴。先作諸弄，雅聲逸奏，空中稱善。

中散撫琴而呼之：「好君是何人？」答云：「身是故人，幽沒於此數千年矣。聞君彈琴，音曲清和，昔所好，故來聽耳。身不幸非理就終，形體殘毀，不宜接見君子；然愛君之琴，要當相見，君勿怪惡之。君可更作數曲。」中散復爲撫琴，擊節曰：「夜已久，何不來也？形骸之間，復何足計。」乃手挈其頭曰：「聞君奏琴，不覺心開神悟，恍若暫生。」遂與共論音聲之趣，辭甚清辯。謂中散曰：「君試以琴見與。」於是中散以琴授之。既彈衆曲，亦不出常；唯「廣陵散」聲調絕倫。中散纔從受之，半夕悉得。先所受引殊不及。與中散誓，不得教人，又不得言其姓。天明，語中散：「相與雖一遇於今夕，可以還同載；於此長夕，能不悵然！」

說的只是「廣陵散」一曲，只應天上有，人間只是絕響，不易得聞的道理罷了。

搜神記

「搜神記」認爲鬼神是存在的，表示「若使採訪近世之事，苟有虛錯，願與先賢前儒分其誣謗。」晉人劉惔稱之爲鬼中之董狐」。意思就是「搜神記」是爲鬼神作史。搜神後記，也是「張皇鬼神，稱通靈異」。把人與鬼相混雜而表現的。

所錄數則，傳係撰桃花源的陶潛所作。

袁相根碩

會稽剡縣民袁相、根碩二人獵，經深山重嶺甚多，見一群山羊六七頭，逐之。經一石橋，甚狹而峻。羊去，根等亦隨，渡一絕崖，崖正赤，壁立，名曰赤城。上有水流下，廣狹如匹布，剡人謂之瀑布。路徑有山穴如門，豁然而過。既入內，甚平敞，草木皆香。

有一小屋，二女子住其中，年皆十五六，容色甚美，著青衣，一名瑩珠，一名□□。見二人至，欣然云：「早望汝來。」遂爲室家。忽二女出行，云：「復有得婿者，往慶之。」曳履於絕巖之上，行琅琅然。二人思歸，潛去歸路。二女已知，追還，乃謂曰：「自可去。」乃以一腕囊與根等，語曰：「慎勿開也。」於是乃歸。

後出行，家人開視其囊，囊如蓮花，一重去，復一重，至五重，中有小青鳥飛去。根還知此，悵然而已。後根於田中耕，家依常餉之。見田中不動。就視，但有皮殼，如蟬蛻也。

此說袁相逐羊至赤城與二女子相逢，一名瑩珠，一失其名，遂相燕好。另外又來一行者，二人歸來，結果則成了空歡喜。

白水素女

晉安帝時侯官人謝端，少喪父母，無有親屬，爲鄰人所養。至年十七八，恭謹自守，不履非法。始出居，未有妻，鄰人共憫念之。規爲娶婦，未得。端夜臥早起，躬耕力作，不舍晝夜。後於邑下得一大螺，如三升壺，以爲異物。取以歸，貯甕中，畜之十數日。端每早至野，還，見其户中有飯飲湯火，如有人爲者；端謂鄰人爲之惠也。數日如此，便往謝鄰人。鄰人曰：「吾初不爲，是何見謝也？」端又以鄰人不喻其意。然數爾如此，後更實問，鄰人笑曰：「卿已自娶婦，密著室中炊爨，而言我爲之炊耶？」端默然心疑，不知其故。後以雞鳴出去，平旦潛歸，於籬外竊其家中，見一少女從甕中出，至竈下燃火。端便入門，徑至甕所視螺，但見女，乃到竈下，問之曰：「新婦從何處來，而相爲炊？」女大惶惑，欲還甕中，不能得去。答曰：「我天漢中白水素女也。天帝哀卿少孤，恭愼自守，故使得我權爲守舍炊烹。十年之中，使卿居富得婦，自然還去。而卿無故竊相窺掩，吾形已現，不能復留，當相委去。雖然，爾後自當少差，勤於田作，漁採治生。留此殼去，以貯米穀，常可不乏。」端請留，終不肯。時天忽風雨，翕然而去。端爲立神座，時節祭祀。居常饒足，不致大富耳。於是鄉人以女妻之。後仕至令長云。今道中素女祠也。

此事十分離奇，恐係一則傳聞。說到白水素女顯然是邑下大螺所變，現形去前留殼貯米、免其饑餒。道中有素女祠祭祀素女。素女初見之於黃帝蚩尤相持不下，素女來帝左右，設布陣，助黃帝打敗蚩尤。此事記載於山海經。

「桃花源」乃係一千古傳聞的世外和平之邦，其所記如一美麗夢境，武陵人之奇遇，不免令歷代世人驚慕不已：

桃花源

晉太元中，武陵人捕魚爲業，緣溪行，忘路之遠近。忽逢桃花林，夾岸數百步，中無雜樹，芳草鮮美，落英繽紛，漁人甚異之。復前行，欲窮其林。林盡水源，便得一山。山有小口，彷彿若有光；便捨舟，從口入。初極狹，纔通人；復行數十步，豁然開朗。土地平曠，屋舍儼然。有良田、美池、桑、竹之屬。阡陌交通，雞犬相聞。其中往來種作，男女衣著，悉如外人，黃髮垂髫，並怡然自樂。

見漁人，大驚，問所從來，具答之、便邀還家，爲設酒殺雞作食。村中人聞有此人，咸來問訊。自云：先世避秦時難，率妻子邑人來此絕境，不復出焉，遂與外人間隔。問今是何世。乃不知有漢，無論魏晉。此人一一爲具言所聞。皆歎惋。餘人各復延至其家，皆出酒食。停數日辭去。此中人語云，不足爲外人道也。既出，得其船，便扶向路，處處誌之及郡下，詣太守說如此。太守即遣人隨其往。尋向所誌，遂迷，不復得路。南陽劉子驥，高尚士也，聞之，欣然規往，未果；尋病終。後遂無問津者。

武陵一地在今湖南省常德縣西郊。本篇說是東晉孝武帝太元年間事，不過明喩實有其事，此類隱逸之談，又爲下面所記者：

嵩高山北有大穴。莫測其深。百姓歲時遊觀。晉初嘗有一人。誤墮穴中。同輩冀其儻不死。投食于穴中。墜者得之。爲尋穴而行。計可十餘日。忽然見明。又有草屋。中有二人。對坐圍棊。局下有一杯白飲。墜者告以飢渴。棊者曰。可飲此。遂飲之。氣力十倍。棊者曰。汝欲停此否。墜者不願停。棊者曰。從此西行有天井。其中多蛟龍。但投身入井。自當出。若餓。取井中物食。墜者如言。半年許。乃出蜀中。歸洛下。問張華。曰。此仙館。大夫所飲者瓊漿也。所食者龍穴石髓也。

搜神記卷一多有此類記載，大都神仙洞府，或仙人下棋，或玉女情鍾，或良田十頃，或石屋數間等，類皆人世罕見。搜神後記中有「佛圖證」一則：

天竺人佛圖澄。永嘉四年來洛陽。善誦神咒。役使鬼神。腹旁有一孔。常以絮塞之。每夜讀書。則拔絮。孔中出光。照于一室。平旦至流水側。從孔中引出五臟六腑。洗之訖。還內腹中。

此中最神奇的是僧圖澄腹旁有一小孔，弗出五臟六腑清洗。晉法顯撰「神僧傳」言佛圖澄事蹟甚爲詳細；其中關於石勒、郭黑略、石虎與佛圖澄相處情節，證明佛圖澄爲有道高僧，此對南北朝佛教興盛也是一種證據：

神僧傳

佛圖澄。西域人也。本姓帛氏。少出家。誦經數百萬言。以晉永嘉四年來洛陽。志弘大法。善念神咒。能役使鬼物。以麻油雜煙灰掌。千里外事。皆徹見掌中。如對面焉。亦能令潔齋者見。又聽鈴音以言事。無不效驗。欲於洛陽立寺。值劉曜亂不果。乃潛身草野。以觀世變。時石勒屯兵葛陂。專以殺戮爲威。沙門遇害者甚衆。澄欲以道化勒。於是杖策到軍門。勒大將郭黑略素奉法。澄即投足略家。略從受五戒。崇弟子之禮。後從勒征伐。輒預剋勝負。勒疑而問之。略曰。將軍天挺神武。幽靈所助。有一沙門。術智非常。前後所白。皆其言也。勒喜曰。天賜也。召澄問曰。佛道有何靈驗。澄知勒不達深理。正可以道術爲教。因言曰。至道雖遠。亦可以近事爲證。即取器盛水。燒香咒之。須臾生青蓮華。光色曜目。勒由此信伏。澄因進諫。勒甚悅之。凡應被誅殘。蒙其益者。十有八九。於是中州之胡。皆願奉佛。勒欲試澄。夜冠冑衣甲。執刃而坐。遣人告澄云。夜來不知大將軍所在。使人始至。未及有言。澄逆問曰。平居無冠。何故夜嚴。勒益敬之。勒後因忿。欲害諸道士。幷欲苦澄。澄至黑略舍。語弟子曰。若將軍使至。問吾所在者。報云不知所之。使人尋至。覓澄不得。

使還報勒。勒驚曰。吾有惡意向聖人。聖人捨去我矣。通夜不寢。思欲見澄。澄知勒意悔。明旦造勒。勒曰。昨夜何行。澄曰。公有怒心。昨故權避。公今改意。是以敢來。勒大笑曰。道人謬耳。鮮卑段末波攻勒。其衆甚盛。勒懼問澄。澄曰。昨日寺鈴鳴云。明旦食時。當擒段波末。與勒登城望波軍。不見前後。失色曰。豈可獲是。公安我辭耳。澄曰。已獲波矣。時城北伏兵出。遇波執之。澄勸勒宥波。遣還本國。勒從之。卒獲其用。劉曜攻洛陽。勒欲自往拒曜。內外僚佐畢諫。勒以訪澄。澄曰。相輪鈴音云。秀支替戾岡。僕谷劬禿當。此羯語也。秀支替戾岡。出也。僕谷。劉曜胡位。劬禿當。捉也。此言軍出捉得曜也。勒乃留長子石弘共澄鎮襄國。自率中軍步騎。直指洛城。兩陣纔交。曜軍大潰。曜馬沒水中。石堪生擒之送勒。澄時以物塗掌觀之。見有大衆中縛一人。朱絲約其肘。因以告弘。當爾之時。正生擒曜也。勒乃僭稱趙天王。行皇帝事。改元建平。事澄益篤。時石蔥叛。其年澄戒勒曰。今年蔥中有蟲。食必害人。勒須告境內。慎無食蔥。到八月。石蔥果走。勒益加尊重。有事必諮而後行。號大和尚。石虎有子名斌。勒以爲子。愛之甚重。忽暴病亡。已涉二日。勒曰。朕聞虢太子死。扁鵲能生。大和尚國之神人。可急往告。必能致福。澄乃取楊枝咒之。須臾能起。有頃平復。由是勒諸稚子。多在佛寺中養之。建平四年四月無風。而塔上一鈴獨鳴。澄謂衆曰。鈴音云國有大喪。不出今年矣。是歲七月勒死。太子弘襲位。少時虎廢弘自立。遷都於鄴。改元建武。傾心事澄。又重於勒。乃下書曰。和尚國之大寶。榮爵不加。高祿不受。榮祿匪頒。何以旌德。從此已往。宜衣以綾綿。乘以雕輦。朝會之日。和尚升殿。常侍已下。悉助舉舁。太子諸公扶輦而上。主者唱大和尚。衆坐皆起。以彰其尊。又勑司空李農。旦夕親問。太子諸公。五日一朝。表朕敬焉。澄弟子法常。北至襄國。弟子法佐。從襄國還。相遇在梁塞城下。共宿對車夜談。言及和尚比旦各去。法佐至。始入覲澄。澄逆笑曰。昨夜爾與法常交車。共説汝師耶。先民有言。不曰敬乎。幽而不改。不曰愼乎。獨而不怠。佐愕然愧懺。於是國人每共相語曰。莫起惡心。和尚知汝。及澄之所在。無敢向其方面涕唾便利者。郭黑略將兵。征長安北山羌。墮羌伏中。時澄在堂上坐。弟子法常在側。澄忽慘然改容曰。郭公陷狄。令衆生咒願。澄又自咒願。須臾更曰。若東南出者活。餘向則困。復更咒願。有頃曰脱矣。後月餘日。黑略還。説羌圍中。東南走。馬乏。正遇帳下人。推馬與之。獲免。推驗日時。正澄咒願時也。後晉軍出準泗。隴北瓦城。皆被侵逼。三方告急。人情危擾。虎乃瞋曰。奉佛而致寇。佛無神矣。澄明旦讓虎曰。王過世經爲大商主。至罽賓寺。常供大會。中有六十羅漢。吾此身亦預斯會。今王爲王。豈非福耶。疆場軍寇。國之常耳。何爲怨謗三寶。夜興毒念乎。虎乃信悟。跪而謝焉。虎常問澄。佛法不殺。朕爲天下之主。非刑殺無以肅清海内。既違戒殺生。雖復事佛。詎獲福耶。澄曰。帝王事佛。當在體恭心順。顯揚三寶。至於有罪不得不刑。但當殺可殺。刑可刑耳。若暴虐恣意。殺害非罪。雖復事法。無解殃禍。虎雖不能盡從。而爲益不少。虎於臨漳修治舊塔。少承露盤。澄曰。臨淄城內。有古阿育王塔。地中有承露盤及佛像。其上林木茂盛。可掘取之。即畫圖與使。依言掘取。果得盤像。黃河中舊不生黿。忽得一以獻虎。澄見而歎曰。桓溫其入河不久。溫字元子。後果如言也。虎嘗晝寢。夢見群羊負魚。從東北來。寤以訪澄。澄曰。不祥也。鮮卑其有中原乎。慕容氏後果都之。建武十四年七月。石宣石韜。將圖相殺。宣時到寺。與澄同坐。浮圖一鈴獨鳴。澄謂宣曰。解鈴音乎。鈴云胡子洛度。宣變色曰。是何言與。澄謬曰。老胡爲道。不能山居。無言重茵美服。豈非洛度乎。石韜後至。澄熟視良久。韜懼而問澄。澄曰。怪公血臭。故相視耳。至八月。澄使弟子十人。齋於別室。澄時蹔入東閣。虎與后杜氏問訊。澄曰。脅下有賊。澄即易語云。六情所受。皆悉是賊。後二日宣果遣人害韜於佛寺中。欲因虎臨喪。仍行大逆。虎以澄先戒。故獲免。及宣事發被收。澄諫虎曰。既是陛下之子。何爲重禍耶。陛下若忍怒加慈者。尚可六十餘歲。如必誅之。宣當爲彗星。下掃鄴宮也。虎不從。以鐵鑠穿宣頷。積薪焚之。收其官屬。三百餘人。皆車裂支解。投之漳河。後月餘日。有一妖馬。毛尾皆有燒狀。入中陽門。出顯陽門。走向東北。俄爾不見。澄聞而歎曰。災期及矣。至十一月。虎大饗群臣於太武前殿。澄吟曰。殿乎殿乎。棘子成林。將壞人衣。虎令發殿下石視之。有棘生焉。澄還寺視佛像曰。悵恨不得莊嚴。獨語曰。得三年乎。自荅不得不得。又曰。得二年一年。百日一月乎。自答不得。乃無復言。還房。謂弟子法祚曰。戊申歲禍亂漸萌。己酉石氏當滅。吾及其未亂。先從化矣。即遣人與虎辭。虎愴然。即自出至寺而慰諭焉。澄謂虎曰。夫道重行全。德貴無怠。苟業操無虧。雖亡若在。違而獲延。非其所願。今意未盡者。以國家心存佛理。奉法無吝。稱斯德也。宜享休神。而布政猛烈。終無佛佑。若降心易慮。惠此下民。則國祚延長。沒無遺恨。虎悲動嗚咽。知其必逝。即爲鑿壙營墳。至十二月八日。卒於鄴宮寺。春秋一百一十七年矣。俄而梁犢作亂。明年虎死。冉閔簒戮。石種都盡。閔小字棘奴。澄見所謂棘子成林者也。澄左乳旁。見有一孔。圍四五寸。通徹腹內。有時光從出。或以絮塞孔。夜欲讀書。輒拔絮、則一室洞明。又齋日。輒至水邊引腸洗之。還復內中。澄身長八尺。風姿甚美妙。解深經。旁通世論。講說之日。正標宗旨，使始末文言。昭然可了。加復慈洽蒼生。拯救危苦。二石兇強。虐害非道。若不以與澄同日孰可言哉。但百姓蒙益。日用而不知耳。澄死之日。有人見澄於流沙。虎疑其不死。因發墓開棺視之。唯見一石。虎曰。石者朕也。師葬我而去矣。未幾虎死。

法顯，晉時得道高僧，撰有「佛國記」述其在長安，於弘始二年，歲在已亥，與慧景、道整、慧應、慧嵬等一同到天竺求經之行蹟，記載甚爲詳實。他在「佛圖記」後面說：「不顧微命，浮海而還，艱難具更，幸蒙三尊威靈，危而得濟。故竹帛疏所經歷，欲令賢者，因其聞見。又注曰：

是歲甲寅。晉義熙十二年。歲在壽星。夏安居末。迎法顯道人既至。留共冬齋。因講集之際。重問遊歷。其人恭順。言輒依實。由是見所略者。勸令詳載。顯復具敘始末。自云顧尋所經。不覺心動汗流。所以乘危履險。不惜此形者。蓋是志有所存。專其愚直。故投命於不必全之地。以達萬一之冀。於是咸歎斯人。以爲古今罕有。自大教東流。未有忘身求法。如顯之比。然後知誠之所感。無窮否而不通。志之所獎。無功業而不成。成夫功業者。豈不由忘夫所種。重夫所忘者哉。

法顯對佛教的貢獻非常之大，梁啓超讚美他是美國人非洲探險家立溫斯敦，稱他是天竺的探險家。他去天竺取經的經歷，是一本最早的「西遊記」，特別值得記述。他去天竺的路線經張掖，過敦煌，度沙河，至鄯善，到傿陽國，智嚴、慧簡、慧嵬返向高昌。法顯艱苦卓絕，在于闐時得衣食照顧，禮遇極隆重，遂向罽賓進發，過葱嶺山，於麾國，謁義國，四方沙門，皆來雲集，講經說法，諸般尊貴。入陀歷，翻絕壁，於犍牝衛國，竺刹尸羅，弗樓樓沙國等天竺諸國，與八國大王及高僧說法。後到多摩梨帝國，法顯居住二年寫經及畫像，又去漢地積年，屢參各種精舍佛廟，又到西月支、于闐，屈茨，獅子等國，還中中天竺住二年，寫不綴。後千辛萬苦，乘船回廣州，其間去天竺足歷三十國，歸長安，途長達六年，而所言法化之美，何可盡述。以上爲其大略。說是志怪。不如讚其弘毅靈感，爲世所尊。

幽明錄

作者宋武帝（劉裕）弟長沙王道憐的第二子，臨川王道規立義慶爲嗣子，故襲封爲臨川王，性近文學，除「幽明錄」外，最爲後人稱道的是「世說新語」。「幽明錄」共有二十卷，流傳下來的不是全書，年代久遠，失散的很多，其中劉晨阮肇的故事，流行的最廣，也是這類傳說較早的一篇。

劉晨阮肇

漢明帝永平五年，蒯縣劉晨、阮肇共入天台山取穀皮，迷不得返。經十三日，糧食乏盡，飢餒殆死。遙望山上，有一桃樹，大有子實；而絕巖邃澗，永無登路。攀援藤葛，乃得至上。各啖數枚，而飢止體充。復下山，持杯取水，欲盥漱。見蕪菁葉從山腹流出，甚鮮新，復一杯流出，有胡麻飯糝。相謂曰：「此必去人徑不遠。」便共沒水，逆流二三，得度山，出一大溪。溪邊有二女子，姿質妙絕，見二人持杯出，便笑曰：「劉阮二郎，捉向所失流杯來。」晨肇既不識之，緣二女便呼其姓，如似有舊，乃相見欣喜。問：「來何晚耶？」因邀還家。其家筒瓦屋。南壁及東壁下各有一大床，皆施絳羅帳，帳角縣鈴，金銀交錯。床頭各有十侍婢。敕云：「劉阮二郎，經涉山岨，向雖得瓊實，猶尚虛弊，可速作食。」食胡麻飯、山羊脯、牛肉，甚甘美。食畢。行酒。有一群女來，各持五三桃子，笑而言：「賀汝婿來。」酒酣作樂，劉阮欣怖交並。至暮令各就一帳宿，女往就之，言聲清婉，令人忘憂。

十日後，欲求還去，女云：「君已來是，宿福所牽，何復欲還耶？」遂停半年。氣候草木是春時，百鳥啼鳴，更懷悲思，求歸甚苦。女曰：「罪牽君當可如何？」遂呼前來女子，有三四十人，集會奏樂，共送劉阮，指示還路。既出，親舊零落，邑屋改異，無復相識。問訊得七世孫，傳聞上世入山「迷不得歸。至晉太元八年，忽復去，不知何所。

男女燕好，每稱「劉阮到天台」的典故，就是從這裡來的。劉阮所到之處「不知何所」？天台山在浙江天台縣北郊，人跡罕至的地方，好像另一處桃源，二人歸來，自漢明帝五年至晉太元八年，計已經過了三百餘年了，這眞可算得上是一項奇聞。另記黃原之事，祇可說是一種艷遇：

黃原

漢時太山黃原，平旦開門，忽有一青犬在門外伏守，備如家養。原紲犬，隨鄰里獵。日垂夕，見一鹿，便放犬，犬行甚遲，原絕力逐，終不及。行數里，至一穴，入百餘步，忽有平衢，槐柳列植，行牆迴匝。原隨犬入門。列房櫳戶可有數十間，皆女子，姿容研媚，衣裳鮮麗，或撫琴瑟，或執博棋。至北閣，有三間屋，二人侍值，若有所伺。見原，相視而笑：「此青犬所致妙音婿也。」一人留，一人入閣。須臾，有四婢出，稱太眞夫人白黃郎：「有一女年已弱笄，冥數應爲君婦。」既暮，引原入內。內有南向堂，堂前有池，池中有臺，臺四角有徑尺穴，穴中有光映帷席。妙音容色婉妙，侍婢亦美。交禮既畢，宴寢如舊。經數日，原欲暫還報家，妙音曰：「入神異道，本非久勢。」至明日，解佩分袂，臨階涕泗：「後會無期，深加愛敬。若能相思，至三月旦，可修齋潔。」四婢送出門。半日至家，情念恍惚。每至其期，常見空中有軿彷彿若飛。

此種艷遇，行於文字以人神相會，以別於偷情。放犬引人，別是一種情趣。

甄沖

甄沖，字叔讓，中山人，爲雲杜令。未至惠懷縣，忽有一人來通，云：「社郎。」須臾便至，年少，容貌美淨。既坐寒溫，云：「大人見使，貪慕高援，欲以妹與君婚，故來宣此意。」甄愕然曰：「僕長大，且已有家，何緣此理？」社郎復云：「僕妹年少，且令色少雙，必欲得佳對，云何見拒？」甄曰：「僕老翁，現有婦，豈容違越？」相與反覆數過，甄殊無動意。社郎有恚色，云：「大人當自來，恐不得違爾。」既去，便見兩岸上有人著幘捉馬鞭，羅列相隨，行從甚多。社公尋至，鹵簿導從如方伯，乘馬輿，青幢赤絡，覆車數乘。女郎乘四望車，錦步障數十張，婢子八人，夾車前，衣服文綵，所未嘗見。便於甄傍邊岸上張幔屋，舒薦席。社公下，隱膝几，坐白氍坐褥，玉唾壺，以玳瑁爲手巾籠，捉白塵尾。女郎卻在東岸，黃門白拂夾車立，婢子在前，社公引佐吏令前坐，當六十人。命作樂，器悉如琉璃。社公謂甄曰：「僕有陋女，情所鍾愛，以君體德令茂，貪結親援，因遣小兒已縣宣此旨。」甄曰：「僕既老悴，已有室家，兒子且大，雖貪貴聘，不敢聞命。」社公復云：「僕女年始二十，姿色淑令，四德克備，今在岸上，勿復爲煩，但當成禮耳！」甄拒之轉苦，謂是邪魅，便拔刀橫膝上，以死拒之，不復與語。社公大怒，便令呼三班兩虎來。張口正赤，號呼裂地，徑跳上。如此者數十次，相守至天明，無如之何，便去。留一牽車，將數十人，欲以迎甄。甄便移至惠懷，上縣中住。所迎車及人至門中，有一人著單衣幘，向之揖，云：「於此便住，不得前！」甄停十餘日，方敢去。故見一人著幘捉馬鞭隨至家。至家少日而婦病，遂亡。

這是發生在湖北的事，甄沖這位雲杜令，或眞有過人才能德望，乃致使土地公非要把女兒嫁給他不可，土地公半路迎住要通過惠懷縣的甄沖，先使社郎通知，又張絡結綵，執意結親成禮，而甄沖以年已老家有婦，並拔刀橫膝，斷然拒絕，縱有三班兩虎之威脅，亦不爲所動。這表明了甄沖的守節尊義的行爲。十餘日後，甄沖至家，少日婦亡。土地公要嫁女兒的陣仗，頗像土豪劣紳的作爲。甄沖被阻隔十餘日後始得返家，不久，自己的太太死了。土地公嫁女兒的後事如何了結，値得後人者推敲。

劉義慶雖然貴爲公子，但從他的文彩看，是十分重感情的，我們看下面這一篇：

賣胡粉女子

有人家甚富，止有一男，寵恣過常。游市，見一女子美麗，賣胡粉，愛之，無由自達，乃託買粉，日往市，得粉便去，初無所言。積漸久，女深疑之。明日復來。問曰：「君買此粉，將欲何施？」答曰：「意相愛樂，不敢自達，然恆欲相見，故假此以觀姿耳。」女悵然有感，遂相許以私，剋以明夕。

其夜，安寢堂屋，以俟女來，薄暮果到。男不勝其悅，把臂曰：「宿願始伸於此！」歡踴遂死。女惶懼，不知所以，因遁去，明還粉店。至食時，父母怪男不起，往視，已死矣。

當就殯斂，發篋笥中，見百餘裹胡粉，大小一積。其母曰：「殺吾兒者，必此粉也。」入市遍買胡粉次此女，比之手跡如先，遂執問之曰：「何殺吾兒？」女聞嗚咽，具以實陳。父母不信，遂以訴官。女曰：「妾豈復吝死，乞一臨尸盡哀」。縣令許焉。徑往撫之慟哭，曰：「不幸致此，若死魂而靈，復何恨哉！」男豁然更生，具說情狀。遂爲夫婦，子孫繁茂。

這篇的故事，與神鬼是無關的，純粹是男女相悅相許的記錄。男與女燕好不勝其悅，歡踴而死。以情況度之，恐係暫時休克，不至於死。故女哭之哀慟，男有感而復活了。

世說新語

唐代稱爲「世說新書」原有八卷。劉孝標注分十卷。宋晏殊校本，陸放翁刊本，明嘉靖表褧本均有剪裁。所記有眞實性，要言不繁。所以稱之爲「軼事」，「淸談」的代表作。內容分門別類輯集，有「德行」，「規箴」，「賢媛」等三十八門。所記之事自兩漢至東晉，其中寫人紀事，偏重思想性的傳達，描述簡潔，而內容則有可資考察的背景，對當時代士人的生活面貌有可信的瞭解，脫出志怪的所囿，而有可觀的情趣。

此書原有八卷，今只三卷，多紀事與諧諭之作，略輯數則如下：

荀巨伯

荀巨伯遠看友人疾。值吳賊攻郡，友人語巨伯曰：「吾今死矣，子可去。」巨伯曰：「遠來相視，子令吾去，敗義以求生，豈荀巨伯所行耶！」賊既至，謂巨伯曰：「大軍至，一郡盡空。汝何男子，而敢獨止？」巨伯曰：「友人有疾，不忍委之。寧以我身，代友人命。」賊相謂曰：「我輩無義之人，而入有義之國！」遂班軍而還，一郡並獲全。

古人以義爲重，此亦全義之一例。

以豪奢爲例者，爲王愷之小巫見大巫者。

石崇王愷

石崇與王愷爭豪，並窮綺麗以飾輿服。武帝，愷之甥，每助愷。嘗以一珊瑚樹高二尺許賜愷，枝柯扶疏，世罕其比。愷以示崇，崇視許，以鐵如意擊之，應手而碎。愷既惋惜，又以爲疾己之寶，聲色甚厲。崇曰：「不足恨，今還卿。」乃命左右悉取珊瑚樹，有三尺四尺、條幹絕世、光彩溢目者六十枚，如愷許比甚衆。愷惘然自失。

王子猷子敬

王子猷、子敬俱病篤，而子敬先亡。子猷問左右：「何以都不聞消息/此已喪矣！」

語時了不悲。便索輿來奔喪，都不哭。子敬素好琴，便徑入坐靈床上，取子敬琴彈，絃既不調，擲地云：「子敬，子敬，人琴俱亡！」因慟絕良久。月餘亦卒。

以上義行，有似俞伯牙碎琴追悼鍾子期一樣感人。

桓車騎不好著新衣

桓車騎不好著新衣，浴後，婦故送新衣與。車騎大怒，催使持去。婦更持還，傳語云：「衣不經新，何由得故？」桓公大笑著之。

上山採蘼蕪言：新不如故，此則言有新始有故，兩者並不違背。

劉伶

劉伶病酒，渴甚，從婦求酒。婦捐酒毀器，涕泣諫曰：「君飲太過，非攝生之道，必宜斷之！」伶曰：「甚善。我不能自禁，唯當祝鬼神自誓斷之耳。便可具酒肉。」婦曰：「敬聞命。」供酒肉於神前，請伶祝誓。伶跪而祝曰：「天生劉伶，以酒爲名，一飲一斛，五斗解酲。婦人之言，愼不可聽！」便引酒進肉，隤然已醉矣。

劉伶，竹林七賢之一，有「酒德頌」。李賀詩：「酒不到劉伶墳上土」，慨其爲人，想其爲人之愛酒如命。

周處

周處年少時，兇強俠氣，爲鄉里所患，又義興水中有蛟，山中有邅跡虎，並皆暴犯百姓。義興人謂三橫，而處尤劇。或說處殺虎斬蛟，實冀三橫唯餘其一。處即刺殺虎。

又入水擊蛟，蛟或沈或沒，行數十里，處與之俱，經三日三夜——鄉里皆謂已死，更相慶——竟殺蛟而出。聞里人相慶，始知爲人情所患，有自改意。乃自吳尋二陸。平原不在，正見清河，具以情告，並云欲自修改而年已蹉跎，終無所成。清河曰：「古人朝聞夕死，況君前途尚可；且人患志之不立，何憂令名不彰耶！」處改勵，終爲忠臣孝子。

周處義興陽羨人，早年橫行鄉里的惡少年，後受長者之教，改邪歸正。仕晉爲御史中丞。

氐人齊萬年反，派周處抵拒。孫秀欲上表奏周處母老，不能離母出征。周處說：「忠孝無法兩全」。就進戰，殺敵無數，後來弦絕矢盡，左右勸他撤退。周處說：「這是我爲國盡忠的日子。」終於戰死。

寫人如此，可稱簡潔而動人，其尤可讚貴者，尚有數則：

潘　岳

潘岳妙有姿容，好神情；少時，挾彈出洛陽道，婦人遇者，莫不連手共縈之，左太沖絕醜，亦復效岳遊遨；於是群嫗共亂唾之，委頓而返。

在「容止」中說潘岳「妙有姿容，好神情」是寫實，以直接指明其儀態，而使人能領會到他的俊爽飄逸；後以婦女包圍接近他，丟飾物紀念品給他，讓他滿載而歸的情形來反襯左思之醜，令群嫗唾棄，以致使他「委頓」而歸，眞是下筆如刀，不忍目睹。

王右軍

時人目王右軍：「飄若遊雲，矯若驚龍。」

王右軍的書法，書勢正如其人是「飄若遊雲，矯若驚龍」的，正是其人如其書法了。

李勢妹

桓宣武平蜀，以李勢妹爲妾，甚有寵，常箸齋後，主始不知，既聞，與數十婢拔白刃襲之，正值李梳頭，髮委藉地，膚色玉曜，不爲動容，徐曰：「國破家亡，無心至此；今日若能見殺，乃是本懷！」主慚而退。

桓宣武是桓溫平蜀，把後蜀君主李勢的妹妹虜來作他的侍妾，藏在後室。他的太太南康長公主是個厲害的悍婦，聽到這件事，帶了數十個拿著刀棒的女婢，衝進來興師問罪。誰知道牠風捲雷奔氣吼吼一進門就楞住了，因爲牠看見一位皮膚白皙光潤，黑濃的長髮尾地，神情優雅娟婉的美人兒，正在梳妝，一點也不驚慌，細細幽幽的說：「國破家亡，無心至此。」誰情願到這裡呢？只是沒辦法才給抓來，「今日若能見殺，乃是本懷！」我本來就想死，你殺我正是我求之不得的。這位強悍的長宮主忍不住跑上去，一把抱住說：「我見猶憐，何況老奴！」唉！妹妹呀，你眞是可愛。寫人到此，眞是入木三分了。

另有一則「韓壽」是列入「惑溺」一篇的：

韓壽美姿容，賈充辟以爲掾；充每聚會，其女於青璅中看，見壽悅之；內懷存想，發於吟詠，後婢往壽家，具述如此，並言女色麗，壽聞之心動，遂請婢潛修音問，及期往宿，壽蹻捷絕人，踰牆而入，家中莫知，自充覺是女盛自拂拭，說暢有異於常，後會諸吏，聞壽有奇香之氣，是外國所貢，一箸人，則歷月不歇。充計武帝唯賜己及陳騫，餘家無此香；疑壽與女通，而垣牆重密，門閤急峻，何由得爾；乃託言有盜，令人修牆。使反曰：〔其餘無異。唯東北角有人跡，而牆高，非人所踰。〕充乃取女左右考問，即以狀對。充秘之，以女妻壽。

這篇「韓壽竊香」的故事，完全合乎於小說結構的情節。以志人爲主的內容，開啓了才子佳人言情小說的序幕。韓壽是個美男子，是賈允屬官做秘書工作，賈家每有聚會，韓壽就來參加。賈充的女兒在內室玉璪的屛風後看他，喜歡他且表現在詩文中，她的婢女十分乖巧，去韓壽家裡告訴他，並且描述小姐的美麗。韓壽請婢帶去傾慕之心，約期翻牆進入賈女閨房成其好事。時間一久，賈女不免洩漏了一些端倪，賈充細加探究，終於知道了女兒與韓壽的私情，不得不把女兒嫁給韓壽。這個故事的情節使人連想到董西廂王西廂中張生跳粉牆與崔鶯鶯相會的艷事。賈女的婢女直接去韓壽家告訴他，紅娘則一根紅線牽出牽進。韓壽矯健踰高牆而入。張生則跌跌撞撞爬樹張梯拖泥帶水。韓壽與賈女有情人終成眷屬，張生鶯鶯則以悲情收場。

冥祥記

據「隋書經籍志」，「冥祥記十卷，王琰撰」，王琰，太原人，在梁時曾做吳興令，當時佛教盛行，王琰是信奉佛教的，所以他的故事，多是宣導佛教，勸人一心信佛，多做善事。「冥祥記」多已散失。後人輯本「法苑珠林」採用者較多。王琰在序中說，他小時候在交趾曾從高僧受戒，奉供觀世音金像，常有感應，爲文戒世，勿入地獄，所錄趙泰一則，就是在人世行孽罪，死後下地獄的情形。

趙泰

晉趙泰，字文和，清河貝丘人也。祖父京兆太守。泰，郡舉孝廉；公府辟，不就。精思典籍，有譽鄉里。當晚乃膺仕，終於中散大夫。泰年三十五時，嘗猝心痛，須臾而死。下屍於地，心煖不已，屈伸隨人。留屍十日。平旦，喉中有聲如雨，俄而蘇活。說初死之時，夢有一人，來近心下。復有二人，乘黃馬，從者二人，夾扶泰腋，徑將東行，不知可幾里。至一大城，崔嵬高峻，城色青黑，狀錫。將泰向城門入。經兩重門，有瓦屋可數千間；男女大小，亦數千人，行列而立。吏著皁衣，有五六人，條疏姓字，云當以科呈府君。泰名在三十。須臾，將泰與數千人男女，一時俱進。府君西向坐，簡視名簿訖，復遣泰南入黑門。有人著絳衣坐大屋下，以次呼名，問生時所事：「作何薛罪，行何福善？諦汝等辭以實言也。此恆遣六部使者，常在人間，疏記善惡，具有條狀，不可得虛。」泰答：「父兄全宦皆二千石。我少在家修學而已，無所事也，亦不犯惡。」乃遣泰爲水官監作使，將二千餘人運沙裨岸，晝夜勤苦。後轉泰水官都督，知諸獄事。給泰馬兵，令案行地獄。所至諸獄，楚毒各殊。或針貫其舌，流血竟體。或披頭露髮，裸形徒跣，相牽而行。有持大杖，從後催促。鐵床銅柱，燒之洞然，驅迫此人，抱臥其上，赴即焦爛，尋復還生，或炎爐巨鑊，焚煮罪人，身首碎墮，隨沸翻轉。有鬼持叉，倚於其側。有三四百人，立於一面，次當入鑊，相抱悲泣。或劍樹高廣，不知限量，根莖枝葉，皆劍爲之。人衆相訾，自登自攀，若有欣意，而身首割截，尺寸離斷。泰見祖父母及二弟，在此獄中，相見涕泣。

泰出獄門，見有二人齎文書來，語獄吏，言有三人，其家爲其於塔寺中懸旛燒者，解救其罪，可出福舍。俄見三人，自獄而出，已有自然衣服，完整在身。南詣一門，云名「開光大舍」有三重門，朱彩照發。見此三人，即入舍中。泰亦隨入。前有大殿，珍寶周飾，精光耀目，金玉爲床，見一神人，姿容偉異，殊好非常，坐此座上。邊有沙門之侍，甚衆。見府君來恭敬作禮。泰問：「此是何人，府君致敬？」吏曰：「號名世尊，度人之師。有願令惡道中人皆出聽經。時云有百萬九千人，皆出地獄，入百里城。在此到者，奉法衆生也。行雖虧殆，尚當得度，故開經法，七日之中，隨本所作善惡多少，差次免脫。」

毛未出之頃，已見十人升虛而去。出此舍，復見一城，方二百餘里，名爲「受變形城」。地獄考治已畢者，當於此城，更受變報。泰入其城，見有土瓦屋幾千區，各有坊巷。正中有瓦屋高壯，闌檻采飾。有數百局吏，對校文書。云殺生者當作蜉蝣，朝生暮死；劫盜者當作豬、羊，受人屠割；淫泆者作鶴、鶩、麞、麋；兩舌者作鴟梟、鵂鶹；捍債者爲驢、騾、牛、馬。泰案行畢，還水官處。主者語泰：「卿是長者子，以何罪過，而來在此？」泰答：「祖父兄弟，皆二千石。我舉孝廉，公府辟，不行。修志念善，不染衆惡。」主者曰：「卿無罪過，故相使爲水官都督，不爾，與地獄中人無以異也。」泰問主者曰：「人有何行，死得樂報？」主者惟言：奉法弟子，精進持戒，得樂報，無有謫罰也。」泰復問曰：「人未事法時，所行罪過，得以除否？」答曰：「皆除也。」語畢，主者開滕篋，檢泰年紀。尚有餘算三十年在，乃遣泰還。臨別，主者曰：已見地獄罪報如是，當告世人，皆令作善。善惡隨人，其猶影響，可不愼乎？」

時親表內外候視泰者，五六十人，同聞泰說。泰自書記，以示時人。時晉太始五年十月十三日也，乃爲祖父母二弟延請僧衆，大設福會。皆命子孫改意奉法，課勸精進。時人聞泰死而復生，多見罪福，互來訪聞。時有太中大夫武城孫豐，關內侯常山郝伯平等等十人，同集泰舍，款曲尋問，莫不懼然，皆即奉法也。

其情節最重要的是「人有何行，死得樂報？回答是，「奉法」「持戒」「作善」。趙泰死後入地獄，因爲他生前信佛行善，尚有三十年可活，故死而復蘇。

冤魂志

作者是寫「顏氏家訓」的顏之推，他是臨沂人，初仕漢爲散騎仕部，後爲北齊黃門侍郎。「冤魂志」有三卷，初名「遂冤記」，內容也是佛家報應的故事。所錄「徐鐵臼」一則是後母虐待前妻兒，以凍餓不足，後用棒棍打死。鐵臼死後，陰魂化鬼來報復，遂舉家不安，後母兒鐵杵終於鬼打死。

徐鐵臼

宋東海徐甲，前妻許氏，生一男，名鐵臼，而許氏亡，甲改娶陳氏。陳氏凶虐，志滅鐵臼。陳氏產一男，生而咒之曰：「汝若不除鐵臼，非吾子也。」因名之曰鐵杵，欲以杵搗鐵臼也。於是捶打鐵臼，備諸苦毒，飢不給食，寒不加絮。甲性闇弱，又多不在舍。後妻恣意行其暴酷，鐵臼竟以凍餓被杖而死。時年十六。亡後旬餘，鬼忽還家，登陳床曰：「我鐵臼也，實無片罪，橫見殘害。我母訴怨於天，今得天曹符來取鐵杵，當令鐵杵疾病，與我遭苦時同。將去自有期日，令我停此待之。」聲如生時，家人賓客不見其形，皆聞其語。於是恆在屋梁上住。陳氏跪謝搏頰，爲設祭奠。鬼云：「不須如此。餓我令死，豈是一餐所能酬謝！」陳夜中竊語道之。鬼厲聲曰：「何敢道我？今當斷汝屋棟。」便聞鋸聲，屑亦隨落；拉然有響，如棟實崩。舉家出走，炳燭照之，亦了無異。鬼又罵鐵杵曰：「汝既殺我，安坐宅上，以爲快也？當燒汝屋。」即見火燃，煙燄大猛，内外狼狽，俄爾自滅，茅茨儼然，不見虧損，日日罵詈力時復歌云：「桃李花，嚴霜落奈何！桃李子，嚴霜落早已！」聲甚傷切，似是自悼不得長成也。於時杵六歲，鬼至便病，體痛腹大，上氣妨食，鬼屢打之，打處青黶。月餘而死，鬼便寂然無聞。

凝陰民婦

晉濟陰丁承，字德愼。建安中，爲凝陰令。時北界居民婦，詣外井汲水。有胡人長鼻深目，左過井上，從婦人乞飲。飲訖，忽然不見。婦則腹痛，遂加轉劇。啼呼有頃，猝然起坐，胡語指揮。邑中有數十家，悉共觀視。婦呼索紙筆來，欲作書。得筆，便作胡書，横行，或如乙，或如己，滿五紙。投著地，教人讀此書。邑中無能讀者。有一小兒，十餘歲，婦即指此小兒能讀，小兒得書，便胡語讀之。觀者驚愕，不知何謂。婦叫小兒起舞。小兒既起，翹足，以手弄相和。須臾各休。即以白德愼。德愼召見婦及兒，問之。云：當時忽忽不自覺知。德愼欲驗其事，即遣吏齎書詣許下寺，以示舊胡，胡大驚，言：「佛經中間亡失，道遠憂不能得。雖口誦，不具足，此乃本書。」遂留寫之。

佛經亡失，而復述於民婦之口，又以筆寫胡書，又由小兒作胡語讀出，自然是佛法無邊，乃可令已亡失之佛經，重復流傳，當然功德無量。

陳秀遠

宋陳秀遠者，穎川人也，嘗爲湘州西曹，客居臨湘縣。少信奉三寶，年過耳順，篤業不衰。宋元徽二年七月中，於昏夕間，閒臥未寢，歎念萬品死生，流轉無定，自惟己身，將從何來。一心祈念，冀通感夢，時夕結陰，室無燈燭。有頃，見枕邊如螢火者，炯然明照，流飛而去。俄而一室盡明，爰至空中，有如朝晝。秀遠遽起坐，合掌端念。頃，見中宁四五丈上，有一橋閣焉，又闌檻朱彩，立於空中。秀遠了不覺升動之時，而已自見平坐橋側。見橋上士女，往返塡衢，衣服裝束，不異世人。末有一嫗，年可三十許，上著青襖，下服白布裳，行至秀遠左邊而立。有頃，復有一婦人，通體衣白布，爲偏環髻，手持華香，當前而立，語秀遠曰：「汝欲睹前身，即我是也。以此花供養佛故，故得轉身作汝。」迴指白嫗曰：「此即復是我先身也。」言畢而去，去後，橋亦漸隱。秀遠忽然不覺還下之時，光亦尋滅也。

陳秀遠年過六十歲，是許昌人，在長少府作個小官，平日信奉佛、法、僧三寶，一人獨居，念州生河東，念佛時，便看見了他的前身。這應是信佛的結果。

弘氏

梁武帝欲爲文皇帝陵上起寺，未有佳材，宣意有司，使加採訪。先有曲阿人姓弘，家甚富厚，乃親共族，多齎財貨，往湘州法生。經年營得一栰，可長千步，材木壯麗，世所稀有。還至南津，南津校尉孟少卿希朝廷旨，乃加繩墨。弘氏所賣衣裳繒綵，猶有殘餘，誣以涉道劫掠所得；並造作過制，非商賈所宜，結正處死，沒入其材，充寺用。奏，遂施行。

弘氏臨刑之日敕其妻子，可以黃紙筆墨置棺中。死而有知，必當陳訴。又書少卿姓名數十，吞之。

經月，少卿端坐，便見弘來，初猶避捍，後乃款服，但言乞恩，嘔血而死。凡諸獄官及主書舍人，隨此獄事署奏者，以次殂歿，未及一年，零落皆盡。其寺營構始訖，略無纖芥。所埋柱木，亦入地成灰。

梁武帝就是蕭衍，信佛甚篤。曲阿是今江蘇丹陽縣。弘氏遭負責官員孟少卿誣死，死後來報仇。主旨仍是勸人去惡行善。

西京雜記

本書共六卷，隋書列入史部。全書說是晉·葛洪撰，前有：

刻西京雜記序

西京雜記以記漢故事名，本敘謂是劉歆所編錄，歆多聞溥綜，故所述經奇，今關中固漢西京也。鴻人達士慕漢之盛，弔古登高，往往歎陵谷之變遷，傷文獻之闕絕。或得斷碑殘礎，片簡隻字，云是漢者即欣睹健羨，如獲珙璧。方且亟爲表識，恐復湮滅，好古之信也。乃若此書，所存言宮室、苑囿、輿服典章，高文奇技，瑰行偉才，以及幽鄙而不涉，爛然如藻之所極觀，實盛稱長安之舊制矣。故未央、昆明、上林之記，詳於群史卿雲辭賦之心。閱於本傳文本等八賦雅麗，獨陳雨雹對一篇，天人茂著，餘如此類遍難悉數。然以之考古，豈不炯覽巨麗哉。緣其書罕傳，故關中稱多古圖籍亦獨闕之。余攜有舊本，在巾笥中，會左使百川張公下車宣條敦修古藝憲之事，余因出其書商之，遂命工鋟梓置省閣中，以存舊而廣傳。不知好古者視之果何如也。嘉靖壬子夏四月上日河汾天胤識。

本書內容，主要是在志人，其中說本書「獨陳雨雹對一篇」，是指飽敞問董仲舒：京師雨雹之事，董仲舒說了一些陰陽天地之氣。本書後記，謂係葛洪的跋，其言如下：

洪家世有劉子駿漢書一百卷。無首尾題目，但以甲乙丙丁紀其卷數。先父傳之，歆欲撰漢事，編錄漢書。未得締構而亡。故書無宗本。止雜記而已。失前後之次，無事類之辨。後好事者以意次弟之。始甲終癸爲十秩，秩十卷合爲百卷。洪家具有其書，試以此記考校。班固所作，殆是全取劉書有小異同耳。並固所不取。不過二萬許言。今抄出爲二卷。名曰西京雜記，以禆漢書之闕。爾後洪家遭火，書籍都盡，此兩卷在洪巾箱中，常以自隨。故得猶在。劉歆所記，世人希有，縱復有者，多不備足。見其首尾，參錯前後，倒亂亦不知何書。罕能全錄。恐奉代稍久。歆所撰遂沒，並洪家此書二卷，不知出所，故序之云爾。

洪家復有漢武帝禁中起居注一卷，漢武帝故事二卷，世人希有之者，今並五卷爲一秩，庶免淪焉。

這裡說是劉歆的雜記，由葛洪編錄而成，所記西漢人事，文筆簡要，而事例有據，當係隋前的書。魯迅在「中國小說史略」第四篇中說：「梁武帝敕殷芸撰『小說』，皆抄撮故書，已引『西京雜記』甚多。則梁初已流行世間，因以葛洪所造爲近是。」葛洪在跋中說是劉歆所作，可能是一種依託，而免自我炫耀。

王　嬙

西京雜記第二

元帝後宮既多，不得常見。乃使畫工圖形，案圖召幸之。諸宮人皆賂畫工，多者十萬，少者亦不減五萬，獨王嬙不肯，遂不得見。匈奴入朝，求美人爲閼氏。於是上案圖，以昭君行，及去，召見。貌爲後宮第一，善應對，舉止閒雅，帝悔之。而名籍已定。帝重信於外國，故不復換人，乃窮案其事，畫工皆棄市，籍其家資皆巨萬。畫工有杜陵毛延壽，爲人形，醜好老少，必得其眞。安陵陳敞，新豐劉白、龔寬，並爲牛馬飛鳥衆勢，人形好醜，不逮延壽。下杜陽望亦善畫，尤善布色，樊育亦善布色，同日棄市，京師畫工，於是差稀。

此言王牆及畫工毛延壽等事，流傳至今，詩詞歌賦，小說戲劇多有述其情節故事的。（請參閱作者著：「說唱藝術」與「戲曲人情」二書。）

司馬相如

司馬相如，初與卓文君還成都，居貧愁懣，以所著鷫鷞裘，就市人陽昌貰酒，與文君爲懽，既而文君抱頸而泣曰：我平生富足，今乃以衣裘貰酒，遂相與謀，於成都賣酒。相如親著犢鼻褌滌器，以恥王孫。王孫果以爲病，乃厚給文君，文君遂爲富人。文君姣好，眉色如望遠山，臉際常若芙蓉，肌膚柔滑如脂。十七而寡，爲人放誕風流，故悅長卿之才而越禮焉。長卿素有消渴疾，及還成都悅文君之色，遂以發痼疾，乃作美人賦，欲以自刺，而終不能改，卒以此疾病至死。文君爲誄傳於世。

又

司馬相如爲上林、子虛賦，意思蕭散，不復與外事相關。控引天地，錯綜古今，忽然如睡，焕然而興，幾百日而後成，其友人盛覽字長通，牂牁名士，嘗問以作賦。相如曰：「合綦組以成文，列錦繡而爲質，一經一緯、一宮一商，此賦之跡也。賦家之心，苞括宇宙，總覽人物。斯乃得之於內。不可得而傳。」覽乃作合組歌列錦賦而退。終身不復敢言作賦之心矣。

前言相如與卓文君之逸事。後言相如作賦之心，苞括宇宙，總覽人物，斯乃得傳之於內，不可得而傳。」這些名言，千年以來，爲詞賦家所尊的祕密。

四京雜記第三有鞠道龍善爲幻術一篇：

鞠道龍

余所知有鞠道龍，善爲幻術。向余說古昔事：「有東海人黃公少昔爲術，能制蛇御虎，佩赤金刀，以絳繒束髮。立興雲霧，坐成山河。及衰老，氣力羸憊，飲酒過度，不能復行其術。秦末有白虎，見於東海。黃公乃以赤刀往厭之，術既不行，遂爲虎所殺。三輔人俗用以爲戲。漢帝亦取以爲角抵之戲焉。

又說淮南王好方士，方士皆以術見遂，有畫地成江河，撮土爲山巖。噓吸爲寒暑，噴嗽爲雨霧，王亦卒與諸方士俱去。

以上二題，增述方士之術，是道家的方法。西京雜記第四記司馬遷一則：

司馬遷

司馬遷發憤作史記，百三十篇。先達稱爲良吏之才，其以伯夷居列傳之首，以爲善而無報也。爲項羽本紀以踞高位者，非關有德也。及其序屈原、買誼辭旨抑揚，悲而不傷，亦近代之偉才。

史記以文學的感性筆法，寫歷史的事實眞相。所謂：「究天人之際，通古今之變，成一家之言」。司馬遷九死一生出於死因糞土之牢獄，發憤著「史記」，其偉大不是言語可以表達的。

李廣一則，尤其有警示性：

李　廣

李廣與兄弟共獵於冥山之北，見臥虎焉，射之一矢即斃，斷其髑髏以爲枕。示服猛也。鑄銅爲其形爲溲器，示厭辱之也。他日復獵於冥山之陽，又見臥虎，射之沒矢，飲羽，進而視之乃石也。其形類虎。退而射更鏃破簳折，而石不傷，余嘗以回楊子雲，子雲曰：「至誠則金石爲開。」余應之曰：「昔人有遊東海者，既而風惡船漂不能制，船隨風浪，莫知所之，一日一夜得至一孤洲，共侶歡然下石植纜，登洲煮食，食未熟而洲沒，在船者，砍斷其纜。船復漂蕩。向者孤洲乃大魚，怒掉揚鬣，吸波吐浪去，疾如風雲，在洲死者十餘人。又余所知陳縞質木人也，入終南山采薪，還晚趨舍未至，見張丞相墓前石馬，謂爲鹿也，即以斧撾之，斧缺柯折，石馬不傷。此二者亦至誠也，卒有沈溺缺斧之事，何金石之所感偏乎？」子雲無以應余。

上述三事，其背景各有不同，李廣射石不知爲石，只知爲虎，故一矢而貫石。知其爲石而射之，故石不傷。昔人遊東海。船下石孤洲，而孤洲爲鯨魚，魚去而船復漂蕩，知其爲孤洲而不知其爲大魚，情勢不同，故有溺波之禍。至於誤認石馬爲鹿，乃係認識不清，自缺其斧；人有不同，故金石所感也就不一樣了。

第六有秋胡故事，述夫妻久別重逢的悲喜劇：

秋　胡

杜陵秋胡者，能通堂書，善爲古隸字，爲翟公所禮，欲以兄女妻之，或曰：「秋胡已經娶而失禮，妻遂溺死，不可妻也。」馳鳥曰：「昔魯人秋胡妻三月，而遊宦三年季。休還家，其婦採桑於郊，胡至郊而不識其妻也，見而悅之，乃遺黃金一鎰。妻曰：「妾有夫大遊宦不返，幽閨獨處三年，于茲，未有被辱于今日也。」採不顧。胡慚而退。至家問家人，妻何在？曰行採桑於郊未返，既還，乃向所挑之婦也，夫妻並慚。妻赴沂水而死。今之秋胡非昔之秋胡也。昔魯有兩曾參。趙有兩毛遂，南曾參殺人見捕，人以告北曾參母，野人毛遂墜井而死，客以告平原君。平原君曰：「嗟呼天喪予矣。」既而知野人毛遂非平原君客也，豈得替之。秋胡失禮而絕婚，今之秋胡哉物，固亦有似之。而非者。王之未理者爲璞。死鼠未屠者亦璞。月之旦爲朔。車之輈亦謂之朔。。名齊實異所宜辨也。

因爲杜陵秋胡之事，引出魯國大夫秋胡戲妻之事。進而以兩曾參，兩毛遂之事，而引出璞鼠，月車之朔，人有不同、事而不同、璞鼠方車皆不同，故不可不細予分辨，以免混淆不清。從這一篇的內容上看「西京雜記」是一本記實生動的書。從以上輯錄的幾篇來看，魯迅在「中國小說史略」第四篇裡評說：「若論文學，則此在古小說中，因亦意緒秀異，文筆可觀者也。」西書的故事，是寫實的，也是多采多姿，具有思想性和戲劇性的，有些「摭采繁富，取裁不竭」的情節，對小說與戲劇的影響是很大的。當時漢代的世情，讓人認識不少。其中如述帝王生活、豪門宅弟、呂后之殺趙王、高祖擁戚夫人鼓瑟而唱大風歌，趙飛燕與弟在昭陽殿之陳設、韓嫣以金爲彈，以玳瑁爲床，以及未央宮之建造，霍光爲淳于衍起第宅，上林苑之繁華似錦，一一寫來，莫不令人起思古之幽情，「西京雜記」不是正史，但其取材，既有掌政、軼事、推論、幻術、墓穴、卜醫等，頗能引人入勝。

拾遺記

梁蕭綺在「拾遺記序」裡說：

『拾遺記』者，晉隴西安陽人王嘉字子年所撰，凡十九卷二百二十篇，皆爲殘缺，當僞秦之季，王綱遷號，五都淪覆，河洛之地，沒爲戎墟，宮室榛蕪，書藏堙毀。荊棘霜露，豈獨悲於前王；鞠爲禾黍，彌深嗟於茲代！故使典章散滅，黌館焚埃。皇圖帝册，殆無一存，故此書多有亡散。文起義、炎已來，事訖西晉之末，五運因循，十有四代。王子年乃搜撰異同，而殊怪修舉，紀事存樸，愛廣尚奇，憲章稽古之文，綺綜編雜之部，『山海經』所不載，夏鼎未之或存，乃集而記矣。辭趣過誕，音旨迂闊，推理陳跡，恨爲繁冗；多涉禎祥之書，博採神仙之事，妙萬物而爲言，蓋絕世而弘博矣。世得陵夷，文頗缺略。綺更删其繁紊，紀其實美，搜刊幽秘，捃採殘落，言匪浮詭，事引空誣。推詳往跡，則影徹經史；考驗眞怪，則葉附圖籍。若其道業遠者，則辭省樸素；世德近者，則文存靡麗。編言貫物，使宛然成章。數運則與世推移，風政則因時迴改。至如金繩鳥篆之文，玉牒蟲章之字，末代流傳，多乖裏跡，雖探研鐫寫，抑多疑誤。及言乎政化，訛乎禎祥，隨代而次之。土地山川之域，或以名例相疑；草木鳥獸之類，亦以聲狀相惑。隨所在而區別，或因方而釋之，或變通而會其道，寧可採於一說。今搜檢殘遺，合爲一部。凡一十卷。序而錄焉。

作者王嘉是安陽人，穩居東陽谷，辟穀服氣，有弟子數百人，故居山洞裡，符堅請他出仕，他不肯，後來被姚萇所殺。

序中說當時「王子年乃搜撰異同，而殊怪必舉，記事存樸，愛廣尚奇，憲章稽古之文，綺綜編雜之部，『山海經』所不載，夏鼎未之或存，乃集而記矣。」原書十九卷二百二十篇，文起羲、炎以來，事迄西晉之末，五運因循，十有四代，可見其內容之博。現在採用所記仕女佳人三篇：

李夫人

漢武帝思懷往者李夫人不可復得。時始穿昆靈之池，泛翔禽之舟。帝自造歌曲，使伶歌之。時日已西傾，涼風激水，女伶歌聲甚遒，因賦「落葉哀蟬曲」曰：

「羅袂兮無聲，玉墀兮塵生，虛房冷而寂寞，落葉依於重扃，望彼美之女兮，安得感余心之未寧！」帝聞唱動心，悶悶不自支持，命龍膏之燈以照舟內，悲不自止。親侍者見帝容色愁怨，乃進洪梁之酒，酌以文螺之卮，卮出波祇之國，酒出洪梁之縣，——此屬右扶風，至哀帝此邑。南人受此釀法。今言雲陽出美酒，兩聲相亂矣。——帝飲三爵，色悦心歡，乃詔女伶出侍。帝息於延凉室，臥夢李夫人授帝蘅蕪之香，帝驚起，而香氣猶著衣枕，歷月不歇。帝彌思求，涕泣洽席。遂改延凉室爲遺芳夢室。

初，帝深嬖李夫人，死後常思夢之，或欲見夫人。帝貌顦顇，嬪御不寧。詔李少君與之語曰：「朕思李夫人，其可得乎？」少君曰：「可遙見，不可同於帷幄。暗海有潛英之石，其色青，輕如毛羽。寒盛則石溫，暑盛則石冷。刻之爲人像，神悟不異於眞人。使此石像往，則夫人至矣。此石人能傳譯人言語，有聲無氣，故知神異也。」帝曰：「此石像可得否？」少君曰：「願得樓船、巨力千人，能浮水登木，皆使明於道術，齎不死之藥。」乃至暗海，經十年而還。昔之去人，或升雲不歸，或託形假死，獲反者四五人。得此石，即命工人依先圖刻作夫人形。刻成，置於經紗幕裡，宛若生時。帝大悦，問少君曰：「可得近乎？」少君曰：「譬如中宵忽夢，而晝可得近觀乎？此石毒，宜遠望，不可逼也。勿輕萬乘之尊，惑此精魅之物！」帝乃從其諫。見夫人畢，少君乃使舂此石人爲丸，服之，不復思夢。乃築靈夢臺，歲時祀之。

李夫人是李延年的妹子，是傾城傾國的美人，漢武帝寵愛她，綺年早逝，病死前不肯讓武帝見面，以免壞了玉貌朱顏的好印象。她死後，武帝不僅作賦紀念她，並要方士作法，冀望再見到她，不論武帝找的術者是誰。故事是有情於「像佳人兮不能忘」的。李少君是齊國力士，也就是一位有法術的人，「漢武故事」亦有記載。

薛靈芸

文帝所愛美人，姓薛，名靈芸，常山人也。父名鄴，爲酇鄉亭長，母陳氏，隨鄴舍於亭傍。居生窮賤，至夜，每聚鄰婦夜績，以麻蒿自照。靈芸年至十五，容貌絕世，鄰中少年，夜來竊窺，終不得見。咸熙元年，谷習出守常山郡，聞亭長有美女而家甚貧。時文帝選良家子女，以入六宮。習以千金寶賂聘之。既得，乃以獻文帝。靈芸聞別父母，歔欷累日，淚下霑衣。至升車就路之時，以玉唾壺承淚，壺則紅色，既發常山，及至京師，壺中淚凝如血。

帝以文車十乘迎之，車皆鏤金爲輪輞。丹畫其轂；軛前有雜寶爲龍鳳，銜百子鈴，鏘鏘和鳴，響於林野。駕青色之牛，日行三百里。此牛尸塗國所廚，足如馬蹄也。道側燒石葉之香，此石重疊，狀如雲母，其光氣辟惡厲之疾。此香腹題國所進也。靈芸未至京師數十里，膏燭之光，相續不滅，車徒咽路，塵起蔽於星月，時人謂爲「塵宵」。

又築土爲臺，基高三十丈，列燭於臺下，名曰：「燭臺」，遠望如列星之墜地。又於大道之傍，一里一銅表，高五尺，以誌里數。故行者歌曰：

「青槐夾道多塵埃，龍樓鳳闕望崔嵬。清風細雨雜香來，土上出金火照臺。」

此七字是妖辭也。爲銅表誌里數於道側，是土上出金之義；以燭置臺下，則火在土下之義。漢火德王，魏土德王，火伏而土興；土上出金，是魏滅而晉興也。

靈芸未至京師十里，帝乘雕玉之輦，以望車徒之盛，嗟曰：「昔者言『朝爲行雲，暮爲行雨』，今非雲非雨，非朝非暮。」改靈芸之名曰夜來。入宮後居寵愛。外國獻火珠龍鸞之釵，帝曰：「明珠翡翠，尚不能勝，況乎龍鸞之重？」乃止不進。夜來妙於針工，雖處於深帷之內，不用燈燭之光，裁製立成。非夜來縫製，帝則不服。宮中號爲「針神」也。

文帝指的是曹丕，常山是在河北省。其中提到金木水火土五行解釋帝王嬗遞運數，是戰國時齊人鄒衍的發明。秦漢之期，這種說法流行於時。薛靈芸是好人家的美女，被千金賂聘，選入後宮的情形，並述其針工絕紗，稱爲「針神」的事。

趙夫人三絕

吳主趙大人，丞相達之妹。善畫，巧妙無雙，能於指間以綵絲織爲雲霞龍蛇之錦，大則盈尺，小則方寸，宮中謂之「機絕」。

孫權常歎魏蜀未夷，軍旅之際，思得善畫者使圖山川地勢軍陣之像。達乃進其妹。權使寫九州江湖方岳之勢。夫人曰：「丹青之色，甚易歇滅，不可久寶。妾能刺枴繡，作列國方帛之上，寫以五岳河海城邑行陣之形。」既成，乃進於吳王，時人謂之「針絕」。雖棘刺木猴、雲梯、飛鳶，無過此麗也。

權居昭陽宮，倦暑，乃褰紫綃之帷。夫人曰：「此不足貴也。」權使夫人指其意思焉。答曰：「妾欲窮慮盡思，能使下綃帷而清風自入，視外無有蔽礙，列侍者飄然自涼，若馭風而行也。」權稱善。夫人乃折髮，以神膠續之，——神膠出鬱夷國，接弓弩之斷絃，百斷百續也。——乃織爲羅縠，累月而成，裁爲幔，内外視之，飄飄如煙氣輕動，而房内自涼。時權常在軍旅，每以此幔自隨，以爲征幕，舒之則廣縱一丈，卷之則可納於枕中，時人謂之「絲絕」。故吳有三絕，四海無儔其妙。後有貪寵求媚者，言夫人幻耀於人主，因而致退黜。雖見疑墜，猶存錄其巧工。吳亡，不知所在。

吳主指的是孫權，趙達的妹子趙夫人三絕，就是她的丹青，針繡，絲織皆是絕頂的巧工，無人可及。

玄怪錄

王夢鷗教授在「周秦行記與周秦行記論的問題」一文中明辦「周秦行記與周秦行記編」二文的問題在於他們都不是牛僧孺所作。不過對於「玄怪錄」這本書他指出：

在八九世紀的當兒，牛僧孺確作了半輩子的大官，說得上是『出將入相』，但是他早年也確曾寫了不少小說。他的小說集名爲『玄怪錄』，雖沒有流傳至今，但因他官高名大，可信在那時代是很有名的一部書。有了這部小說集，宋代的書誌家晁公武就很替他惋惜，說是周秦行記實際不是他的作品，只怪他愛寫小說，所以被誣栽上了。

王教授說「他的小說集名爲『玄怪錄』，雖沒有流傳至今，但因他官高名大，可信在那時代是有名的一部書。」目前，我手頭卻有程毅中所輯集的「玄怪錄」和「續玄怪錄」這兩部書。程毅中在點校說明中的解析是：

牛僧孺的《玄怪錄》，是唐代小說的一部代表作。但長期以來見不到傳本，《說郛》和《唐人說薈》等書裡收錄的幾篇，只是一個殘鱗片羽的節本。而《太平廣記》裡所引的佚文，卻有三十多篇，鄭振鐸曾據以輯錄，刊于《世界文庫》第十卷，然而還不是現存佚文的全部。除了《說郛》裡的一篇《郭元振》不見於《太平廣記》之外，《類說》卷十一《幽怪錄》還有幾篇佚文的節要。最值得注意的是現藏於北京圖書館的書林松溪陳應翔刻本《幽怪錄》，書分四卷，附李復言續錄一卷，這是現存牛僧孺《玄怪錄》的唯一的也是篇目最多的一個單刻本。這本書繆荃孫《藝風堂藏書記》卷八曾著錄，說它「似元時刻」，傅增湘《藏園群書題記》續集卷三說它「似元明坊刻」，都沒有作出確切的判斷。現在北京圖書館善本書目定爲明刻本，似乎是比較可信的。這個陳應翔刻本共收故事四十四篇，有一部分是未見於他書的，十分值得重視。然而它並沒有包括《太平廣記》所引的全部佚文，所以也不能說是一個足本。

《玄怪錄》最早見於《新唐書・藝文志》丙部小說家類著錄，十卷。宋代書目如《崇文總目》等都曾著錄。尤袤《遂初堂書目》及曾慥《類說》等書題作《幽怪錄》，應該是宋人避始祖玄朗名諱而改的。《宋史・藝文志》小說類著錄了牛僧孺《玄怪錄》十卷，又有李德裕的《幽怪錄》十四卷，恐怕不是一種書。《四庫全書》小說家存目（二）收有《幽怪錄》一卷，附《續幽怪錄》一卷，提要說：「《唐志》作十卷，今止一卷，殆鈔合而成，非其舊本。……末附李復言《續錄》一卷。考《唐志》及《館閣書目》皆作五卷，《通考》則作十卷，云分仙術、感應二門。今僅殘篇數頁，並不成卷矣。然志怪之書，無關風教，其完否亦不必深考也。」

從宋代以來，《玄怪錄》就有不同的版本。陳振孫《直齋書錄解題》卷十一《玄怪錄》條說：「《唐志》十卷，又言李復言《續錄》五卷，《館閣書目》同。今但有十一卷，而無《續錄》。」這個十一卷本又曾見於明高儒的《百川書志》卷八，書名作《幽怪錄》，「唐隴西牛僧孺撰。載隋唐神奇鬼異之事，各據聞見出處，起信於人。凡四十四事。」徐𤊹《紅雨樓書目》卷三著錄有《幽怪錄》十二卷，下注：「牛僧孺。李復言續。」可見這是一個牛、李二書的合刻本。錢曾《也是園書目》卷二史部冥異類則著錄有牛僧孺《玄怪錄》十卷，似乎還是原本。

現存的陳應翔刻本《幽怪錄》四卷，共四十四事，與《百川書志》所著錄的十一卷本篇目相同，而十一卷本又見於《直齋書錄解題》，所以這個陳應翔刻本很可能還出自南宋時代流傳下來的一個舊本。它所承受的宋本，晚於《太平廣記》，所以《廣記》裡不避諱的字，在這個本子裡卻改了，如「敬」作「恭」、「曙」作「曉」等，可以說明它出於宋英宗之後。

關於「續玄怪錄」，程毅中說：

「續玄怪錄」的作者李復言，生平不詳。有一個與白居易同年的李復言，據錢大昕《十駕齋養新錄》（卷二十）考證，名諒，詳見《唐詩紀事》卷四三及《宋史·藝文志》總集類《杭越寄和詩集》條。這個李諒，貞元十六年進士登第，官至嶺南節度使，卒於大和七年（公元八三三），見《舊唐書·文宗紀》。李諒的生卒年和登科年代都早於牛僧孺，會不會是《續玄怪錄》的作者呢？這個問題還有待繼續研究。

「續玄怪錄」的作者藍本題爲李復言，俟再查證。最後程毅中說：

本書以陳刻本《幽怪錄》和宋刻本《續幽怪錄》爲基礎，二本文字與《太平廣記》所引差異很多，而《類說》本《幽怪錄》所收的只是節要，不能作爲校本使用。《幽怪錄》脱誤較多，但有些文字是《廣記》等書所沒有的，因此除了《古元之》一篇之外，都以陳刻本爲底本。校勘時以改正顯著錯誤爲目的，凡底本有衍、脱、訛、倒的地方盡可能依據其他版本加以校正，形訛及異體字一般逕改不出校，有參考價值的異文則寫入校記，兩通的異文不一一列舉，以免煩瑣。《續幽怪錄》的《琳琅秘室叢書》本有拾遺和校勘記，《隨庵叢書》本有詳細的札記，可以參看。《玄怪錄》和《續玄怪錄》二書都有佚文，散見於《廣記》等書，現在輯錄爲補遺，附在各書之後。但《廣記》卷四四二引《玄怪錄》的《淳于矜》一條，實出劉義慶的《幽明錄》（見一百二十卷本《法苑珠林》卷四二）。重編本《説郛》卷一一七闕名的《續玄怪錄》中有

《臨海射人》一條，實出舊題陶潛的《搜神後記》卷十，顯然有誤。這兩條就摒而不錄。本書的校訂去取，必有疏漏失誤，標點也難免有錯誤不當之處，統希讀者指正。

他的態度如此認眞，實在令人敬佩。「玄怪錄」開啓了歷代由志怪到志人的小說天地。這裡選輯的若干篇，可以見出世事如夢的情節。

杜子春

杜子春者，周、隋間人，少落魄，不事家產，然以心氣閑縱，嗜酒邪遊，資產蕩盡，投於親故，皆以不事事之故見棄。方冬，衣破腹空，徒行長安中，日晚未食，彷徨不知所在，於東市西門，饑寒之色可掬，仰天長吁。有一老人策杖於前，問曰：「君子何歎？」子春言其心，且憤其親戚疏薄也，感激之氣，發於顏色。老人曰：「幾緡則豐用？」子春曰：「三五萬則可以活矣。」老人曰：「未也，更言之。」「十萬。」曰：「未也。」乃言：「百萬。」曰：「未也。」曰：「三百萬。」乃曰：「可矣。」於是袖出一緡，曰：「給子今夕，明日午時俟子於西市波斯邸，愼無後期。」及時，子春往，老人果與錢三百萬，不告姓名而去。子春既富，蕩心復熾，自以爲終身不復羈旅也，乘肥衣輕，會酒徒，徵絲竹歌舞於倡樓，不復以治生爲意。一二年間，稍稍而盡。衣服車馬，易貴從賤，去馬而驢，去驢而徒，倏忽如初。既而復無計，自歎於市門，發聲而老人到，握其手曰：「君復如此奇作，吾將復濟子，幾緡方可？」子春慚不對。老人因逼之，子春愧謝而已。老人曰：「明日午時，來前期處。」子春忍愧而往，得錢一千萬。未受之初，發憤以爲從此謀生，石季倫、猗頓小豎耳。錢既入手，心又翻然，縱適之情，又卻如故。不三四年間，貧過舊日。復遇老人於故處，子春不勝其愧，掩面而走，老人牽裾止之，曰：「嗟乎！拙謀也。」因與三千萬，曰：「此而不痊，則子貧在膏肓矣。」子春曰：「吾落魄邪遊，生涯罄盡。親戚豪族，無相顧者，獨此叟三給我，我何以當之？」因謂老人曰：「吾得此，人間之事可以立，孤孀可以衣食，於名教復圓矣。感叟深惠，立事之後，唯叟所使。」老人曰：「吾心也。子治生畢，來歲中元，見我於老君雙檜下。」子春以孤孀多寓淮南，遂轉資揚州，買良田百頃，郭中起甲第，要路置邸百餘間，悉召孤孀分居第中，婚嫁甥姪，遷祔旅襯，恩者煦之，讎者復之。既畢事，及期而往。老人者方嘯於二檜之陰，遂與登華山雲臺峰，入四十里餘，見一居處，室屋嚴潔，非常人居。綵雲遙覆，鸞鶴飛翔，其上有正堂，中有藥爐，高九尺餘，紫焰光發，灼煥窗户。玉女九人環爐而立。青龍白虎，分據前後，其時日將暮，老人者不復俗衣，乃黄冠絳帔士也，持白石三丸、酒一巵遺子春，令速食之訖。取一虎皮鋪於内西壁，東向而坐，戒曰：「愼勿語，雖尊神、惡鬼、夜叉、猛獸、地獄，及君之親屬爲所囚縛，萬苦皆非眞實，但當不動不語耳，安心莫懼，終無所苦。當一心念吾所言。」言訖而去。子春視庭，唯一巨瓮，滿中貯水而已。道士適去，而旌旗戈甲，千乘萬騎，遍滿崖谷來，呵叱之聲動天，有一人稱大將軍，身長丈餘，人馬皆著金甲，光芒射人。親衛數百人，拔劍張弓，直入堂前，呵曰：「汝是何人，敢不避大將軍！」左右竦劍而前，逼問姓名，又問作何物，皆不對。問者大怒，催斬，爭射之，聲如雷，竟不應。將軍者拗怒而去。俄而猛虎、毒龍、狻猊、獅子、蝮蛇萬計，哮吼拏攫而爭前，欲搏噬，或跳過其上。子春神色不動。有頃而散。既而大雨滂澍，雷電晦暝，火輪走其左右，電光掣其前後，目不得開。須臾，庭際水深丈餘，流電吼雷，勢若山川開破，不可制止。瞬息之間，波及坐下。子春端坐不顧。未頃而散。將軍者復來，引牛頭獄卒，奇貌鬼神，將大鑊湯而置子春前，長鎗刄叉，四面匼匝，傳命曰：「肯言姓名即放，不肯言，即當心叉取置之鑊中。」又不應。因執其妻來，捽於階下，指曰：「言姓名免之。」又不應。乃鞭捶流血，或射或斫，或煮或燒，苦不可忍。其妻號哭曰：「誠爲陋拙，有辱君子。然幸得執巾櫛，奉事十餘年矣，今爲尊鬼所執，不勝其苦。不敢望君匍匐拜乞，望君一言，即全性命矣。人誰無情，君乃忍惜一言。」雨淚庭中，且咒且罵，子春終不顧。將軍曰：「此賊妖術已成，不可使久在世間。」敕左右斬之。斬訖，魂泉被領見閻羅王，王曰：「此乃雲臺峰妖民乎？」促付獄中。於是鎔銅、鐵杖、碓搗、磑磨、火坑、鑊湯、刀山、劍林之苦，無不備嘗。然心念道士之言，亦似可忍，竟不呻吟。獄卒告受罪畢，王曰：「此人陰賊，不合得作男身，宜令作女人。」配生宋州單父縣丞王勤家，生而多病，針灸醫藥之苦，略無停日。亦嘗墜火墮床，痛苦不濟，終不失聲。俄而長大，容色絕代，而口無聲，其家目爲啞女，親戚相狎，侮日萬端，終不能對。同鄉有進士盧珪者，聞其容而慕之，因媒氏求焉。其家以啞辭之，盧曰：「苟爲妻而賢，何用言矣，亦足以戒長舌之婦。」乃許之。盧生備禮親迎爲妻，數年，恩情甚篤，生一男，僅二歲，聰慧無敵。盧抱兒與之言，不應。多方引之，終無辭。盧大怒曰：「昔賈大夫之妻鄙其夫，纔不笑爾。然觀其射雉，尚釋其憾。今吾陋不及賈，而文藝非徒射雉也，而竟不言。大丈夫爲妻所鄙，安用其子！」乃持兩足，以頭撲於石上，應手而碎，血濺數步。子春愛生於心，忽忘其約，不覺失聲云：「噫！」噫聲未息，身坐故處，道士者亦在其前，初五更矣。其紫焰穿屋上天，火起四合，屋室俱焚。道士歎曰：「措大誤余乃如是！」因提其髻投水中。未頃火息。道士前曰：「出。吾子之心，喜怒哀懼惡欲，皆能忘也。所未臻者，愛而已。向使子無噫聲，吾之藥成，子亦上仙矣。嗟乎，仙才之難得也！吾藥可重煉，而子之身猶爲世界所容矣。勉之哉！」遙指路使歸。子春強登基觀焉，其爐已壞，中有鐵柱大如臂，長數尺。道士脫衣，以刀子削之。子春既歸，愧其忘誓，復自效以謝其過，行至雲臺峰，無人跡，歎恨而歸。

本篇內容極人間之奇情，一切怪異之事，皆出於貪念頻生，欲望無窮，人生七情之慾，天堂地獄，至樂至窮，極悲極傷，終至不能戀愛，心無所繫之俄頃，所以業障仍在，遂無法赤地新立，成仙而去。

張老

張老者，揚州六合人，園叟也。其鄰有韋恕者，梁天監中自揚州曹掾秩滿而來，長女既笄，召里中媒媼，令訪良才，張老聞之，喜而候媒於韋門。媼出，張老固延入，且備酒食。酒闌，謂媼曰：「聞韋氏有女將適人，求良才於媼，有之乎？」曰：「然。」曰：「某誠衰邁，灌園之業，亦可衣食，幸爲求之。事成厚謝。」媼大罵而去。他日又邀媼，媼曰：「叟何不自度，豈有衣冠子女肯嫁園叟耶？此家誠貧，士大夫家之敵者不少。顧叟非匹，吾安能爲叟一杯酒，乃取辱於韋氏！」叟固曰：「強爲吾一言之。言不從，即吾命也。」媼不得已，冒責而入言之。韋氏大怒曰：「媼以我貧，輕我乃如是！且韋家焉有此事，況園叟何人，敢發此議！叟固不足責，媼何無別之甚耶？」媼曰：「誠非所宜言，爲叟所逼，不得不達其意。」韋怒曰：「爲吾報之，今日內得五百緡則可。」媼出，以告張老，乃曰：「諾。」未幾，車載納於韋氏。諸韋大驚曰：「前言戲之耳。且此翁爲園，何以致此？吾度其必無而言之。今不移時而錢到，當如之何？」乃使人潛候其女，女亦不恨。乃曰：「此固命乎！」遂許之，張老既娶韋氏，園業不廢，負穢鋤地，鬻蔬不輟。其妻躬執爨濯，了無愧色，親戚惡之，亦不能止。數年，中外之有識者責恕曰：「居家誠貧，鄉里豈無貧子弟，奈何以女妻園叟？既棄之，何不令遠去也！」他日，恕致酒召女及張老，微露其意，張老起曰：「所以不即去者，恐有留戀，今既相厭，去亦何難。某王屋山下有一小莊，明旦且歸耳。」天將曉，來別韋氏：「他歲相思，可令大兄往天壇山南相訪。」遂令妻騎驢戴笠，張老策杖相隨而去，絕無消息。後數年，恕念其女，以爲蓬頭垢面，不可識也。令長男義方訪之。到天壇山南，適遇一崑崙奴，駕黃牛耕田。問曰：「此有張老莊否？」崑崙奴投杖拜曰：「大郎何久不來？莊去此甚近，某當前引。」遂與俱東去。初上一山，山下有水，過水延綿凡十餘處，景色漸異，不與人間同。忽下一山，見水北朱户甲第，樓閣參差，花木繁榮，煙雲鮮媚，鸞鶴孔雀，徊翔其間，歌管嘹亮喨耳目。崑崙奴指曰：「此張家莊也。」韋驚駭不測。俄而及門，門有紫衣門吏，拜引入中廳。鋪陳之物，目所未睹。異香氛氳，遍滿崖谷。忽聞環珮之聲漸近，二青衣出曰：「阿郎來。」次見十數青衣，容色絕代，相對而行，若有所引。俄見一人，戴遠遊冠，衣朱綃，曳朱履，徐出門。一青衣引韋前拜，儀狀偉然，容色芳嫩，細視之，乃張老也，言曰：「人世勞苦，若在火中。身未清涼，愁焰又熾，固無斯須泰時。兄久客寄，何以自娛？賢妹略梳頭，即當奉見。」因揖令坐。未幾，一青衣來曰：「娘子已梳頭畢。」遂引入，見妹於堂前。其堂沉香爲梁，玳瑁占門，碧玉窗，珍珠箔，階砌皆冷滑碧色，不辨其物。其妹服飾之盛，世間未見。略序寒暄，問尊長而已，意甚鹵莽。有頃，進饌，精美芳馨，不可名狀，食訖，館韋於內廳。明日方曉，張老與韋氏坐，勿有一青衣附耳而語，張老笑曰：「宅中有客，安得暮歸。」因曰：「小妹暫欲遊蓬萊山，賢妹亦當去，然未暮即歸。兄但憩此。」張老揖而入。俄而五雲起於中庭，鸞鳳飛翔，絲竹並作，張老及妹各乘一鳳，餘從乘鶴者數十人，漸上空中，正東而去，望之已沒，猶隱隱有音樂之聲。韋君在後，小青衣供侍甚謹。迨暮，稍聞笙簧之音，倏忽復到，乃下於庭。張老與妻見韋曰：「獨居太寂寞。然此地神仙之府，非俗人得遊，以兄宿命合得到此。然亦不可久居，明日當奉別耳。」及時，妹復出別兄，殷勤傳語父母而已。張老曰：「人世遐遠，不及作書。」奉金二十鎰，並與一故席帽，曰：「兄若無錢，可於揚州北邸賣藥王老家取一千萬貫，持此爲信。」遂別。復令崑崙奴送出，卻到天壇，崑崙奴拜別而去。韋自荷金而歸，其家驚訝，問之，或以爲神仙，或以爲妖妄，不知所謂。五六年間，金盡，欲取王老錢，復疑其妄。或曰：「取爾許錢，不持一字，此帽安足信。」既而困曰：「叟何姓？」曰：「姓王。」韋曰：「張老令取錢千萬，持此席帽爲信。」王老曰：「錢即實有，帽是乎？」韋前曰：「叟可驗之，豈不識耶？」王老未語，有小女自青布幃中出，曰：「張老嘗過，令縫帽頂，其時無皀線，以紅線縫之。線色手蹤皆可自驗。」因取看之，果是也。遂得錢，載而歸，乃信眞神仙也。其家又思女，復遣義方往天壇山南尋之，到即千山萬水，不復有路，時縫樵人，亦無知張老莊者，悲思浩然而歸，擧家以爲仙俗路殊，無相見期。又尋王老，亦去矣。復數年，義方偶遊揚州，而行北邸前，忽見張老崑崙奴前拜曰：「大郎家中如何？娘子雖不得歸，如日侍左右，家中事無巨細，莫不知之。」因出懷中金十斤以奉，曰：「娘子令送與大郎君。阿郎與王老會飲於此酒家。大郎且坐，崑崙當入報。」義方坐於酒旗下，日暮不見出，乃入觀之。飲者滿坐，坐上並無二老，亦無崑崙。取金視之，乃眞金也。驚歎而歸，又以供數年之食。後不復知張老所在。貞元進士李公者，知鹽鐵院，聞從事韓準太和初與甥姪語怪，命余纂而錄之。

張老者，不過一個園叟，其鄰居韋恕以曹掾秩滿退休歸來，有女及笄，召里中媒婆，介紹年紀相當的良婿適人。張老自不量力，求媒婆撮合，求之再三，媒婆不得已，去韋家提親。韋恕怒氣稍息，提出「今日內得五百緡則可。」緡的意思就是串五百錢來聘才可以。媒婆告訴張老，以爲這樣就可以嚇退這個衰邁的園叟了。不料「未幾，車載納於韋氏」。張老聽了媒婆的話，就把錢送到韋府，韋家原以爲張老貧苦，豈有如許之錢呢？話已經說出了口，怎樣辦呢？回頭看韋女，也無拒絕怨恨之意，認命嫁女之後，親朋戚友認爲年輕的韋女嫁給張老，是種不能忍受的事情。韋家既表示了女妻園叟何不遠離之意。張老就帶著少妻告別而去。以上所述情節，主要的觀點，顯然是指出：韋恕嫌貧愛富，何況張老衰邁。本文自張老帶妻子離去之後，便呈現一片錦繡生機。韋家因爲數年無女兒消息，便叫去長男義方法去探訪，那裡知道張老所居之處有如蓬萊仙境，非比世俗紅塵。臨行之時，張老又贈金送席帽，致錢千萬貫等情。人生豈可視老邁爲無用，以貧苦爲可欺？本篇意旨，當亦在此。

郭代公

代國公郭元振，開元中下第，自晉之汾，夜行陰晦失道，久而絕遠有燈火之光，以爲人居也，逕往投之。八九里有宅，門宇甚峻。既入門，廊下及堂下燈燭輝煌，牢饌羅列，若嫁女之家，而悄無人。公繫馬西廊前，歷階而升，徘徊堂上，不知其何處也。

俄聞堂中東閣有女子哭聲，嗚咽不已。公問曰：「堂中泣者，人耶，鬼耶？何陳設如此，無人而獨泣？」曰：「妾此鄉之祠，有烏將軍者，能禍福人，每歲求偶於鄉人，鄉人必擇處女之美者而嫁焉。妾雖陋拙，父利鄉人之五百緡，潛以應選。今夕，鄉人之女並爲遊宴者，到是，醉妾此室，共鎖而去，以適于將軍者也。今父母棄之就死，而令惴惴哀懼。君誠人耶，能相救免，畢身爲掃除之婦，以奉指使。」公憤曰：「其來當何時？」曰：「二更。」公曰：「吾忝爲大丈夫也，必力救之。如不得，當殺身以徇汝，終不使汝枉死於淫鬼之手。」女泣少止。於是坐於西階上，移其馬於堂北，令一僕侍立於前，若爲賓而待之。未幾，火光照耀，車馬駢闐，二紫衣吏入而復出，曰：「相公在此。」逡巡，二黃衣吏入而出，亦曰：「相公在此。」公私心獨喜，吾當爲宰相，必勝此鬼矣。既而將軍漸下，導吏復告之。將軍曰：「入。」有戈劍弓矢翼引以入，即東階下，公使僕前曰：「郭秀才見。」遂行揖。將軍曰：「秀才安得到此？」曰：「聞將軍今夕嘉禮，願爲小相耳。」將軍者喜而延坐，與對食，言笑極歡。公於囊中有利刀，思取刺之，乃問曰：「將軍曾食鹿腊乎？」曰：「此地難遇。」公曰：「某有少許珍者，得自御廚，願削以獻。」將軍者大悅。公乃起，取鹿腊並小刀，因削之，置一小器，令自取。將軍喜，引手取之，不疑其他。公伺其無機，乃投其脯，捉其腕而斷之。將軍失聲而走，導從之吏，一時驚散。公執其手，脫衣纏之，令僕夫出望之，寂無所見，乃啓門謂泣者曰：「將軍之腕已在於此矣。尋其血蹤，死亦不久。汝既獲免，可出就食。」泣者乃出，年可十七八，而甚佳麗，拜於公前，曰：「誓爲僕妾。」公勉諭焉。天方曙，開視其手，則豬蹄也。俄聞哭泣之聲漸近，乃女之父母兄弟及鄉中耆老，相與舁櫬而來，將收其屍以備殯殮，見公及女，乃生人也。咸驚以問之，公具告焉。鄉老共怒殘其神，曰：「烏將軍，此鄉鎭神，鄉人奉之久矣，歲配以女，才無他虞。此禮少遲，即風雨雷雹爲虐。奈何失路之客，而傷我明神，致暴於人，此鄉何負！當殺公以祭烏將軍，不爾，亦縛送本縣。」揮少年將令執公，公諭之曰：「爾徒老於年，未老於事。我天下之達理者，爾衆聽吾言。夫神，承天而爲鎭也，不若諸侯受命於天子而疆理天下乎？」曰：「然。」公曰：「使諸侯漁色於中國，天子不怒乎？殘虐於人，天子不伐乎？誠使爾呼將軍者，眞神明也，神固無豬蹄，天豈使淫妖之獸乎？且淫妖之獸，天地之罪畜也，吾執正以誅之，豈不可乎！爾曹無正人，使爾少女年年橫死於妖畜，積罪動天。安知天不使吾雪焉？從吾言，當爲爾除之，永無聘禮之患，如何？」鄉人悟而喜曰：「願從公命。」乃令數百人，執弓矢刀鎗鍬钁之屬，環而自隨，尋血而行。纔二十里，血入大塚穴中，因圍而斸之，應手漸大如瓮口，公令束薪燃火投入照之。其中若大室，見一大豬，無前左蹄，血臥其地，突煙走出，斃於圍中。鄉人翻共相慶，會錢以酬公。公不受，曰：「吾爲人除害，非鬻獵者。」得免之女辭其父母親族曰：「多幸爲人，託質血屬，閨闈未出，固無可殺之罪，今者貪錢五十萬，以嫁妖獸，忍鎖而去，豈人所宜！若非郭公之仁勇，寧有今日？是妾死於父母而生於郭公也。請從郭公，不復以舊鄉爲念矣。」泣拜而從公，公多歧援諭，止之不獲，遂納爲側室，生子數人。公之貴也，皆任大官之位。事已前定，雖生遠地，而棄于鬼神，終不能害，明矣。

本篇亦有所指謂：「淫妖之獸，天地之罪畜也，吾執正以誅之，豈不可乎？」文中說郭代公所誅的妖怪是豬精，鄉人所祠的烏將軍古已有之，西門豹故事，李冰故事皆是先例。本篇女子言：「父利鄉人五百緡，潛以應選」，利之所在，竟將女兒置之死地，誠乃人間慘事。郭代公既已救女於難，且拒賞金。女於感戴之下說：父母生我養我，忍心棄我就死。部公救我：「是妾死於父母而生於郭公也。請從郭公、不復以舊鄉爲念矣。」所言爲至理，父母應羞愧，鄉里應知祭人之陋俗是一種無知的迷信。

尼妙寂

尼妙寂，姓葉氏，江州潯陽人也，初嫁任華，潯陽大賈也。父昇與華往復長沙廣陵間。貞元十一年春，之潭州，不復。過期數月，妙寂忽夢父披髮裸形，流血滿身，泣曰：「吾與汝夫涓中遇盜，皆已死矣。以汝心似有志者，天許復讎，但幽冥之意，不欲顯言，故吾隱語報汝，誠能思而復之，吾亦何恨。」妙寂曰：「隱語云何？」昇曰：「殺我者，車中猴，門東草。」俄而見其夫，形狀若父，泣曰：「殺我者，禾中走，一日夫。」妙寂撫膺而哭，遂爲女弟所呼覺，泣告其母，闔門大駭。念其隱語，杳不可知。訪於鄰叟及鄉閭之有知者，皆不能解。乃曰：「上元縣，舟楫之所交者，四方士大夫多憩焉，而邑有瓦棺寺，寺上有閣，倚山瞰江，萬里在目，亦江湖之極境，遊人弭棹，莫不登眺。吾將緇服其間，伺可問者，必有省吾惑矣。」於是褐衣之上元，捨力瓦棺寺，日持箕帚，灑掃閣下。閑則徙倚欄檻，以伺識者。見高冠博帶吟嘯而來者，必拜而問。居數年，無能辯者。十七年，歲在辛巳，有李公佐者，罷嶺南從事而來，攬衣登閣，神彩俊逸，頗異常論。妙寂前拜泣，且以前事問之。」公佐曰：「吾平生好爲人解疑，況子之寃懇，而神告如此，當爲汝思之。」默行數步，喜招妙寂曰：「吾得之矣，殺汝父者申蘭，殺汝夫者申春耳。」妙寂悲喜嗚咽，拜問其說。公佐曰：「夫猴申生也，車去兩頭而言猴，故申字耳。草而門，門而東，非蘭字耶？禾中走者，穿田過也，此亦申字也。一日又加夫，蓋春字耳。鬼神欲惑人，故交錯其言。」妙寂悲喜若不自勝，久而掩涕拜謝曰：「賊名既彰，雪寃有路。苟獲釋憾，誓報深恩。婦人無他，唯潔誠奉佛，祈增福海耳。」乃再拜而去。元和初，泗州普光王擊有梵氏戒壇，人之爲僧者必由之。四方輻輳，僧尼繁會，觀者如市焉。公佐自楚之秦，維舟而往觀之。有一尼，眉目朗秀，若舊識者，每過必凝視公佐，若有意而未言者久之。公佐將去，其尼遽呼曰：「侍御貞元中不爲南海從事乎？」公佐曰：「然。」「然則記小師乎？」公佐曰：「不記也。」妙寂曰：「昔瓦棺寺閣求解車中猴者也。公佐悟曰：「竟獲賊否？」對曰：「自悟夢言，乃男服，易名士寂，泛傭於江湖之間。數年，聞蘄黃之間有申村，因往焉，流轉周星，乃聞其村西北偶有申蘭者，默往求傭，輒賤其價。蘭喜召之。俄又聞其從弟有名春者。於是勤恭執事，晝夜不離，凡其可爲者，不顧輕重而爲之，未嘗侍命，蘭家器之。晝與群傭共作，夜寢他席，無知其非丈夫者。逾年，益自勤幹，蘭愈敬念，視士寂即自視其子不若也。蘭或農或商，或畜貨於武昌，關鎖啓閉悉委焉。因驗其櫃中，半是己物，亦見其父及夫常所服者，垂涕而記之。而蘭春叔出季處，未嘗偕在。慮其擒一而驚逸也，銜之數年。永貞年重陽，二盜飲既醉，士寂奔告於州，乘醉而獲，一問而辭服就法。得其所喪以歸，盡奉母而請從釋教。師洪州之天宮寺尼洞微，即昔時授教者也。妙寂，一女子也，血誠復讎，天亦不奪，遂以夢寐之言，獲悟於君子，與其讎者得不同天。碎此微軀，豈酬明哲。梵宇無他，唯虔誠法像以報效耳。」公佐大異之，遂爲作傳。太和庚戌歲，隴西李復言游巴南，與進士沈田會於蓬州，田因話奇事，持以相示，一覽而復之。錄怪之日，遂纂於此焉。

李公佐另撰有謝小娥傳，所遇弱女爲夫報仇事。見之於唐人小說及今古奇觀。此篇述父與夫經商歸船爲盜匪劫財謀殺，托夢言：「殺人者，車中猴，門東草」，「殺我者，禾中走，一日夫」。問人皆不能解。乃褐衣爲尼名妙寂，以待識者。後遇李公佐，終爲之解開謎團，言殺其父夫者爲申蘭，申春。妙寂苦尋仇人於西北隅，捨身爲傭，易名士寂，爲男裝，終獲鐵證，俟申蘭申春重陽飲醉，奔告州府，報得血仇。

下述「黨氏女」，則亦爲謀財害命，轉世投胎以耗盡層其所劫得之財，而此財又爲得之於他人者，亦可謂：「天理昭彰，疏而不漏了。」

黨氏女

黨氏女，同州韓城縣芝川南村人也。先是，有蘭如賓者，舍於芝州。元和初，客有王蘭者，以錢數百萬鬻茗，止其家積數年，無親友之來者，一旦臥疾，如賓以其無後患也，殺之。服饌車輿僕使之盛，擬於公侯。其年生一男，美而慧，雖孔融、衛玠之爲奇，猶未可爲比。其家念之，謂驪珠趙璧未敵，名曰玉童。衣食之用，日可數金。其或不欲，舞神佛之費，一日而罄，不顧也。既而漸大，輕裘肥馬，恣其出入。於是交遊少年，歌樓酒肆，悦音恣博，日不暫息，雖狂徒皆伏其豪。然而孳產稍衰，稼或不登，即乞貸望歲。元和十年，玉童暴卒，父母之哀，哭玠之不若也。號哭之聲，感動行路，恨不得自身代之。如賓極困成瘵。其所飾終之具，洎捨財梵侶、佛畫蓮宮、致席命樂之費，若不以家爲者。雖喪畢，每忌日，飯僧施財而追泣焉。自是稍稍致貧，如舊日矣。太和三年秋，有僧玄照，求食於黨氏家。有女子年十三四，映門曰：「母兄皆出，不得其饌。此北數里芝川店，有蘭氏者，亡子忌日，方當飯僧。師到必喜，盍往焉。」僧曰：「女非出入村市之人，何以知此而給我也？」女笑曰：「其亡子即我之前身耳。」照大異之，問其所以，不對而入。照於是造蘭氏門，入巷而見其廣幕崇筵，及門人者喜照之來，揖之而入。既卒食，如賓哀不自勝。照曰：「掌人念亡子若此，要見其今身乎？」如賓大驚，乃問之，照具以告。如賓遽適黨氏，請見之。父母以告，女不肯出。如賓益聳躍，獨念不以其母來，且無藉手，此所以不出也。遂歸。明日，與其妻偕，攜蜀紅二十四爲請見之資。女納紅，復不肯出。如賓求其父母萬辭，父母以如賓之懇也，入謂女曰：「汝既不欲見，不當言之。既言而蘭叟若此之請，安得不強見？」女不復語。父母曰：「必不見，則何辭？」女曰：「第告之，何必相見。」但云：『其子身存及沒，多歧所費，王蘭之財盡未？』聞此，必不求矣。」父母出，以告，如賓顧其妻，無言而退。既出，父母聞其故，女曰：「兒前身茗客王蘭也，有錢數百萬，客其家。元和初，頭眩而臥，遂爲如賓所殺而取其財，因而巨富。某既死而訴於上帝，上帝召問欲何以報，蘭言願爲子以耗之，故委蜕焉。耗之且盡而死。近與之計，唯十環未足，故有蜀紅之贈。而今而後，如賓不復念其子而齋亦罷爾。韓城有趙子良者，嘗貰茗五束，未酬而蘭死。今當以其直求爲婦，幣足而某去耳，亦不爲婦也。俄而媒氏言，子良之子納幣焉。親迎之期，約在歲首。既畢納而失女，父母懼子良之責也，僞哭而徙葬焉。其夕，遇女曰：「天帝以天下人愚，率皆欺暗枉道，詐心萬端，謂人可言排，神可以詐惑。以詐惑人者，人亦詐焉；以妄欺人者，人亦妄焉；以嫉誣人者，人亦誣焉。雖虛矯之俗，交報或闕，而冥寞間良不可罔。知己之所爲而不咎人者鮮矣，故遣某托身近地，而警群妄耳。頃者□言，得侍昏旦；此心既啓，難復淹留。撫育之恩亦償，舊□□顧盼，能不悵懷。各勉令圖，無惑多恨。」言訖而去。□□□□勸戒耶？太和壬子歲，通王府功曹趙遵約言。

孔融少年時聰明絕頂，而衛玠則美少年，合二人之優秀言玉童之可愛。但照文中所記則乃王蘭轉世投胎來要債的。故債要的差不多了玉童便死了。前因後果，由沿門托缽的行足僧玄照說出，而又以子良女子納聘，轉由黨氏女說出：天下的人欺暗枉道，詐心萬端，以爲人可欺，欺人者人必欺之，誣人者人必誣之，雖然百般遮掩，但終必得到報應。

劉法師

貞元中，華州雲臺觀有劉法師者，鍊氣絕粒，迨二十年。每三元設齋，則見一人，衣縫掖而面黧瘦，來居末座，齋畢而去，如此者十餘年，而衣服顏色不改。法師異而問之，對曰：「余姓張名公弼，住蓮花峰東隅。」法師意此處無人之境，請同往。公弼怡然許之，曰：「此中甚樂，師能便往，亦當無悶。」法師遂隨公弼行，三二十里，援蘿攀葛，纔有鳥道，經過崖谷險絕，雖猿狖不能過也，而公弼履之若夷途，法師從行亦無難。遂至一石壁削成，高直千餘仞，下臨無底之谷，一逕闊數寸，法師與公弼側足而立。公弼乃以指扣石壁，中有人問曰：「爲誰？」曰：「某。」遂劃然開一門，門中有天地日月。公弼將入，法師隨入，其人乃怒，謂公弼：「何引外人來？」其人因闔門，則又成石壁矣。公弼曰：「此非他，乃雲臺劉法師也，余交故，故請來此，何見拒之深也！」又開門，內公弼及法師，公弼曰：「法師此來甚飢，君可豊食遣之。」其人遂問法師：「便能住否？」法師請以後期。其人遂取一盂水，以肘後青囊中一刀圭糝之，以飲法師，味甚甘香，飲畢而饑渴之想除矣。公弼曰：「余昨云山中甚樂，君盍爲戲，令法師觀之。」其人乃以水噀東谷中，乃有蒼龍白象各一對舞，舞甚妙，威鳳綵鸞各一對歌，歌甚清。頃之，公弼送法師迴，回顧，惟見青崖丹壑，向之歌舞，無所見矣。及去觀將近，公弼乃辭。法師至觀，處置事畢，卻尋公弼，則步步險阻，杳不可階，痛恨前者不住，號天叫地，遂成腰疾。公弼更不復至矣。昭應縣尉薛公幹爲僧孺叔父言也。

人在石壁之內，石壁能開，飲食歌舞，令人著迷，劉法師之腰疾，不知如何得來。

刁俊朝

安康令人刁俊朝妻巴嫗，項癭者初大如雞卵，漸大如三四斗瓶盎，積四五年，大如數斛之囊，重不能行。其中有琴瑟笙磬塤篪之響。細而聽之，若合音律，泠泠可樂。積數年，癭外生穴如蜂芒者不幾紀億。每天雨則穴中起白雲，霏霏如絲縷，漸高布散，結爲屯雲，雨則立降。其家少長懼之，咸請遠送巖穴。俊朝戀戀不能已，因謂妻曰：「吾以遇衆議，將不能庇伉儷，送汝於無人之境，如何？」妻曰：「此疾誠可憎惡，送之亦死，析之亦死，君當爲我決析之，看有何物。」俊朝即磨淬白刃，揮挑將及妻前，癭中忽然有聲，四分析裂，有一猱跳走騰踏而去。即以帛絮裹之，雖癭疾頓愈，而冥然大漸矣。明日，有黃冠扣門曰：「吾昨日癭中猱也。本是老獮猴精，解致風雨，無何與漢江鬼愁潭老蛟還往，常與覘船舫，船舫將至，俾他覆之，以求舟中餱糧且養孫姪。昨者天誅蛟，搜索黨與，故借夫人蝤蠐之領，亡匿性命，雖分不相干，然恩亦至矣。今於鳳凰山神處求得少許靈膏，請君塗之，幸希立愈。」俊朝如言塗之，隨手瘡合。俊朝因留黃冠，烹雞設食，食訖，貰酒欲飲。黃冠因囀高歌，又爲絲匏瓊玉之音，罔不鏗鏘可愛。既而辭去，莫知所詣。時大定中也。

項瘿重大，內有琴瑟笙磬塤篪之聲，又有白雲絲縷行布。後朝欲以白刃剖之，則瘿中有一猱跳出，則此猱又黃冠扣門，說是與老蛟往還，老蛟爲天所誅，故借其妻巴嫗之項上藏匿亡命。此恩當報，奉靈藥使瘡愈合。刁俊朝留黃冠，杯酒言歡，黃冠歌罷辭去莫知所終。眞是奇文奇聞，看了不免叫人目瞪口呆。

齊推女

元和中，饒州刺史齊推女，適隴西李某。李舉進士，妻方娠，留至州宅，至臨月，遷至後東閣中。其夕，女夢丈夫，衣冠甚偉，瞋目按劍叱之曰：「此屋豈是汝腥穢之所乎！亟移去。不然，且及禍。」明日告推，推素剛烈，曰：「吾忝土地主，是何妖孽能侵耶！」數日，女誕育，忽見所夢者，即其牀帳亂毆之。有頃，耳目鼻皆流血而卒。父母傷痛女冤横，追悔不及，遣遽告其夫，俟至而歸葬于李族，遂於郡之西北十數里官道權瘞之。李生在京師下第將歸，聞喪而往。比至饒州，妻卒已半年矣。李亦粗知其死不得其終，悼恨既深，思爲冥雪。至近郭，日晚，忽於曠野見一女，形狀服飾，似非村婦，李即心動，駐馬諦視之，乃映草樹而沒。李下馬就之，至則眞其妻也。相見悲泣，妻曰：「且無涕泣，幸可復生。俟君之來，亦已久矣。大人剛正，不信鬼神，身是婦女，不能自訴。今日相見，事機校遲。」李曰：「爲之奈何？」女曰：「從此直西五里鄱亭村，有一老人姓田，方教授村兒，此九華洞中仙官也，人莫之知。君能至心往來，或異諧遂。」李乃徑訪田先生，見之，乃膝行而前，再拜稱曰：「下界凡賤，敢謁大仙。」時老人方與村童授經，見李，驚避曰：「衰朽窮骨，旦暮溘然，郎君安有此說？」李再拜，扣頭不已，老人益難之。自日宴至于夜分，終不敢就坐，拱立於前。老人俛首良久曰：「足下誠懇如是，吾亦何所隱焉。」李生即頓首流涕，具云妻枉狀。老人曰：「吾知之久矣，但不早申訴，今屋宅已敗，理之不及。吾向拒公，蓋未有計耳。然試爲足下作一處置。」乃起從北出，可行百步餘，止於桑林，長嘯。倏忽見一大府署，殿宇環合，儀衛森然，擬於王者。田先生衣紫帔，據案而坐，左右解官等列待。俄傳教呼地界。須臾，十數部各擁百餘騎，前後奔馳而至。其帥皆長丈餘，眉目魁岸，羅列於門屏之外，整衣冠，意緒蒼惶，相問今有何事。須臾，謁者通地界盧山神、江瀆神、彭蠡神等皆趣入。田先生問曰：「比者此州刺史女，因產爲暴鬼所殺，事甚冤濫，爾等知否？」皆俯伏應曰：「然。」又問：「何故不爲申理？」又皆對曰：「獄訟須有其主。此不見人訴，無以發摘。」又問：「知賊姓名否？」有一人對曰：「是西漢鄱縣王吳芮。今刺史宅，是芮昔時所居。至今猶恃雄亭，侵占土地，往往肆其暴虐，人無奈何。」田先生曰：「即追來！」俄頃，縛吳芮至。先生詰之，不伏。乃命追阿齊。良久，見李妻與吳芮庭辯。食頃，吳芮理屈，乃曰：「當是產後虛弱，見某驚怖自絕，非故殺。」田先生曰：「殺人以梃與刃，有以異乎？」遂令執送天曹，回謂速檢李氏壽命幾何。頃之，吏云：「本算更合壽三十二年，生四男三女。」先生謂群官曰：「李氏壽算長，若不再生，議無厭伏。公等所見何如？」有一老吏前啓曰：「東晉鄴下有一人橫死，正與此事相當。前使葛眞君，斷以具魂作本身，卻歸生路。飲食言語，嗜欲追遊，一切無異。但至壽終，不見形質耳。」田先生曰：「何謂具魂？」吏曰：「生人三魂七魄，死則散離，本無所依。今收合爲一體，以續絃膠塗之。大王當衢發遣放回？則與本身同矣。」田先生曰：「善。」即顧謂李妻曰：「作此處置，可乎？」李妻曰：「幸甚！」俄見一吏，別領七八女人來，與李妻一類，即推而合之。有一人持一器藥，狀似稀餳，即於李妻身塗之。李氏妻如空中墜地，初甚迷悶，天明盡失夜來所見，唯田先生及李氏夫妻三人共在桑林中。田先生顧謂李生曰：「相爲極力，且喜事成，便可領歸。見其親族，但言再生，愼無他說。吾亦從此逝矣。」李遂同歸至州，一家驚疑，不爲之信。久之，乃知實生人也。自爾生子數人。其親表之中，頗有知者，云：「他無所異，但舉止輕便，異於常人耳。」

本文所述是一公案，不過借神仙之作爲，戒殺而已。故如田先生曰：殺人用木棍或用刀，有什麼不同嗎？這都是一樣的殺人。不該死的應該讓他活著，故而合三魂七魄之離散者爲一體，使李妻死而復活。

王國良

莊宅使巡官王國良，下吏之兇暴者也，憑恃宦官，常以凌辱人爲事。李復言再從妹夫武全益，罷獻陵臺令，假城中之宅在其所管。武氏貧，往往納傭違約束，即言詞慘穢，不可和解。賓客到者，莫不先以國良告之，慮其謗及，畏如毒蛇。元和十二年冬，復言館于武氏，國良五日一來，其言愈穢，未嘗不掩耳而走。忽不來二十日，俄聞緩和之聲，遣人問之，徐曰：「國良也。」一家畏其悉辭，出而祈之，乃訝其羸瘠。曰：「國良前者奉辭，遂染重病，臥七日而死，死亦七日而蘇。冥官以無禮見撻，杖瘡見在。久不得來。」復言呼坐，謂言其實。國良曰：「疾勢既困，忽有壯士數人，揎拳露肘，就床拽起，以布囊籠頭，拽行不知里數，亦不知到城郭，忽去其頭囊，乃官府門也，署曰『太山府君院』。喘亦未定，捽入廳前，一人緋衣當衙坐，謂案吏曰：『此人罪重，合沉地獄，一日未盡，亦不可追。可速檢過。』其人走入西廊，逡巡曰：『國良從今日已後，有命千年。』判官令找出放歸，既出門，復怒曰：『拽來！此人言語慘穢，抵忤平人。若不痛懲，無以爲誡。』遂拗坐決杖二十，拽起，不蘇者久之。判官又賜廳前池水一杯，曰：『飲之不忘，爲吾轉語世間人，愼其口過。口之招非，動掛網羅，一言以失，駟馬不追。』國良匍匐來歸，數宿方到，入門蹶倒，從此忽悟。家人懷伺將殮，問其時日，身冷已七日矣，唯心頭似暖，不忍即殮。今起五六日矣，瘡痛猶去。」袒而視之，滿背黯黑，若將潰爛然，四際微紫，欲從外散，且曰：「自小兇頑，不識善惡，言詞狂誖，罪責積多，從此見戒，不敢復怒矣。凡若有錢，幸副期約，勿使獲罪于上也。」乃去。自是每到，必若仁者。明年九月，忽聞其死。計其得杖，從滿十月，豈非陰司之事，十年爲月乎？

王國良一酷吏也，以凌辱人爲能事，而又言語污穢。遂致激怒冥官拽來體罰，以其罪重，應下地獄。國良不服，又遭痛懲。判官令其轉語世人：「愼其口過，口之招非，動掛網羅，一言之失，駟馬不追。」口無遮攔，慘穢四出，此最傷人，不下於刀杖凌虐。王國良自是瘡痛潰爛，遂至於死。

「續玄怪錄」只錄李衛公靖一篇如下：

李衛公靖

衛國公李靖，微時嘗射獵霍山中，寓食山村。村翁奇其爲人，每豐饋焉。歲久益厚。忽遇群鹿，乃逐之，會暮，欲捨之不能。俄而陰晦迷路，茫然不知所歸，悵悵而行，困悶益極。乃極目有燈火光，因馳赴焉。既至，乃朱門大第，牆宇甚峻，叩門久之，一人出問，公告其迷，且請寓宿。人曰：「郎君皆已出，惟太夫人在，宿應不可。」公曰：「試爲咨白。」乃入告而出，曰：「夫人初欲不許，且以陰黑，客又言迷，不可不作主人。」邀入廳中。有頃，一青衣出曰：「夫人來。」年可五十餘，青裙素襦，神氣清雅，宛若士大夫家。公前拜之，夫人答拜，曰：「兒子皆不在，不合奉留。今天色陰晦，歸路又迷，此若不容，遣將何商。然此山野之居，兒子往還，或夜到而喧，勿以爲懼。」公曰：「不敢。」既而命食，食頗鮮美，然多魚。食畢，夫人入宅，二青衣送床席裀褥，衾被香潔，皆極鋪陳，閉户繫之而去。公獨念山野之外，夜到而鬧者何物也，懼不敢寢，端坐聽之。夜將半，聞扣門聲甚急，又聞一人應之，曰：「天符，大郎子報當行雨，周此山七百里，五更須足，無慢滯，無暴傷。」應者受符入呈。聞夫人曰：「兒子二人未歸，行雨次到，固辭不可，違時見責。縱使報之，亦已晚矣。僮僕無任專之理，當如之何？」一小青衣曰：「適觀廳中客，非常人也，盍請乎？」夫人喜，因自扣廳門曰：「郎覺否？請暫出相見。」公曰：「諾。」遂下階見之。夫人復曰：「此非人宅，乃龍宮也。妾長男赴東海婚禮，小男送妹。適奉天符，次當行雨。計兩處雲程，合踰萬里，報之不及，求代又難，輒欲奉煩頃刻間，如何？」公曰：「靖俗客，非乘雲者，奈何能行雨？有方可教，即唯命耳。」夫人曰：「苟從吾言，無有不可也。」遂敕黃頭：「鞴青驄馬來。」又命取雨器，乃一小瓶子，繫於鞍前，誡曰：「郎乘馬，無勒銜勒，信其行，馬躩地嘶鳴，即取瓶中水一滴滴馬鬃上，慎勿多也。」於是上馬騰騰而行，其足漸高，但訝其穩疾，不自知其雲上也。風急如箭，雷霆起於步下。於是隨所躩，輒滴之，既而電掣雲開，下見所憩村，思曰：「吾擾此村多矣，方德其人，計無以報。今久旱，苗稼將悴，而雨在我手，寧復惜之。」顧一滴不足濡，乃連下二十滴。俄頃雨畢，騎馬復歸。夫人者泣於廳曰：「何相誤之甚！本約一滴，何私感而二十之！天此一滴，乃地上一尺雨也。此村夜半平地深二丈，豈復有人。妾已受譴，杖八十矣。」袒視其背，血痕滿焉。「兒子並連坐，如何？」公慚怖，不知所對。夫人復曰：「郎君世間人，不識雲雨之變，誠不敢恨。即恐龍師來尋，有所驚恐，宜速去此。然而勞煩，未有以報。山居無物，有二奴奉贈。總取亦可，取一亦可，唯意所擇。」於是命二奴出來。一奴從東廊出，儀貌和悅，怡怡然。一奴從西廊出，憤氣勃然，拗怒而立。公曰：「我獵徒，以鬥猛爲事，一旦取奴而取悅者，人以我爲怯乎？」因曰：「兩人皆取則不敢。」夫人既賜，欲取怒者。」夫人微笑曰：「郎之所欲乃爾。」遂揖與別，奴亦隨去。出門數步，迴望失宅，顧問其奴，亦不見矣。獨尋路而歸。及明望其村，水已極目，大樹或露梢而已，不復有人。其後竟以兵權靜寇難，功蓋天下，而終不及於相，豈非悅奴之不得乎？世言關東出相，關西出將，豈東西而喻耶？所以言奴者，亦臣下之象。向使二奴皆取，位極將相矣。

李靖逐群鹿於山中，迷道借宿，謂係龍宮，所遇騰雲行雨諸種非人間奇事。臨別偕一奴同行，此奴形怒而強，象徵李靖終身爲將。

原來目錄作「李衛公靖行雨」。

異聞集

古鏡記

隋 王度

隋汾陰侯生。天下奇士也。王度常以師禮事之。臨終。贈度以古鏡曰。持此則百邪遠人。度受而寶之。鏡橫徑八寸。鼻作麒麟蹲伏之象。遶鼻列四方。龜龍鳳虎。依方陳布。四方外又設八卦。卦外置十二辰位。而具畜馬。辰畜之外。又置二十四序。周遶輪郭。文體似隸。點畫無缺。而非字書所有也。侯生云。二十四氣之象形。承日照之。則背上文畫。墨入影內。纖毫無失。舉而扣之。清音徐引。竟日方絕。嗟乎。此則非凡鏡所得同也。宜其見賞高賢。是稱靈物。侯生常云。昔者吾聞黃帝鑄十五鏡。其第一橫徑一尺五寸。法滿月之數也。以其相差。各校一寸。此第八鏡也。雖歲祀攸遠。圖書寂寞。而高人所述。不可誣矣。昔楊氏納環。累代延慶。張公喪劍。其身亦終。今度遭世擾攘。居常鬱怏。王室如燬。生涯何地。寶鏡復去。哀哉。今具其異跡。列之如後。庶千載之下。儻有得者。知其所由耳。大業七年五月。度自侍御史。罷歸河東。適遇侯生卒。而得此鏡。至其年六月度歸長安。至長樂坡。宿於主人程雄家。雄新受寄一婢。頗甚端麗。名曰鸚鵡。度既稅駕。將白云不敢住。度因召主人問其故。雄云。兩月前有一客。攜此婢從東來時婢病甚。客便寄留云。還日當取。比不復來。不知其婢由也。度疑其精魅。引鏡逼之。便云乞命即變形。度即掩鏡曰。汝先自敘。然後變形。當捨汝命。婢再拜自陳云。某是華山府君廟前長松下千歲老狸。大行變惑。罪合至死遂爲府君捕逐。逃於河渭之間。爲下邽陳思恭義女。蒙養甚厚。嫁鸚鵡與同鄉人柴華。鸚鵡與華意不相愜。逃而東出韓城縣。爲行人李無傲所執。無傲粗暴大夫也。遂將鸚鵡遊行數歲。昨隨至此。忽爾見留。不意遭逢天鏡。隱形無路。度又謂曰。汝本老狸。變形爲人。豈不害人也。婢曰。變形事人。非有害也。但跳匿幻惑。神道所惡。自當至死耳。度又謂曰。欲捨汝可乎。鸚鵡曰。辱公厚賜。豈敢忘德。然天鏡一照。不可逃形。但久爲人形。羞復故體。願緘於匣。許盡醉而終。度又謂曰。緘鏡於匣。汝不逃乎。鸚鵡笑曰。公適有美言。尚許相捨。緘鏡而走。豈不終恩。但天鏡一臨。竄跡無路。唯希數刻之命。以盡一生之歡耳。度登時爲匣鏡。又爲致酒。悉召雄家鄰里與宴謔。比婢頃大醉。奮衣起舞而歌曰。寶鏡寶鏡哀哉予命。自我離形。於今幾姓。生雖可樂。死不必傷。何爲戀眷。守此一方。歌訖再拜。化爲老狸而死。一座驚歎。大業八年四月一日太陽虧。度時在臺直。晝臥廳閣。覺日漸昏。諸吏告度以日蝕甚。整衣時引鏡出。自覺鏡亦昏昧。無復光色。度以寶鏡之作。合於陰陽光景之理。不然。豈合以太陽失曜。而寶鏡亦無光乎。怪歎未已。俄而光彩出。日亦漸明。比及日復。鏡亦精朗如故。自此之後。每日月薄蝕。鏡亦昏昧。其年八月十五日。友人薛俠者。獲一銅劍。長四尺。劍連於靶。靶盤龍鳳之狀。左文如火焰。右文如水波。光彩灼爍。非常物也。俠持過度曰。此劍俠常試之。每月十五日。天地清朗。置之暗室。自然有光。旁照數丈。俠持之有日月矣。明公好奇愛古。如饑如渴。願與君今夕一試。度喜甚。其夜果遇天地清霽。密閉一室。無復脫隙。與俠同宿。度亦出寶鏡。置於座側。俄而鏡上吐光。明照一室。相視如晝。劍橫其側。無復光彩。俠大驚曰。請內鏡於匣。度從其言。然後劍乃吐光。不過一二尺耳。俠撫劍歎曰。天下神物。亦有相伏之理也。是後每至月望。則出鏡於暗室。光常照數丈。若日影入室。則無光也。豈太陽太陰之耀。不可敵乎。其年冬兼著作郎。奉詔撰周史。欲爲蘇綽立傳。度家有奴曰豹。生年七十矣。本蘇氏部曲。頗涉史傳。略解屬文。見度傳草。因悲不自勝。度問其故。謂度曰。豹生常受蘇公厚遇。今見蘇公言驗。是以悲耳。郎君所有寶鏡。是蘇公友河南苗寄子所遺蘇公者。蘇公愛之甚。蘇公臨亡之歲。戚戚不樂。常召苗生謂曰。自度死日不久。不知此鏡當入誰手。今欲以著筮一斷。先生幸觀之也。便顧豹生取著。蘇公自揲布卦。卦訖。蘇公曰。我死十餘年。我家當失此鏡。不知所在。然天地神物。動靜有徵。今河洛之間。往往有寶氣。與卦兆相合。鏡其往彼乎。季子曰。亦爲人所得乎。蘇公又詳其卦云。先入侯家。復歸王氏。過此以往。莫知所之也。豹生言訖涕泣。度問蘇氏。果云舊有此鏡。蘇公薨後，亦失所在。如豹生之言。故度爲蘇公傳。亦具言其事於末篇。論蘇公著筮絕倫。點而獨用。謂此也。大業九年正月朔旦。有一胡僧。行乞而至度家。弟勣出見之。覺其神彩不俗。便邀入室。而爲具食。坐語良久。胡僧謂勣曰。檀越家似有絕世寶鏡也。可得見耶。勣曰。法師何以得知之。僧曰。貧道受明錄祕術。頃識寶氣。檀越宅上。每日常有碧光連日。絳氣屬月。此寶鏡氣也。貧道見之兩年矣。今擇良日。故欲一觀。勣出之。僧跪捧欣躍。又謂勣曰。此鏡有數種靈相。皆當未見。但以金膏塗之。珠粉拭之。舉以照日。必影徹牆壁。僧又歎息曰。更作法試。應照見腑臟。所恨卒無藥耳。但以金煙薰之。玉水洗之。復以金膏珠粉。如法拭之。藏之泥中。亦不晦矣。遂留金煙玉水等法。行之無不獲驗。而胡僧遂不復見。其年秋。度出兼芮城令。令廳前有一棗樹。圍可數丈。不知幾百年矣。前後令至。皆祠謁此樹。不則殃禍立及也。度以爲妖由人興。淫祀宜絕。縣吏皆叩頭請度。度不得已爲之一祀。然陰念此樹。當有精魅所托。人不能除。養成其勢。乃密懸此鏡於樹之間。其夜二鼓許。聞其廳前磊落有聲若雷霆者。遂起視之。則風雨晦暝。纏繞此樹。電光晃耀。忽上忽下。至明。有一大蛇。紫鱗赤尾。綠頭白角。額上有王字。身被數鎗。死於樹下。度便收鏡。命吏出蛇。焚於縣門外。仍掘樹。樹心有一穴。於地漸大。有巨蛇蟠泊之跡。既而實之。妖怪遂絕。其年冬。度以御史帶芮城令。持節河北道。開倉糧賑給陝東。時天下大饑。百姓疾病。滿陝之間。癘疫尤甚。有河北人張龍駒。爲度下小吏。其家良賤數十口。一時遇疾。度憫之。齎此鏡入其家。使龍駒持鏡夜照。諸病者見鏡皆驚起。云見龍駒持一月來相照。光陰所及。如水著體。冷徹腑臟。即時熱定。至曉並愈。以爲無害於鏡。而所濟衆。於是令密持此鏡。遍巡百姓。其夜鏡如匣中。冷然自鳴。聲甚澈遠。久乃止。度心獨怪。明早龍駒來。謂度曰。龍駒昨忽夢一人。龍頭蛇身。朱冠紫服。謂龍駒我即鏡精也。名曰紫珍。嘗有德於君家。故來相託。爲我謝王公。百姓有罪。

天與之疾。奈何使我反天救物。且病至後月當漸愈。無爲我苦。度感其靈怪。因此誌之。至後月病果漸愈。如其言也。大業十年。度弟勣自六合丞棄官歸。又將遍遊山水。以爲長往之策。度止之曰。今天下向亂。盜賊充斥。欲安之乎。且吾與汝同氣。未常遠別。此行也似將高蹈。昔尚子平遊五嶽。不知所之。汝若追踵前賢。吾所不堪也。便涕泣對勣。勣曰。意已決矣。必不可留。兄今之達人。當無所不體。孔子曰。匹夫不可奪其志矣。人生百年。忽同過隙。得情則樂。失志則悲。安遂其欲。聖人之義也。度不得已。與之決別。勣曰。此別也亦有所求。兄所寶鏡。非塵俗物也。勣將抗志雲路。棲蹤煙露。欲兄以此爲贈。度曰。吾何惜於汝也。即以與之。勣得鏡遂行。不言所適。至大業十三年夏六月。始歸長安。以鏡歸。謂度曰。此鏡眞寶物也。勣辭兄之後。先遊嵩山少室。陟石梁。坐玉壇。屬日暮。遇一嵌巖。有一石堂。可容三五人。勣棲息止焉。月夜三更後。有兩人。一貌胡。鬚眉皓而瘦。稱山公一面闊白鬚。眉長黑而矬。稱毛生。謂勣曰。何人斯居也。勣曰。尋幽探穴訪奇者。二人坐與勣談文。往往有異義。出於言外。勣疑其精怪。引手潛後。開匣取鏡。鏡光出。而二人失聲俯伏。矬者化爲龜。胡者化爲猿。懸鏡至曉。二人俱殞。龜身帶綠毛。猿身帶白毛。即入箕山。渡潁水。歷太和。視玉井。井旁有池。水湛然綠色。問樵夫曰。此靈湫耳。村閭每八節祭之。以祈福佑。若一祭有闕。即池水出黑雲。大雹傷稼。白雨流澍。浸堤壞阜。勣引鏡照之。池水沸涌。有雷如震。忽爾池水騰出。池中不遺涓

滴。可行二百餘步。水落於地。有一魚可長丈餘。粗鬐大於臂。首紅額白。身作青黃
間色。無鱗有涎。龍形蛇角。觜尖如鱘魚。動而有光。在於泥水。因而不能遠去。勣
謂鮫也。失水而無能爲耳。刃而爲炙。甚膏有味。以充數朝口腹。遂出於宋汴。汴主
人張琦家。有女子患。入夜哀痛之聲。實不堪忍。勣問其故。病來已經年歲。白日即
安。夜常如此。勣停一宿。及聞女子聲。遂開鏡照之。痛者曰。戴冠郎被殺。其病者
床下。有大雄雞死矣。乃是主人七八歲老雞也。遊江南。將渡黃陵楊子江。忽暗雲覆
水。黑風渡湧。舟子失容。慮有覆沒。勣攜鏡上舟。背江中數步。明朗徹底。風雲四
歛。波濤遠息。須臾之間。達濟天塹。躋躡山。趨芳嶺。或攀危頂。或入深洞。逢其
群鳥環人而噪。數熊當路而蹲。以鏡揮之。熊鳥奔駭。是時利涉浙江。遇潮出海。濤
聲振吼。數百里而聞。舟人曰。濤既近。未可渡南。若不迴舟。吾輩必葬魚腹。勣出
鏡照。江波不進。屹如雲立。四面江水。豁開五十餘步。水漸清淺。黿鼉散走。舉帆
翩翩。直入南浦。然後卻視。濤波洪湧。高數十丈。而至所渡之津也。遂登天台。周
覽洞壑。夜行佩之山谷。去身百步。四面光徹。纖微皆見。林間宿鳥。驚而亂飛。還
履會稽。逢異人張如鸞。授勣周髀九章。及明堂六甲之事。與陳永同歸。更遊豫章。
見道士許藏秘。云是旌陽七代孫。有沉登力履火之術。說妖怪之次。便言豐城縣倉督
李敬。家有三女。遭魅病。人莫能識。藏秘療之無效。勣故人曰趙丹。有才器。任豐
城縣尉。勣因過之。丹命祇承人指勣停處。勣謂曰。欲得倉督李敬家居止。丹遽設榻

爲主禮。勣因問其故。敬曰。三女同居堂内閤子。每至日晚。即艷妝衒服。黄昏後。即歸所居閤子。每至日滅燈燭聽之。竊與人言笑聲。及至曉眠。非喚不覺。日日漸瘦。不能下食。制之不令妝梳。即欲自縊投井。無奈之何。勣謂敬曰。引示閤子之處。其閤東有窗。恐其門閉。固而難啓。遂晝日先刻斷窗櫺四條。卻以物支拄之如舊。至日暮。敬報勣曰。妝梳入閤矣。至一更聽之。言笑自然。勣拔窗櫺子。持鏡入閤照之。三女叫云。殺我婿也。初不見一物。縣鏡至明。有一鼠狼。首尾一尺三四寸。身無毛齒。有一老鼠。亦無毛齒。其肥大可重五斤。又有守宮。大如人手。身披鱗甲。煥爛五色。頭上有兩角。長可半寸。尾長五寸以上。尾頭一寸色白。並於壁孔前死矣。後此疾愈。其後尋眞至盧山。婆娑數月。或棲息長林。或露宿草莽。虎豹棲尾。豺狼連跡。舉鏡視之。莫不竄伏。盧岩處士蘇賓。奇識之士也。洞明易道。藏往知來。謂勣曰。天下神物。必不久居人間。今宇宙喪亂。他鄉未必可止。吾子此鏡。尚在足下衛。幸速歸家鄉也。勣然其言。即時北歸。便旋河北。夜夢鏡謂勣曰。我蒙卿兄厚禮。今當捨人間遠去。欲得一別。卿請早歸長安也。勣夢中許之。及曉獨居思之。恍恍發悸。即時西首秦路。今既見兄。勣不負諾矣。終恐此靈物。亦非兄所有。數月勣還河東。大業十三年七月十五日。匣中悲鳴。其聲纖遠。俄而漸大。若龍咆虎吼。良久乃定。開匣視之。即失鏡矣。

王度，隋太原祁人。文中子王通之弟，東皐子績之兄。曾任御史。本文爲唐時之作。

古鏡記所述之事大要：

此鏡得於晉汾陰天下奇士侯生。

大業七年五月，王度自侍御史罷歸至長安，宿於主人程雄家，雄受寄一病婢名鸚鵡，度疑其爲精魅，引鏡照之，是一千歲老貍。又言古鏡與古劍之光彩有別。王勣（績）以胡僧言寶鏡數種靈相，王度爲開芮城令，廳前棗樹有蛇精，鏡照之即死，民有疫厲者，鏡照即癒。而鏡精爲龍頭蛇身，朱冠紫服名叫紫珍。勣持寶鏡至嵩山少室見有山公與毛生，疑兩人爲精怪，鏡光一照二人一化爲龜，一化爲猿。又有魚精爲勣手刃，張琦家女人爲患，其病床下老雞作祟，鏡照之即死。勣攜鏡渡黃陵楊子江，躋天塹，躡芳嶺，遇異人，得道術。李敬家三個女兒爲妖所惑，懸鏡入閣，三妖原來是鼠狼，老鼠，守宮。勣至廬山，所過之處，虎豹豺狼，無不竄伏。後遊河北，歸長安，寶鏡遂失其蹤。

自古以來，鏡子鑑照人物與歷史的眞相。而此篇則以鏡子照出妖魔鬼怪的原形，雖所記皆屬烏有，但人世間明理如明鏡，則一切苦難皆可消除。心如明鏡則所有污穢之事，皆可一清如水，纖塵不染了。

補江總白猿

梁大同末，遣平南將軍藺欽南征，至桂林，破李師古陳徹。別將歐陽紇略地至長樂，悉平諸洞，突入深阻。紇妻纖白，甚美。其部人曰：『將軍何爲挈麗人經此？地有神，善竊少女，而美者尤其難免。宜謹護之。』紇甚疑懼，夜勒兵環其廬，匿婦密室中，謹閉甚固，而以女妓十餘伺守。

爾夕，陰風晦黑，至五更，寂然無聞。守者怠而假寐，忽若有物驚悟者，即已失妻矣。關扃如故，莫知所出。出門山險，咫尺迷悶，不可尋逐。迨明，絕無其跡。

紇大憤痛，誓不徒還。因辭疾，駐其軍，日往四遐，即深凌險以索之。既逾月，忽於百里之外叢篠上，得其妻繡履一隻，雖浸雨濡，猶可辯識。紇尤悽悼，求之益堅。選壯三十人，持兵負糧，巖棲野食。又旬餘，遠所舍約二百里，南望一山，蔥秀迥出。至其下，有深溪環之，乃編木以度。絕巖翠竹之間，時見紅綵，聞笑語音，捫蘿引絙，而陟其上，則嘉樹列植，間以名花，其下綠蕪。豐軟如毯。清迥岑寂，杳然殊境。東向石門有婦人數十，帔服鮮澤，嬉遊歌笑，出入其中。見人皆慢視遲立，至則問曰：『何因來此？』紇具以對。相視歎曰：『賢妻至此月餘矣。今病在床，宜遣視之。』入其門，以木爲扉。中寬闢若堂者三。四壁設床，悉施錦薦。其妻臥石榻上，重茵累席，珍食盈前。紇就視之。回眸一睇，即疾揮手令去。

諸婦人曰：『我等與公之妻，比來久者十年。此神物所居，力能殺人，雖百夫操兵，不能制也。幸其未返，宜速避之。但求美酒兩斛，食犬十頭，麻數十斤，當相與謀殺之。其來必以正午。後慎勿太早，以十日爲期。』因促之去。紇亦遽退。遂求綵醪與麻犬，如期而往。

婦人曰：『彼好酒，往往致醉，必騁力，俾吾等以採練摶手足於床，一踴皆斷。嘗紉三幅，則力盡不解。今麻隱帛中束之，度不能矣。遍體皆如鐵，唯臍下數寸，常護蔽之，此必不能禦兵刃。』指其傍一巖曰：『此其食廩，當隱於是，靜而伺之。酒置花下，犬散林中，待吾計成，招之即出。』如其言，屏氣以俟。

日晡，有物如匹練，自他山下，透至若飛，徑入洞中。少選，有美髯丈夫長六尺餘，白衣曳杖，擁諸婦人而出。見犬驚視，騰身執之，披裂吮咀，食之致飽。婦人競以玉杯進酒，諧笑甚歡。既飲數斗，則扶之而去。又聞嬉笑之音。良久，婦人出招之，乃持兵而入。見大白猿，縛四足於床頭，顧人蹙縮，求脫不得，目光如電。競兵之，如中鐵石。刺其臍下，即飲刃，血射如注。乃大嘆咤曰：『此天殺我，豈爾之能。然爾婦已孕，勿殺其子，將逢聖帝，必大其宗。』言絕乃死。

搜其藏，寶器豐積，珍羞盈品，羅列按几。凡人世所珍，靡不充備。名香數斛，寶劍一雙。婦人三十輩，皆絕其色。久者至十年。云，色衰必被提去，莫知所置。又捕採唯止其身，更無黨類。旦盥洗，著帽，加白袷，被素羅衣，不知寒暑。遍身白毛，長數寸。所居常讀木簡，字若符篆，了不可識；已，則置石磴下，晴晝或舞雙劍，環身電飛，光圓若月。其飲食無常，喜啗果栗，尤嗜犬，咀而飲其血。日始逾午，即㸌然而逝。半晝往返數千里，及晚必歸，此其常也。

所須無不立得。夜就諸床嬲戲，一夕皆周，未嘗寐。言語淹詳，華音會利。然其狀，即猳玃類也。

今歲木葉之初，忽愴然曰：『吾爲山神所訴，將得死罪。亦求護之於衆靈，庶幾可免。』前月哉生魄，石磴生火，焚其簡書。悵然自失曰：『吾已千歲，而無子。今有子，死期至矣。』因顧諸女，汎瀾者久，且曰：『此山複絕，未嘗有人至。上高而望，絕不見樵者。下多虎狼怪獸。今能至者，非天假之，何耶？』

紇即取寶玉珍麗及諸婦人以歸，猶有知其家者。

紇妻周歸生一子，厥狀肖焉。後紇爲陳武帝所誅。素與江總善。愛其子聰悟絕人，常留養之，故免於難。及長，果文學善書，知名於時。

書錄解題小說類云：『歐陽紇者，詢之父也。詢貌獮猿，蓋常與長孫無忌互相嘲謔矣。此傳遂因其嘲廣之，以實其事。託言江總，必無名子所爲也。』

由此可見，這篇志怪之文，述大白猿虜掠婦人，則不過是一個「故事出於想像」而已的作品。如爲山盜之強者，或可採信。作者是誰，迄今仍爲疑案。

離魂記

天授三年，清河張鎰，因官家於衡州。性簡靜，寡知友。無子，有女二人。其長女亡，幼女倩娘，端妍絕倫。鎰外甥太原王宙，幼聰悟，美容範。鎰常器重，每曰：『他時當以倩娘妻之。』後各長成，宙與倩娘常私感於寤寐，家人莫知其狀。後有賓寮之選者求之，鎰許焉。女聞而鬱抑；宙亦深恚恨。託以當調請赴京，止之不可，遂厚遣之。宙陰恨悲慟。決別上船。日暮，至山郭數里。夜方半，宙不寐，忽聞岸上有一人行聲甚速，須臾至船。問之，乃倩娘徒行跣足而至。宙驚喜發狂，執手問其從來。泣曰『君厚意如此，寢夢相感。今將奪我此志，又知君深情不易，思將殺身奉報，是以亡命來奔。』宙非意所望，欣躍特甚。遂匿倩娘于船，連夜遁去。倍道兼行，數月至蜀。凡五年，生兩子。與鎰絕信。其妻常思父母，涕泣言曰：『吾曩日不能相負，棄大義而來奔君。向今五年，恩慈間阻。覆載之下，胡顏獨存也？』宙哀之，曰『將歸，無苦。』遂俱歸衡州。既至，宙獨身先，至鎰家，首謝其事。鎰曰：『倩娘病在閨中數年，何其詭說也！』宙曰：『見在舟中！』鎰大驚，促使人驗之。果見倩娘在船中，顏色怡暢，訊使者曰：『大人安否？』家人異之，疾走報鎰。室中女聞喜而起，飾裝更衣，笑而不語，出與相迎，翕然而合爲一體，其衣裳皆重，其家以事不正，祕之。惟親戚間有潛知之者。後四十年間，夫妻皆喪。二男並孝廉擢第，至丞尉。

作者陳玄祐，其人無資料可尋。但於「唐代小說」注中，有以下之記錄，可供參考：

按倩女離魂事，太平廣記三百五十八已採入，而題爲王宙，下注出離魂記。木文至丞尉句下，亦有『事出陳玄祐離魂記』九字，雖屬羨文，然本篇之原題與作者，固可藉以考見也。今即據以改正。至陳玄祐生平，則無可考。

據本文云，大曆末年，遇萊蕪縣令張仲覘，備述本末，而爲此記。則陳固大曆時人矣。

又按此即元人鄭德輝倩女離魂劇本之本事也。其事至怪而乏理解。但古今豔稱，詩歌引用，遂成典實。其實類此者，尚有數事，惟此獨傳耳。今酌錄數則：

幽明記龐阿一條云：鉅鹿有龐阿者，美容儀。同郡石氏有女，曾内睹阿，心悅之。未幾，阿見此女來詣阿妻，妻極妒。聞之，使婢縛之，送還石家。中路遂化爲煙氣而滅。婢乃直詣石家說此事，石氏之父大驚曰：『我女都不出門，豈可毀謗如此。』阿婦自是常加意伺察之。居一夜，方值女在齋中。乃自拘執以詣石氏。石氏父見之，愕眙曰：「我適從内來，見女與母共作，何得在此？」即令婢僕於内喚女出。向所縛者，奄然滅焉。父疑有異，故遣其母詰之。女曰：「昔年龐阿來廳中，曾竊視之，自爾彷彿，即夢詣阿，及入戶，即爲妻所縛。」石曰：『天下遂有如此奇事？』夫精情所感，靈神爲之冥著滅者，蓋其魂神也。既而女誓心不嫁。經年阿妻忽得邪病，醫藥無徵。阿乃授幣石氏女爲妻。（廣記三百五十八）

靈怪錄鄭生一條云：鄭生者，天寶末應舉之京。至鄭西郊，日暮，投宿主人。主人問其姓，鄭以實對。内忽使婢出，云：『娘子合是從姑。』須臾，見一老母自堂而下。鄭拜見，坐語久之。問其婚姻。乃曰：『姑有一外孫女在此，姓柳氏，其父現任淮陰縣令，與兒門地相埒。今欲將配君子，以爲何如？』鄭不敢辭。其夕成禮，極人世之樂。遂居之。數月，姑謂鄭生可將婦歸柳家。鄭如其言，挈其妻至淮陰。先報柳氏。

柳舉家驚愕，柳妻意疑令有外婦生女，怨望形言。俄頃，女家人往視之，乃與家女無異。既入門下車，冉冉行庭中。內女聞之，笑出視，相值于庭中，爾女忽合，遂爲一體。令即窮其事，乃是妻之母先亡，而嫁外孫女之魂焉。生復尋舊跡，都無所有。（廣記三百五十八）

獨異記韋隱一則云：大曆中將作少匠韓晉卿女，適尚依奉御韋隱。隱奉使新羅，行及一程，倉然有思，因就寢，乃覺其妻在帳外，驚問之。答曰：「愍君涉海，志願奔而隨之，人無知者。』隱即詐左右曰：『欲納一妓，將侍枕席。』人無怪者。及歸已二年，妻亦隨至。隱乃啓舅姑首其罪，而室中宛存焉。及相近，翕然合體，其從隱者，乃魂也。（廣記三百五十八）

人有沒有靈魂，科學亦無法證明。離魂記所述，如以常理推斷，則可能是王宙與倩娘兩相愛悅，私奔他鄉。而張鎰不欲人知，故言倩娘病在閨中。但記之於文，人以其事離奇動人，寄與同情，成就美滿姻緣，好事成雙，誰曰不宜。離魂之說，乃成爲民間最美麗的故事，說故事怪異，但也合乎人情。以現代眼光來看，王宙與倩娘私奔的原因，可能是宙爲倩娘早有互許終生的感情，「後有賓寮之選者求之，鎰許焉。女聞而鬱抑；宙亦深恚恨。」宙於心情鬱鬱，「陰恨悲慟」黯然離去時，倩娘「徒行跣足」而至，宙「驚喜發狂」。此種至情，乃係倩娘「思將殺身奉報，是以亡命來奔」。離魂之說，就是倩娘反對嫁給毫無愛情的「賓寮之選」。故而她要衝破障礙，不惜以「殺身奉報」的意志，來表現愛情自主的魄力，不止是在靈魂上追隨宙去，不僅是要「私感於寤寐」，而且是決然殺身亡命以報，其情操之堅貞壯烈，於此表現了生命另一種可貴之處。本篇輯之於志怪，因有離魂的借托，究竟不是現實的，但在志怪中，卻是現實的諷刺。

傳奇

從志怪走出來到志人，唐代的小說是一大超越。志人就是以人爲觀點，眞實的細微的加以刻劃描寫，並賦予藝術的美感氣質，於人物的類型，氣氛的營造，情節的波動，背景的設計，剛柔的對比，佈局的縝密，語言的結構，莫不作專心的表現。而想像力的豐富，空間的發揮，尤其獨具風格。

唐代小說之稱爲傳奇，是因爲斐鉶所撰三卷小說名得爲傳奇。傳奇之體乃成爲唐代小說的代名，講到傳奇，就是指唐代小說而言。唐代小說有汪國垣校錄者，他在序中說：

「唐代文學，詩歌小說，並推奇作」。他引用宋劉貢父之言：「小說至唐，鳥花猿子，紛紛蕩漾」。又引洪景盧之說：「唐人小說，小小情事，悽惋欲絕，詢有神遇而不自知者」。於此他指出：「兩公博洽儒宗，立言不苟，辯微知味，獨具會心，要非秉正衛道者所能夢見。」

傳奇作者斐鉶，其事跡不見史傳，但全唐文錄有其官職說：「鉶咸通中爲靜海軍節度使高駢掌書記，如侍御史內供奉，後官成都節度使副使，加御史大夫」。鉶所撰傳奇爲文奇麗，如崑崙奴，聶隱娘武術卓絕，志人兼類志怪者，故錄其文於前：

崑崙奴

大歷中有崔生者，其父爲顯僚，與蓋代之勳臣一品者熟。生是時爲千牛，其父使往省一品疾。生少年容貌如玉，性稟孤介，舉止安詳，發言清雅。一品命妓軸簾召生入室，生拜傳父命，一品忻然愛慕，命坐與語。時三妓人，豔皆絕代，居前以金尋貯含桃而擘之，沃以甘酪而進。一品遂命衣紅綃妓者，擎一甌與生食。生少年赧妓輩終不食。一品命紅綃妓以匙而進之，生不得已而食。妓哂之。遂告辭而去。一品曰：『郎君閑暇，必須一相訪，無間老夫也。』命紅綃送出院，時生回顧，妓立三指，又反三掌者，然後指胸前小鏡子，云：『記取。』餘更無言。生歸達一品意，返學院，神迷意奪，語減容沮，怳然凝思，日不暇食。但吟詩曰：『誤到蓬山頂上遊，明璫玉女動星眸。朱扉半掩深宮月，應照璚芝雪豔愁。』左右莫能究其意。時家中有崑崙奴磨勒，顧瞻郎君曰：『心中有何事，如此抱恨不已？何不報老奴？』生曰：『汝輩何知，而問我襟懷閒事？』磨勒曰：『但言，當爲郎君解釋。遠近必能成之。』生駭其言異，遂具告知。磨勒曰：『此小事耳，何不早言之，而自苦耶？』生又白其隱語。勒曰：『有何難會。立三指者。一品宅中有十院歌姬，此乃第三院耳。返掌三者，數十五指，以應十五日之數。胸前小鏡子，十五夜月圓如鏡，令郎來耶？』生大喜，不自勝，謂磨勒曰：『何計而能導達我鬱結？』磨勒笑曰：『後夜乃十五夜，請深青絹兩疋，爲郎君製束身之衣。一品宅有猛犬守歌妓院門，非常人不得輒入，入必噬殺之。其警如神，其猛如虎。即曹州孟海之犬也。世間非老奴不能斃此犬耳。今夕當爲郎君撾殺之。』遂宴犒以酒肉，至三更，攜鍊椎而往，食頃而回曰：『犬已斃訖，固無障塞耳。』是夜三更，與生衣青衣，遂負而逾十重垣，乃入歌妓院内，止第三門。繡户不扃，金釭微明，惟聞妓長嘆而坐，若有所俟。翠環初墜，紅臉纔舒，玉恨無妍，珠愁轉瑩。但吟詩曰：『深洞鶯啼恨阮郎，偷來花下解珠璫。碧雲飄斷音書絕，空倚玉簫愁鳳凰。』侍衛皆寢，鄰近闃然。生遂緩搴簾而入。良久，驗是生。姬躍下榻執生手曰：『知郎君穎悟，必能默識，所以手語耳。又不知郎君有何神術，而能至此？』生具告磨勒之謀，負荷而至。姬曰：『磨勒何在？』曰：『簾外耳。』遂召入，以金甌酌酒而飲之。姬白生曰：『某家本富，居在朔方。主人擁旄，逼爲姬僕。不能自死，尚且偷生，臉雖鉛華，心頗鬱結。縱玉筯舉饌，金罏泛香，雲屏而每進綺羅，繡被而常眠珠翠，皆非所願，如在桎梏。賢爪牙既有神術，何妨爲脱狴牢。所願既申，雖死不悔。請爲僕隸，願侍光容。又不知郎君高意如何？』生愀然不語。磨勒曰：『娘子既堅確如是，此亦小事耳。』姬甚喜。磨勒請先爲姬負其囊橐妝奩，如此三復焉。然後曰：『恐遲明。』遂負生與姬而飛出峻垣十餘重。一品家之守禦，無有警者。遂歸學院而匿之。及旦，一品家方覺。又見犬已斃。一品大駭曰：『我家門垣，從來邃密，扃鎖甚嚴，勢似飛勝，寂無形跡，此必俠士而挈之。無更聲聞，徒爲患禍耳。』姬隱崔生家二載，因花時駕小車而遊曲江，爲一品家人潛誌認。遂白一品。一品異之。召崔生而詰之。事懼而不敢隱。遂細言端由，皆因奴磨勒負荷而去。一品曰：『是姬大罪過。但郎君驅使踰年，即不能問是非。某須爲天下除害。』命甲士五十人，嚴持兵仗，圍崔生院，使擒磨勒。磨勒遂持匕首飛出高垣，瞥若翅翎，疾同鷹隼，攢矢如雨，莫能中之。頃刻之間，不知所向。然崔家大驚愕。後一品悔懼，每夕多以家童持劍戟自衛。如此周歲方止。後十餘年，崔家有人見磨勒賣藥於洛陽市，容顏如舊耳。

此篇內文述崑崙奴隱傭於崔生之家，人莫之知其爲武術高超之俠者，一旦崔生有事則挺身而出。磨勒擊殺猛犬，負崔生逾十重垣與紅綃姬相見，且負囊橐妝奩三復後，或負或挾帶生與姬飛峻垣，去無形跡。姬隱崔生家兩年，終爲豪家所知，命甲士五十人，捉拿磨勒，「磨勒遂持匕首飛出高垣，瞥若翅翎，疾同鷹隼，攢矢如雨，莫能中之」。磨勒於頃刻間，不知去向。磨勒的飛行術，有如大鳥的鵬博九天，有如流星的閃過空隙。其神速快捷，如雨的亂箭，竟不能近其身，傷其毫髮，眼睜睜的看著他於「頃刻之間，不知去向」。致令此豪家害怕到極點，不得不周密防禦，以免性命被他取去。而聶隱娘是劍俠，尤爲人稱奇叫絕。

聶隱娘

聶隱娘者，貞元中魏博大將聶鋒之女也。年方十歲，有尼乞食於鋒舍，見隱娘，悅之，云：『問押衙乞取此女教。』鋒大怒，叱尼。尼曰：『任押衙鐵櫃中盛，亦須偷去矣。』及夜，果失隱娘所向。鋒大驚駭，令人搜尋，曾無影響。父母每思之，相對涕泣而已。後五年，尼送隱娘歸，告鋒曰：『教已成矣，子卻領取。』尼欻亦不見。一家悲喜，問其所學。曰：『初但讀經念咒，餘無他也。』鋒不信，懇詰。隱娘曰：『眞説又恐不信，如何？』鋒曰：『但眞説之。』曰：『隱娘初被尼挈，不知行幾里。及明，至大石穴之嵌空，數十步寂無居人。猿狖極多，松蘿益邃。已有二女，亦各十歲。皆聰明婉麗，不食，能於峭壁上飛走，若捷猱登木，無有蹶失。尼與我藥一粒，兼令長執寶劍一口，長二尺許，鋒利吹毛，令剸逐二女攀緣，漸覺身輕如風。一年後，刺猿狖百無一失。後刺虎豹，皆決其首而歸。三年後能飛，使刺鷹隼，無不中。劍之刃漸減五寸，飛禽遇之，不知其來也。至四年，留二女守穴。挈我於都市，不知何處也。指其人者，一一數其過，曰：「爲我刺其首來，無使知覺。定其膽，若飛鳥之容易也。」受以羊角匕首，刀廣三寸，遂白日刺其人於都市，人莫能見。以首入囊，返主人舍，以藥化之爲水。五年，又曰：「某大僚有罪，無故害人若干，夜可入其室，決其首來。」一夕攜匕首入室，度其門隙無有障礙，伏之梁上。至瞑，持其其首而歸。」尼大怒曰：「何太晚如是？」某云：「見前人戲弄一兒，可愛，未忍便下手。」尼叱曰：「已後遇此輩，先斷其所愛，然後決之。」某拜謝。尼曰：「吾爲汝開腦後，藏匕首而無所傷。用即抽之。」曰：「汝術已成，可歸家。」遂送還，云：「後二十年，方可一見。」鋒聞語甚懼。後遇夜即失蹤。及明而返。鋒已不敢詰之。因茲亦不甚憐愛。忽值磨鏡少年及門，女曰：『此人可與我爲夫。』白父，父不敢不從，遂嫁之。其夫但能淬鏡，餘無他能。父乃給衣食甚豐。外室而居。數年後，父卒。魏帥稍知其異，遂以金帛署爲左右吏。如此又數年。至元和間，魏帥與陳許節度使劉昌裔不協，使隱娘賊其首。隱娘辭帥之許。劉能神算，已知其來。召衙將，令來日早至城北候一丈夫一女子各跨白黑衛至門，遇有鵲前噪，丈夫以弓彈之不中。妻奪夫彈，一丸而斃鵲者，揖之云：『吾欲相見，故遠相祇迎也。』衙將受約束。遇之，隱娘夫妻曰：『劉僕射果神人。不然者，何以洞吾也。願見劉公。』劉勞之。隱娘夫妻拜曰：『合負僕射萬死。』劉曰：『不然，各親其主，人之常事。魏今與許何異。願請留此，勿相疑也。』隱娘謝曰：『僕射左右無人，願舍彼而就此，服公神明也。』知魏帥之不及劉。劉問其所須。曰：『每日只要錢二百文足矣。』乃依所請。忽不見二衛所之。劉使人尋之，不知所向。後潛收布囊中，見二紙衛，一黑一白。後月餘，白劉曰：『彼未知住，必使人繼至。今宵請剪髮，繫之以紅綃，送于魏帥枕前，以表不迴。』劉聽之，至四更，卻返曰：『送其信了。後夜必使精精兒來殺某及賊僕射之首。此時亦萬計殺之。乞不憂耳。』劉豁達大度，亦無畏色。是夜明燭，半宵之後，果有二幡子，一紅一白，飄飄然如相擊于床四隅。良久，見一人望空而踣，身首異處。隱娘亦出曰：『精精兒已斃。』拽出于堂之下，以藥化爲水，毛髮不存矣。隱娘曰：『後夜當使妙手空空兒繼至。空空兒之神術，人莫能窺其用，鬼莫得躡其蹤。能從空虛而入冥，善無形而滅影，隱娘之藝，故不能造其境。此即繫僕射之福耳。但以于闐玉周其頸，擁以衾，隱娘當化爲蠛蠓，潛入僕射腸中聽伺，其餘無逃避處。』劉如言。至三更，瞑目未熟。果聞項上鏗然，聲甚厲。隱娘自劉口中躍出，賀曰：『僕射無患矣。此人如俊鶻，一搏不中，即翩然遠逝，恥其不中，纔未逾一更，已千里矣。』後視其玉，果有匕首劃處，痕逾數分。自此劉轉厚禮之。自元和八年，劉自許入覲，隱娘不願從焉。云：『自此尋山水訪至人，但乞一虛給與其夫。』劉如約，後漸不知所之。及劉薨於統軍，隱娘亦鞭驢而一至京師柩前，慟哭而去。開成年，昌裔子縱除陵州刺史，至蜀棧道，遇隱娘，貌若當時。甚喜相見，依前跨白衛如故。語縱曰：『郎君大災，不合適此。』出藥一粒，令縱吞之。云：『來年火急抛官歸洛，方脫此禍。吾藥力只保一年耳。』縱亦不甚信。遺其繒綵，隱娘一無所受。但沉醉而去。後一年，縱不休官，果卒於陵州。自此無復有人見隱娘矣。

聶隱娘之術尤爲神奇，他練成了來去無蹤，殺人不見血並是以殺人爲業的刺客本領。不過隱娘尚有惻隱之心，所以見小兒可愛不忍便下手。其中，魏帥令隱娘取劉僕射首級，劉預知隱娘來京師接她，隱娘遂舍魏而保護劉除去前來行刺的精精兒，並使空空兒無所獲而去。篇中所指黑白兩驢是用紙剪成，不用時便收入布囊，又說隱娘可以化身爲小飛蟲，潛入劉的腹中，以及把屍首用藥水化爲水等事，後來被引用在一些武俠小說中，而賦予詭異神奇的特色，如僧、尼、丐、秀士、殘缺，皆可成爲武藝高強之士，往往又多隱藏其身份，一旦事功完成，又必飄然遠去，如隱娘的「無復有人見矣」。

甘澤謠中「紅線」之爲劍俠，又與隱娘相似而不同。

紅線

據明鈔本說郛甘澤謠校錄

紅線，潞州節度使薛嵩青衣，善彈阮，又通經史，嵩遣掌牋表，號曰内記室。時軍中大宴，紅線謂嵩曰：『羯鼓之音調頗悲，其擊者必有事也。』嵩亦明曉音律，曰：『如汝所言。』乃召而問之，云：『某妻昨夜亡，不敢乞假。』嵩遽遣放歸。時至德之後，兩河未寧，初置昭義軍，以釜陽爲鎭，命嵩固守，控壓山東。殺傷之餘，軍府草創。朝廷復遣嵩女嫁魏博節度使田承嗣男，男娶滑州節度使令狐彰女。三鎭互爲姻婭，人使日浹往來。而田承嗣常患熱毒氣，遇夏增劇。每曰：『我若移鎭山東，納其涼冷，可緩數年之命。』乃募軍中武勇十倍者得三千人，號外宅男，而厚卹養之。常令三百人夜直州宅，卜選良日，將遷潞州。嵩聞之，日夜憂悶，咄咄自語，計無所出。時夜漏將傳，轅門已閉。杖策庭除，唯紅線從行。紅線曰：『主自一月，不遑寢食。意有所屬，豈非鄰境乎？』嵩曰：『事繫安危，非汝能料。』紅線曰：『某雖賤品，亦有解主憂者。』嵩乃具告其事，曰：『我承祖父遺業，受國家重恩，一旦失其彊土，即數百年勳業盡矣。』紅線曰：『易爾。不足勞主憂。乞放某一到魏郡，看其形勢，覘其有無。今一更首途，三更可以復命。請先定一走馬兼具寒暄書，其他即俟某卻迴也。』嵩大驚曰：『不知汝是異人，我之暗也。然事若不濟，反速其禍，奈何？』紅線曰：『某之行，無不濟者。』乃入閨房，飾其行具。梳烏蠻髻，攢金鳳釵，衣紫繡短袍，繫青絲輕屨。胸前佩龍文匕首，額上書太乙神名。再拜而倏忽不見。嵩乃返身閉戶，背燭危坐。常時飲酒，不過數合，是夕舉觴十餘不醉。忽聞曉角吟風，一葉墜露，驚而試問，即紅線迴矣。嵩喜而慰問曰：『事諧否？』曰：『不敢辱命。』又問曰：『無傷殺否？』曰：『不至是。但取床頭金合爲信耳。』紅線曰：『某子夜前三刻，即到魏郡，凡歷數門，遂及寢所。聞外宅男止於房廊，睡聲雷動。見中軍士卒，步於庭廡，傳呼風生。某發其左扉，抵其寢帳。見田親家翁正於帳內，鼓趺酣眠，頭枕文犀，髻包黃穀，枕前露一七星劍。劍前仰開一金合，合內書生身甲子與北斗神名。復有名香美珍，散覆其上。揚威玉帳，但期心豁於生前，同夢蘭堂，不覺命懸於手下。寧勞擒縱，祇益傷嗟。時則蠟炬光凝，爐香燼煨，侍人四布，兵器森羅。或頭觸屏風，鼾而嚲者；或手持巾拂，寢而伸者。某拔其簪珥，縻其襦裳，如病如昏，皆不能寤；遂持金合以歸。既出魏城西門，將行二百里，見銅臺高揭，而漳水東注，晨飆動野，斜月在林。憂往喜還，頓忘於行役；感知酬德，聊副於心期。所以夜漏三時，往返七百里，入危邦，經五六城；冀減主憂，敢言其苦。』嵩乃發使遺承嗣書曰：『昨夜有客從魏中來，云：自元帥頭邊獲一金合，不敢留駐，謹卻封納。』專使星馳，夜半方到。見搜捕金合，一軍憂疑。使者以馬撾扣門，非時請見。承嗣遽出，以金合授之。捧承之時，驚怛絕倒。遂駐使者止於宅中，狎以宴私，多其賜賚。明日遣使齎繒帛三萬疋，名馬二百匹，他物稱是，以獻於嵩曰：『某之首領，繫在恩私。便宜知過自新，不復更貽伊戚。專膺指使，敢議姻親。役當奉轂後車，來則揮鞭前馬。所置紀岡僕號爲外宅男者，本防它盜，亦非異圖。今並脫其甲裳，放歸田畝矣。』由是一兩月內，河北河南，入使交至。而紅線辭去。嵩曰：『汝生我家，而今欲安往？又方賴汝，豈可議行？』紅線曰：『某前世本男子，歷江湖間，讀神農藥書，救世人災患。時里有孕婦，忽有蠱癥，某以芫花酒下之。婦人與腹中二子俱斃。是某一舉，殺三人。陰司見誅，降爲女子。使身居賤隸，而氣稟賊星，所幸生於公家，今十九年矣。身厭羅綺，口窮甘鮮，寵待有加，榮亦至矣。況國家建極，慶且無疆。此輩背違天理，當盡弭患。昨往魏郡，以示報恩。兩地保其城池，萬人全其性命，使亂臣知懼，烈士安謀。某一婦人，功亦不小。固可贖其前罪，還其本身。便當遁跡塵中，棲心物外，澄清一氣，生死長存。』嵩曰：『不然，遺爾千金爲居山之所給。』紅線曰：『事關來世，安可預謀。』嵩知不可駐，乃廣爲餞別，悉集賓客，夜宴中堂。嵩以歌送紅線，諸座客冷朝陽爲詞曰：『採菱歌怨木蘭舟，送別魂消百尺樓。還似洛妃乘霧去，碧天無際水長流。』歌畢，嵩不勝悲。紅線拜且泣，因僞醉離席，遂亡其所在。

明刊五朝小說有此篇，說是楊巨源撰。如是出之「甘澤謠」作者則當是袁郊。一般「紅線」作「紅綫」。是唐時最爲人傳說的女劍俠，因此，宋元以後亦廣爲人知。紅線的本事，原只是知曉音樂，甚通經史，薛嵩待之不薄，令掌內記室事。因嵩憂慮守土有失，不遑寢食。紅線聰慧，察知鄰境有覬覦之心，爲解主憂而報其恩，並爲贖前世投藥誤殺婦人與腹二子俱斃之過，以「兩地保其城池，萬人全其性命，使亂臣知懼，烈士安謀」，以「贖其前罪」。何況「某一婦人」，爲「國家建極，慶且無貌」。紅線的人生觀，由此而光輝燦爛。這可說是刺客最高的境界。至於紅線的武術「夜漏三時，往返七百里，入危邦，經五六城，冀減主憂，敢言其苦。」而其歸來，「忽聞曉角吟風，一葉墜露，驚而試問，即紅線迴矣」。雖然紅線去時，文中描述爲：「梳烏蠻髻，攢金鳳釵，衣紫繡短袍，繫青絲輕履。胸前佩龍文匕首，額上書太乙神名。再拜而倏忽不見。」讀之令人想見其妙齡巧扮，輕靈俏曼的儀容。

清樂鈞菁芝山館詩集，有詠紅線詩曰：『田家外宅男，薛家內記室。鐵甲三千人，那敵青衣一。金合書生年，床頭子夜失，強鄰魂膽消，首領向公乞。功成辭羅綺，奇氣洶無匹。洛妃去不還，千右懷煙質。』當可作本傳論贊也。

劍俠的絕技爲神行千里，如藏刃於腦，如變爲蟣蠓，如剪氏爲衛，如化屍成水，如倏忽不見。皆屬夢境和靈想中的事物。若以現實的情況觀察，則科幻可爲之，這也是人類的智慧的發明，雖不可思議，但也並非不可能。

眞正可以稱爲俠義的故事應該是杜光庭所寫的「虬髯客傳」。

虬髯客傳

隋煬帝之幸江都也，命司空楊素守西京。素驕貴，又以時亂，天下之權重望崇者，莫我若也。奢貴自奉，禮異人臣，每公卿入言，賓客上謁，未嘗不踞床而見，令美人捧出。侍婢羅列，頗僭於上。末年愈甚，無復知所負荷，有扶危持顚之心。一日，衛公李靖以布衣上謁，獻奇策。素亦踞見。公前揖曰：『天下方亂，英雄競起。公爲帝室重臣，須以收羅豪傑爲心，不宜踞見賓客。」素斂容而起，謝公。與語，大悅，收其策而退。當公之騁辯也，一妓有殊色，執紅拂，立於前，獨目公。公既去，而執拂者臨軒指吏曰：『問去者處士第幾？住何處？」公具以對，妓頷而去。公歸逆旅。其夜五更初，忽聞叩門而聲低者，公起問焉，乃紫衣戴帽人，杖揭一囊。公問誰曰：「妾，楊家之紅拂妓也。」公遽延入。脫衣去帽，乃十八九佳麗人也。素面畫衣而拜。公驚答拜。曰：『妾侍楊司空久，閱天下之人多矣，無如公者。絲蘿非獨生，願託喬木，故來奔耳。」公曰：「楊司空權重京師，如何？」曰：「彼屍居餘氣，不足畏也。諸妓知其無成，去者衆矣，彼亦不甚逐也。計之詳矣，幸無疑焉。」問其姓。曰：「張。」問其伯仲之次。曰：「最長。」觀其肌膚、儀狀、言詞、氣性，眞天人也。公不自意獲之，愈喜愈懼，瞬息萬慮不安。而窺户者無停屨。數日，亦聞追討之聲，意亦年峻。乃雄服乘馬，排闥而去，將歸太原。行次靈石旅舍，既設床，爐中烹肉且熟。張氏以髮長委地，立梳床前。公方刷馬。忽有一人，中形，赤髯而虬，乘蹇驢而來。投革囊於爐前，取枕欹臥，看張梳頭。公怒甚，未決，猶刷馬。張熟視其面，一手握髮，一手映身搖示公，令勿怒。急急梳頭畢，斂衽前問其姓。臥客答曰：「姓張。」對曰：「妾亦姓張，合是妹。」遽拜之。問第幾。曰：「第三。」因問妹第幾。曰：「最長。」遂喜曰：「今多幸逢一妹。」張氏遙呼？「李郎且來見三兄！」公驟拜之。遂環坐。曰：「煮者何肉？」曰：「羊肉，計已熟矣。」客曰：「饑。」公出市胡餅，客抽腰間匕首，切肉共食。食竟，餘肉亂切送驢前食之，甚速。客曰：「觀李郎之行，貧士也。何以致斯異人？」曰：「靖雖貧，亦有心者焉。他人見問，故不言；兄之問，則不隱耳。」具言其由。曰：「然則將何之？」曰：「將避地太原。」曰：「然。故非君所致也。」曰：「有酒乎？」曰：「主人西，則酒肆也。」公取酒一斗。既巡，客曰：「吾有少下酒物，李郎能同之乎？」曰：「不敢。」於是開革囊，取一人頭並心肝。卻頭囊中，以匕首切心肝，共食之。曰：「此人天下負心者，銜之十年，今始獲之，吾憾釋矣。」又曰：「觀李郎儀形器宇，眞丈夫也。亦聞太原有異人乎？」曰：「嘗識一人，愚謂之眞人也。其餘，將帥而已。」曰：「何姓？」曰：「靖之同姓。」曰：「年幾？」曰：「僅二十。」曰：「今何爲？」曰：「州將之子。」曰：「似矣，亦須見之。李郎能致吾一見乎？」曰：「靖之友劉文靜者，與之狎，因文靜見之可也。然兄何爲？」曰：「望疑者言太原有奇氣使訪之。李郎明發，何日到太原？」靖計之曰，曰：「達之明日日方曙，候我於汾陽橋。」言訖，乘驢而去，其行若飛，迴顧已失。公與張氏且驚且喜，久之，曰：「烈士不欺人，固無畏。」促鞭而行。及期，入太原，果復相見。大喜，偕詣劉氏。詐謂文靜曰：「以善相者思見郎君，請迎之。」文靜素奇其人，一旦聞有客善相，遽致使迎之。使迴而至，不衫不履，裼裘而來，神氣揚揚，貌與常異。虬髯默居末坐，見之心死。飲數杯，招靖曰：「眞天子也！」公以告劉，劉益善，自負。既出，而虬髯曰：「吾得十八九矣。然須道兄見。李郎宜與一妹復入京，某日午時，訪我於馬行東酒樓下。下有此驢及瘦驢，即我與道兄俱在其上矣。到即登焉。」又別而去。公與張氏復應之。及期訪焉，宛見二乘。攬衣登樓，虬髯與一道士方對飲，見公驚喜，召坐。圍飲十數巡，曰：「樓下櫃中有錢十萬。擇一深隱處駐一妹。某日復會我於汾陽橋。」如期至，即道士與虬髯已到矣。俱謁文靜。時方弈棋，揖而話心焉。文靜飛書迎文皇看棋。道士對弈。虬髯與公傍侍焉。俄而文皇到來，精采驚人，長揖而坐。神氣清朗，滿坐風生，顧盼煒如也。道士一見慘然，下棋子曰：「此局全輸矣！於此失卻局哉1救無路矣！復奚言！」罷弈而請去。既出，謂虬髯曰：「此世界非公世界，他方可也。勉之，勿以爲念。」因共入京。虬髯曰：「計李郎之程，某日方到。到之明日，可與一妹同詣某坊曲小宅相訪。李郎相從一妹，懸然如磬。欲令新婦祇謁，兼議從容，無前卻也。」言畢，吁嗟而去。

公策馬而歸。即到京遂與張氏同往。乃一小板門子，叩之，有應者，拜曰：「三郎令俟李郎一娘子久矣。」延入重門，門愈壯。婢四十人，羅列廷前。奴二十人，引公入東廳。廳之陳設，窮極珍異，箱中妝奩冠鏡首飾之盛，非人間之物。巾櫛妝飾畢，請更衣，衣又珍異。既畢，傳云：「三郎來！」乃虬髯紗帽裼裘而來，亦有龍虎之狀，歡然相見。催其妻出拜，蓋亦天人耳。遂延中堂，陳設盤筵之盛，雖王公家不侔也。四人對饌訖，陳女樂二十人，列奏於前，似從天降，非人間之曲。食畢，行酒。家人自東堂舁出二十床，各以錦繡帕覆之。既陳，盡去其帕，乃文簿鑰匙耳。虬髯曰：「此盡寶貨泉貝之數。吾之所有，悉以充贈。何者？欲於此世界求事，當龍戰三二十載，建少功業。今既有主，住亦何爲？太原李氏，眞英主也。三五年內，即當太平。李郎以奇特之才，輔清平之主，竭心盡善，必極人臣。一妹以天人之姿，蘊不世之藝，從夫之貴，榮及軒裳。非一妹不能識李郎，非李郎不能榮一妹。聖賢起陸之漸，際會如期，虎嘯風生，龍吟雲萃，固非偶然也。將余之贈，以佐眞主，施功立業，勉之哉！此後十年，當東南數千里外有異事，是吾得意之秋也。一妹與李郎可瀝酒東南相賀。」因命家童列拜，曰：「李郎一妹，是汝主也！」言訖，與其妻戎服乘馬，一奴從後，數步，遂不復見。靖據其宅，遂爲豪家，得以助文皇締構之資，遂匡天下。貞觀中，公以左僕射平章事。適南蠻入奏曰：「有海船千艘，甲兵十萬，入扶餘國，殺其主自立。國已定矣。」公心知虬髯成功也。歸告張氏，具衣相賀，瀝酒東南祝拜之。乃知眞人之興也，非英雄所冀，況非英雄乎？人臣之謬思亂者，乃螳臂之拒走輪耳。我皇家垂福萬葉，豈虛然哉。或曰：「衛公之兵法，半乃虬髯所傳也。」

雖寫虬髯客，而用筆最動人處是紅拂女慧眼識英雄，慧心解困擾，慧質自天成。紅拂十八九佳麗，其智慧決斷乃成於一瞬間，並斷然行之。夜奔李靖說：「我認識天下士多，沒有像你這樣讓我心裡敬服的。」下面接著說：「絲蘿非獨生，願托喬木。」宛轉妥貼，比喻恰當，自以絲蘿托附喬木，來表明投奔依靠之意，何等高雅而脫俗。而李靖則喜懼交加，得此佳人，眞是一大幸事。二人相偕而去，至旅舍休息，紅拂長髮委地梳妝，虬髯客來欹枕看紅拂女梳頭，李靖侍要發作，紅拂急忙阻止。迅即挽起長髮，客客氣氣問虬髯姓名，因爲同姓，馬上自稱爲妹，立刻化解衝突的危機爲轉機進而爲契機，此種高度的智慧，豈是易爲的。然後同行共赴太原，相謀國事。前之兩大關鍵，確定三人之關係。並開啓爾後的空前大事業。紅拂出宮庭，爲風塵與開國之俠女典範，遂無任何人可以並肩了。像紅拂這等奇女子，也是古今以來一人而已。

在唐人言情小說中，以俠義爲情節轉捩，而又開一新局面，能使結局做大轉變的故事，有許堯佐的「柳氏傳」，有蔣防的「霍小玉傳」，有薛調的「無雙傳」。

徐堯佐員元進士，位諫議大夫，所傳柳氏故事，唐時已經盛傳。韓翃天寶末進士，能詩，所遊皆名士。有李生爲一豪富與韓翃友善。李有愛姬柳氏，特重韓生文才，李知柳氏屬意於韓翃，慨然相贈。天寶末年，京中亂起，柳氏避於寺廟，仍爲蕃將沙吒利所劫。柳氏使女奴以香盒授韓，韓悲不勝情。虞侯許俊聞之，大爲不平，犯關排闥，直入沙吒利府中，救出柳氏與韓翊團聚。

蔣防「霍小玉傳」。胡應麟說：「唐人小說紀閨閣事，綽有情致。此篇尤爲唐人最精采動人之傳奇，故傳誦不衰。」書中李益字君虞，肅宗時，宰相李揆族子。長於詩歌，與李賀齊名。李益以進士擢第居長安，經鮑十一娘之謀介，識得小玉，初見「但覺一室之中，若瓊林玉樹，互相照曜，轉盼精彩射人」。定情之夕「玉至，言叙溫和，辭氣宛媚。解羅衣之際，態有餘姸，低幃暱枕，極其歡愛。」又言：「中宵之夜，玉忽流涕觀生曰：『妾本倡家，自知非近。今以色愛，托其仁賢。但慮一旦色衰，恩移情替，使女蘿無托，秋扇見捐。極觀之際，不覺悲至。』」生則信誓旦旦：「平生志願，今日獲從，粉骨碎身，誓不相捨。」小玉與李益從茲以後日夜相從，二年後，李授鄭主簿。將去之時，小玉自以爲出自倡家，自知非匹，念念以「妾年始十八，君纔二十有二，迨君壯室之秋，猶有八歲。一生歡愛，願畢此期。」李益則且感且愧，請小玉端居以待奉迎。此段寫二人纏綿的愛情，可謂刻骨銘心。不料，李益歸家，太夫人竟以富豪盧氏女妻之。小玉爲了尋找李益，小玉最後把心愛的「紫玉釵」也當掉，「日夜涕泣，都忘寢食，期一相見，竟無因由。」「慚恥忍割」、「疾候沈綿」至於病入膏肓。李益爲了仕宦功名，不顧山盟海誓，薄倖如此，於小玉「亮憤益深，委頓床枕」時，竟與同輩五六人往崇敬寺觀賞牡丹花。因此「風流之士共感玉之多情，豪俠之倫，皆怒生之薄行」。乃至「忽有一豪士，衣輕黃紵衫，挾弓彈，丰神秀美，衣服輕華，挾持李益來見小玉，小玉既見李益，沈痛之情，發爲怒罵後，「長慟號哭數聲而絕」。

「無雙傳」本傳乃是亂世兒女悲歡離合的故事，情節是有王仙客早年與舅父劉震之女無雙有婚約，惟因京師動亂，劉震舉家出奔，以至離散。後因劉震受偏命官，與夫人皆處極刑，無雙沒入掖庭爲宮女。仙客百計求見一面，無雙令仙客求助於俠客古押衙。仙客尋得女押衙。左押衙去後十年無消息，忽一日送書來，已求得「茅山道士者藥術，其藥服之立死，三日卻活」。因告無雙使婢採蘋假扮中使，「以無雙逆黨，賜此藥令自盡。至陵下，託以親戚，百謙贖其尸」。仙客抱入獨居的閣子中，無雙死而復活。仙客之救回無雙，自是千古奇蹟。而古押衙恐事洩於世，殺知之者塞鴻等而自刎，亦奇法中的重大犧牲。內述仙客對無雙一本初衷，爲無雙捨死忘生，以求救得伊無恙歸來，與李益之絕情成一大對照。本篇有如下之注解，錄之以供參考：

按本傳據太平廣記四百八十六校錄：胡應麟莊嶽委談（筆叢四十一）云：『王仙客，事大奇而不情，蓋潤飾之過。或烏有無是之類不可知。』胡氏致疑無雙，未必實有其人。然唐時有崔郊秀才者，寓居於漢上，蘊積文藝，而物產罄懸。亡何，與姑婢通，每有阮咸之縱。其婢端麗，饒彼音律之能，漢南之最也。姑貧鬻婢於連帥。連帥愛之，以類無雙。（原註：無雙，即薛太保之妾，至今圖畫觀之。）給錢四十萬，寵盼彌深。郊思慕不已，即強親府署，願一見焉。其婢因寒食來從事家，值郊立於柳陰，馬上連泣，誓若山河。崔生贈之以詩曰：『公子王孫逐後塵，綠珠垂淚滴羅巾。侯門一入深如海，從此蕭郎是路人。』或有嫉郊者，寫其詩於座。帥睹之，令召崔生。左右莫測，郊深憂悔，無處潛逃。及見郊，握手曰：『侯門一入深如海，從此蕭郎是路人。』便是公製作耶？四百千小哉！何惜一書，不早相示。』遂命婦同歸。至於帷幌奩匣，悉爲增飾之。小阜崔生矣。見唐范攄雲溪友議。此事既與王仙客事相類，而無雙爲薛太保之妾，且有圖畫流傳，亦可考見。薛調與范攄同爲咸通間人。（范攄咸通人，見唐書藝文志。薛調，咸通十三年。卒年四十三。見唐語林。）或各摭所聞，筆諸篇籍。薛則直取向來豔傳之無雙，附會其事。而嗜奇之過，不中情理，反不如雲溪友議所載之崔郊，切近人情也。明陸采撰明珠記劇本，即據此文。

以上「柳氏傳」與「無雙傳」皆是喜劇終場。而「霍小玉傳」則因李益負心，以悲劇結束。才子佳人的情節是唐代言情小說中主要的觀點，但在「霍小玉傳」中特別顯示出李益之屈從太夫人的安排，不敢反對的原因，是因爲霍小玉娼家女的身份地位，會阻礙了他升官發財的前途，故能狠下心，違背了自己的誓言。俠士黃衫客行事，自然是打抱不平，可惜已無法挽救小玉的性命。從一而終，顯然是紅粉佳人惟一的選擇，也使有情人發生無窮的感嘆。

在才子佳人的小說中，最膾炙人心的恐怕是「遊仙窟」這部早年流傳到日本的小說。鄭振鐸「關於遊仙窟」文中說：「張鷟的遊仙窟卻是一支宗派茂盛的小說或故事的祖先」。又說：「我們讀了鶯鶯傳、燕山外史之後，我們才知道遊仙窟的勢力如何偉大」。那麼「遊仙窟」的內容是怎樣，我們翻開來看：

遊仙窟

張文成撰　據忠州李氏平等略鈔本校錄

若夫積石山者，在乎金城西南，河所經也。書云：『導河積石，至於龍門。』即此山是也。僕從汧隴，奉使河源。嗟命運之迍邅，歎鄉關之眇邈。張騫古跡，十萬里之波濤，伯禹遺蹤，二千年之坂隥。深谷帶地，鑿穿崖岸之形，高嶺橫天，刀削崗巒之勢。煙霞子細，泉石分明，實天上之靈奇，乃人間之妙絕。目所不見，耳所不聞。日晚途遙，馬疲人乏。行至一所，險峻非常：向上則有青壁萬尋，直下則有碧潭千仞。古老相傳云：『此是神仙窟也；人跡罕及，鳥路纔通。每有香果瓊枝，天衣錫鉢，自然浮出，不知從何而至。』余乃端仰一心，潔齋三日。緣細葛，泝輕舟。身體若飛，精靈似夢。須臾之間，忽至松柏巖，桃華澗，香風觸地，光彩遍天。見一女子向水側浣衣，余乃問曰：『承聞此處有神仙之窟宅，故來祇候。山川阻隔，疲頓異常，欲投娘子，片時停歇；賜惠交情，幸垂聽許。』女子答曰：『兒家堂舍賤陋，供給單疏，只恐不堪，終無吝惜。』余答曰：『下官是客，觸事卑微，但避風塵，則爲幸甚。』遂止余於門側草亭中，良久乃出。余問曰：『此誰家舍也？』女子答曰：『此是崔女郎之舍耳。』余問曰：『崔女郎何人也？』女子答曰：『博陵王之苗裔，清河公之舊族。容貌似舅，潘安仁之外甥；氣調如兄，崔季珪之小妹。華容婀娜，天上無儔；玉體逶迤，人間少匹。輝輝面子，荏苒畏彈穿；細細腰支，參差疑勒斷。韓娥宋玉，見則愁生，絳樹青琴，對之羞死。千嬌百媚，造次無可比方。弱體輕身，談之不能備盡。』須臾之間，忽聞内裡調箏之聲；僕因詠曰：『自隱多姿則，欺他獨自眠。故故將纖手，時時弄小絃。耳聞猶氣絕，眼見若爲憐。從渠痛不肯，人更別求天。』片時，遣婢桂心傳語，報余詩曰：『面非他舍面，心是自家心；何處關天事，辛苦漫追尋！』余讀詩訖，舉頭門中，忽見十娘半面，余即詠曰：『斂笑偷殘靨，含羞露半脣，一眉猶叵耐，雙眼同傷人。』又遣婢桂心報余詩曰：『好是他家好，人非著意人，何須漫相弄，幾許費精神。』於時夜久更深，沈吟不睡，彷徨徙倚，無便披陳。彼誠既有來意，此間何能不答！遂申懷抱，因以贈書曰：『余以少娛聲色，早慕佳期，歷訪風流，遍遊天下。彈鶴琴於蜀郡，飽見文君，吹鳳管於秦樓，熟看弄玉。雖復贈蘭解珮，未甚關懷；合巹橫陳，何曾愜意！昔日雙眠，恆嫌夜短，今宵獨臥，實怨更長。一種天公，兩般時節。遙聞香氣，獨傷韓壽之心，近聽琴聲，似對文君之面。向來見桂心談說十娘，天上無雙，人間有一。依依弱柳，束作腰支；燄燄橫波，翻成眼尾。纔舒兩頰，孰疑地上無華；乍出雙眉，漸覺天邊失月。能使西施掩面，百遍燒妝；南國傷心，千迴撲鏡。洛川迴雪，只堪使疊衣裳；巫峽仙雲，未敢爲擎鞾履。忿秋胡之眼拙，枉費黃金；念交甫之心狂，虛當白玉。下官寓遊勝境，旅泊閑亭，忽遇神仙，不勝迷亂。芙蓉生於澗底，蓮子實深，木栖出於山頭，相思日遠。未曾飲炭，腸熱如燒，不憶吞刃，腹穿似割。無情明月，故故臨窗，多事春風，時時動帳。愁人對此，將何自堪！空懸欲斷之腸，請救臨終之命。元來不見，他自尋常；無故相逢，卻交煩惱。敢陳心素，幸願照知！若得見其光儀。豈敢論其萬一！』書達之後。十娘斂色謂桂心曰：『向來劇戲相弄，眞成欲逼人。』余更又贈詩一首，其詩曰：『今朝忽見渠姿首，不覺慇懃著心口；令人頻作許叮嚀，渠家太劇難求守。端坐剩心驚，愁來益不平。看時未必相看死，難時那許太難生。沉吟坐幽室，相思轉成疾。自恨往還疏，誰肯交遊密！夜夜空知心失眼，朝朝無便投膠漆。園裡華開不避人，閨中面子翻羞出。如今寸步阻天津，伊處留心更覓新。莫言長有千金面，終歸變作一抄塵。生前有日但爲樂，死後無春更著人。祇可倡佯一生意，何須負持百年身？』少時，坐睡，則夢見十娘；驚覺攬之，忽然空手。心中悵快，復何可論！余因乃詠曰：『夢中疑是實，覺後忽非眞。誠知腸欲斷，窮鬼故調人。』十娘見詩，並不肯讀，即欲燒卻。余即詠曰：『未必由詩得，將詩故表憐。聞渠擲入火，定是欲相燃。』十娘讀詩，悚息而起。匣中取鏡，箱裡拈衣。袨服靚妝，當階正履。余又爲詩曰：『薰香四面合，光色兩邊披。錦障劃然卷，羅帷垂半敧。紅顏雜綠黛，無處不相宜。豔色浮妝粉，含香亂口脂。鬢欺蟬鬢非成鬢，眉笑蛾眉不是眉。見許實娉婷，何處不輕盈！可憐嬌裡面，可愛語中聲。婀娜腰支細細許，賺眪眼子長長馨。巧兒舊來鐫未得，畫匠迎生摸不成。相看未相識，傾城復傾國。迎風帔子鬱金香，照日裙裾石榴色。口上珊瑚耐拾取，頰裡芙蓉堪摘得，聞名腹肚已猖狂，見面精神更迷惑。心肝恰欲摧，踴躍不能裁。徐行步步香風散，欲語時時媚子開。靨疑織女留星去，眉似姮娥送月來。含嬌窈窕迎前出，忍笑嫈嫇返卻迴。』余遂止之曰：『既有好意，何須卻入？』然後逶迤迴面，婭姹向前。十娘斂手而再拜向下官，下官亦低頭盡禮而言曰：『向見稱揚，謂言虛假，誰知對面，恰是神仙。此是神仙窟也。』十娘曰：『向見詩篇，謂非凡俗，今逢玉貌，更勝文章。此是文章窟也。』僕因問曰：『主人姓望何處？夫主何在？』十娘答曰：『兒是清河崔公之末孫，適弘農楊府君之長子。就成大禮，隨父住於河西。蜀生狡猾，屢侵邊境。兄及夫主，棄筆從戎，身死寇場，煢魂莫返。兒年十七，死守一夫；嫂年十九，誓不再醮。兄即清河崔公之第五息，嫂即太原公之第三女。別宅於此，積有歲年。室宇荒涼，家途翦弊。不知上客從何而至？』僕斂容而答曰：『下官望屬南陽，住居西鄂。得黃石之靈術，控白水之餘波。在漢則七葉貂蟬，居韓則五重卿相。鳴鐘食鼎，積代衣纓。長戟高門，因循禮樂。下官堂構不紹，家業淪胥。青州刺史博望侯之孫，廣武將軍鉅鹿侯之子。不能免俗，沉跡下寮。非隱非遁，逍遙鵬鷃之間，非吏非俗，出入是非之境。暫因驅使，至於此間。卒爾乾煩，實爲傾仰。』十娘問曰：『上客見任何官？』下官答曰：『幸屬太平，恥居貧賤。前被賓貢，已入甲科；後屬搜揚，又蒙高第。奉勑授關內道小縣辱，見充河源道行軍總管記室。頻繁上命，徒想報恩。馳驟下寮，不遑寧處。』十娘曰：『少府不因行吏，豈肯相顧？』下官答曰：『比不相知，闕爲參展，今日之後，不敢差違。』十娘遂回頭喚桂心曰：『料理中堂，將少府安置。』下官逡巡而謝曰：『遠客卑微，此間幸甚。才非賈誼，豈敢昇堂！』十娘答曰：『向者承聞，謂言凡客；拙爲禮貺，深覺面慚。兒意相當，事須引接。此間疏陋，未免風塵。入室不合推辭，昇堂何須進退！』遂引入中堂。於時金臺銀闕，蔽日干雲。或似銅雀之新開，乍如靈光之且敞。梅梁桂棟，疑飲澗之長虹，反宇雕甍，若排天之矯鳳。水精浮柱，的皪含星，雲母飾窗，玲瓏映日。長廊四注，爭施玳瑁之椽；高閣三重，悉用瑠璃之瓦。白銀爲壁，照曜於魚鱗，碧玉緣階，參差於雁齒。入穹崇之室宇，步步心驚；見儻閬之門庭，看看眼磣。遂引少府升階。下官答曰：『客主之間，豈無先後？』十娘曰：『男女之禮，自有尊卑。』下官遷延而退曰：『向來有罪過，忘不通五嫂。』十娘曰：『五嫂亦應自來，少府遣通，亦是周匝。』則遣桂心通，暫參屈五嫂。十娘共少府語話，須臾之間，五嫂則至。羅綺繽紛，丹青暐曄。裙前麝散，髻後龍盤。珠繩絡翠衫，金薄塗丹履。余乃詠曰：『奇異妍雅，貌特驚新。眉間月出疑爭夜，頰上華開似鬥春。細腰偏愛轉，笑臉特宜嚬。眞成物外奇稀物，實是人間斷絕人。自然能舉止，可念無比方。能令公子百重生，巧使王孫千迴死。黑雲裁兩鬢，白雪分雙齒。織成錦袖麒麟兒，刺繡裙腰鸚鵡子。觸處盡開懷，何曾有不佳！機關太雅妙，行步絕娃媠。傍人一一丹羅韈，侍婢三三綠線鞋。黃龍透入黃金釧，白燕飛來白玉釵。』相見既畢，五嫂曰：『少府跋涉山川，深疲道路，行途屆此，不及傷神。』下官答曰：『僶俛王事，豈敢辭勞！』五嫂迴頭笑向十娘曰：『朝聞烏鵲語，眞成好客來。』下官曰：『昨夜眼皮瞤，今朝見好人。』即相隨上堂。珠玉驚心，金銀曜眼。五彩龍鬚席，銀繡緣邊氈；八尺象牙床，緋綾帖薦褥。車渠等寶，俱映優曇之花；瑪瑙眞珠，並貫頗梨之線。文柏榻子，俱寫豹頭；蘭草燈心，並燒魚腦。管絃寥亮，分張北户之間；杯盞交横，列坐南窗之下。各自相讓，俱不肯見坐。僕曰：『十娘主人，下官是客。請主人先坐。』五嫂爲人饒劇，掩口而笑曰：『娘子既是主人母，少府須作主人公。』下官曰：『僕是何人，敢當此事！』十娘曰：『五嫂向來戲語，少府何須漫怕！』下官答曰：『必其不免，只須身當。』五嫂笑曰：『只恐張郎不能禁此事。』衆人皆大笑。一時俱坐。即喚香兒取酒。俄爾中間，擎一大缽，可受三升已來，金釵銅鐶；金盞銀盃，江螺海蚌；竹根細眼，樹癭蝎唇；九曲酒池，十盛飲器；觴則兕觥犀角，尫尫然置於座中，杓則鵝項鴨頭，汎汎焉浮於酒上。遣小婢細辛酌酒，並不肯先提。五嫂曰：『張郎門下賤客，必不肯先提。娘子逕須把取。』十娘則斜眼佯瞋曰：『少府初到此間，五嫂會些頻頻相弄！』五嫂曰：『娘子把酒莫瞋，新婦更亦不敢。』酒巡到下官，飲乃不盡。五嫂曰：『胡爲不盡？』下官答曰：『性飲不多，恐爲顚沛。』五嫂罵曰：『何由叵耐！女婿是婦家狗，打殺無文；終須傾使盡，莫漫造衆諸！』十娘謂五嫂曰：『向來正首病發耶？』五嫂起謝曰：『新婦錯大罪過。』因迴頭熟視下官曰：『新婦細見人多矣，無如少府公者；少府公乃是仙才，本非凡俗。』下官起謝曰：『昔卓王之女，聞琴識相如之器量，山濤之妻，鑿壁知阮籍爲賢人。誠如所言，不敢望德。』十娘曰：『遺綠竹取琵琶彈，兒與少府公送酒。』琵琶入手，未彈中間，僕乃詠曰：『心虛不可測，眼細強關情；迴身已入抱，不見有嬌聲。』十娘應聲即詠曰：『憐腸忽欲斷，憶眼已先開；渠未相撩撥，嬌從何處來？』下官當見此詩，心膽俱碎。下床起謝曰：『向來唯睹十娘面，如今始見十娘心，足使班婕妤扶輪，曹大家閣筆，豈可同年而語，共代而論哉！』請索筆硯，抄寫置於懷袖。抄詩訖，十娘弄曰：『少府公非但詞句妙絕，亦自能書；筆似青鸞，人同白鶴。』下官曰：『十娘非直才情，實能吟詠；誰知玉貌，恰有金聲。』十娘曰：『兒近來患嗽，聲音不徹。』下官答曰：『僕近來患手，筆墨未調。』五嫂笑曰：『娘子不是故誇，張郎復能應答。』十娘來語五嫂曰：『向來純當漫劇，元來無次第，請五嫂當作酒章。』五嫂答曰：『奉命不敢，則從娘子；不是賦古詩云，斷章取意，唯須得情，若不愜當，罪有科罰。』十娘即遵命曰：『關關雎鳩，在河之洲；窈窕淑女，君子好逑。』次，下官曰：『南有樛木，不可休息，漢有遊女，不可求思。』五嫂曰：『折薪如之何？匪斧不剋。娶妻如之何？匪媒不得。』又次，五嫂曰：『不見復關，泣涕漣漣；及見復關，載笑載言。』十娘曰：『女也不爽。士二其行，士也罔極，二三其德。』次，下官曰：『穀則異室，死則同穴；謂余不信，有如皦日。』五嫂笑曰：『張郎心專，賦詩大有道理。俗諺曰：「心欲專，鑿石穿。」誠能思之，何遠之有！』其時，綠竹彈箏。五嫂詠箏曰：『天生素面能留客，發意關情併在渠，莫怪向者頻聲戰，良由得伴乍心虛。』十娘曰：『五嫂詠箏，兒詠尺八：「眼多本自令渠愛，口少元來每被侵；無事風聲徹他耳，教人氣滿自填心。」』下官又謝曰：『盡善盡美，無處不佳；此是下愚，預聞高唱。』少時，桂心將下酒物來：東海鯔條，西山鳳脯；鹿尾鹿舌，乾魚炙魚；鴈醢荇葅，鶉臛桂糝；熊掌兔髀，雉臎豺唇；百味五辛，談之不能盡，說之不能窮。十娘曰：『少府亦應太飢。』喚桂心盛飯。下官曰：『向來眼飽，不覺身飢。』十娘笑曰：『莫相弄！且取雙六局來，共少府公賭酒。』僕答曰：『下官不能賭酒，共娘子賭宿。』十娘問曰：『若爲賭宿？』余答曰：『十娘輸籌，則共下官臥一宿；下官輸籌，則共十娘臥一宿。』十娘笑曰：『漢騎驢則胡步行，胡步行則漢騎驢；總悉輸他便點。兒遞換作，少府公太能生。』五嫂曰：『新婦報娘子：不須賭來賭去，今夜定知娘子不免。』十娘曰：『五嫂時時漫語：浪與少府作消息。』下官起謝曰：『元來知劇，未敢承望。』局至，十娘引手向前，眼子盱瞜，手子膃腯，一雙臂腕，切我肝腸，十箇指頭，刺人心髓。下官因詠局曰：『眼似星初轉，眉如月欲消，先須捺後腳，然後勒前腰。』十娘則詠曰：『勒腰須巧快，捺腳更風流，但令細腰合，人自分輸籌。』須臾之間，有一婢名琴心，亦有姿首，到下官處，時復偷眼看；十娘欲似不快。五嫂大語瞋曰：『知足不辱，人生有限。娘子欲似皺眉，張郎不須斜眼。』十娘佯作色嗔曰：『少府關兒何事，五嫂頻頻相惱！』五嫂曰：『娘子向來頻盼少府，若非情想有所交通，何因眼脉朝來頓引？』十娘曰：『五嫂自隱心偏，兒復何曾眼引！』五嫂曰：『娘子不能，新婦自取。』十娘答曰：『自問少府，兒亦不知。』五嫂遂詠曰：『新華發兩樹，分香遍一林；迎風轉細影，向日動輕陰。戲蜂時隱見，飛蝶遠追尋，承聞欲採摘，若箇動君心？』下官謂：『爲性貪多，欲兩華俱採。』五嫂答曰：『暫遊雙樹下，遙見兩枝芳，向日俱翻影，迎風並散香。戲蝶扶丹萼，遊蜂入紫房；人今總摘取，各著一邊廂。』五嫂曰：『張郎太貪生，一箭射兩　。』十娘則謂曰：『遮三不得一，覓兩都盧失。』五嫂曰：『娘子莫分疏，兔入狗突裡，知復欲何如！』下官即起謝曰：『乞漿得酒，舊來伸口，打兔得麞，非意所望。』十娘曰：『五嫂如許大人，專擬調合此事。少府謂言兒是九泉下人，明日在外處，談道兒一錢不直。』下官答曰：『向來承顏色，神氣頓盡；又見清談，心膽俱碎。豈敢在外談說，妄事加諸，忝預人流，寧容如此！伏願歡樂盡情，死無所恨。』

少時，飲食俱到。薰香滿室，赤白兼前；窮海陸之珍羞，備川原之果菜，肉則龍肝鳳髓，酒則玉醴瓊漿。城南雀噪之禾，江上蟬鳴之稻；雞臛雉膗，鱉醢鶉羹；椹下肥肫，荷間細鯉；鵝子鴨卵，照曜於銀盤，麟脯豹胎，紛綸於玉疊；熊腥純白，蟹醬純黃；鮮鱠共紅縷爭光輝，冷肝與青絲亂色；蒲桃甘蔗，楔棗石榴；河東紫鹽，嶺南丹橘；敦煌八子柰，青門五色瓜；太谷張公之梨，房陵朱仲之李；東王公之仙桂，西王母之神桃；南燕牛乳之椒，北趙雞心之棗；千名萬種，不可具論。下官起謝曰：『予與夫人娘子，本不相識，暫緣公做，邂逅相遇。玉饌珍奇，非常厚重，粉身灰骨，不能酬謝。』五嫂曰：『親則不謝，謝則不親。幸願張郎，莫爲形跡。』下官答曰：『既奉恩命，不敢辭遜。』當此之時，氣便欲絕，不覺轉眼，時復偷看十娘。十娘曰：『少府莫看兒！』五嫂曰：『還相弄！』下官詠曰：『忽然心裡愛，不覺很中憐。未關雙眼曲，直是寸心偏。』十娘詠曰：『眼心非一處，心眼舊分離，直令渠眼見，誰遣報心知！』下官詠曰：『舊來心使眼，心思眼即傳，由心使眼見，眼亦共心憐。』十娘詠曰：『眼心俱憶念，心眼共追尋；誰家解事眼，副著可憐心？』於時五嫂遂向果子上作機警曰：『但問意如何，相知不在棗。』十娘曰：『兒今正意密，不忍即分梨。』離下官曰：『勿遇深恩，一生有杏。』(幸)五嫂曰：『當此之時，誰能忍棕。』十娘曰：『暫借少府刀子割梨。』下官詠刀子曰：『自憐膠漆重，相思意不窮，可惜尖頭物，終日在皮中。』十娘詠鞘曰：『數捺皮應緩，頻磨快轉多；渠今拔出後，空鞘欲如何！』五嫂曰：『向來漸漸入深也。』即索碁局，共少府賭酒。下官得勝。五嫂曰：『圍碁出於智慧，張郎亦復太能。』下官曰：『智者千慮，必有一失；愚者千慮，亦有一得。且休卻。』五嫂曰：『何爲即休？』下官詠曰：『向來知道徑，生平不忍欺，但令守行跡，何用數圍碁！』五嫂詠曰：『娘子爲性好圍碁，逢人劇戲不尋思；氣欲斷絕先挑眼，既得速罷即須遲。』十娘見五嫂頻弄，佯瞋不笑。余詠曰：『千金此處有，一笑待渠爲；不望全露齒，請爲暫嚬眉。』十娘詠曰：『雙眉碎客膽，兩眼判君心，誰能用一笑，賤價買千金。』當時有一破銅熨斗在於床側，十娘忽詠曰：『舊來心肚熱，無端強熨他，即今形勢冷，誰肯重相磨！』下官詠曰：『若冷頭面在，生平不熨空，即今雖冷惡，人自覓殘銅。』衆人皆笑。十娘喚香兒爲少府設樂，金石並奏，簫管間響：蘇合彈琵琶，綠竹吹篳篥，仙人鼓瑟，玉女吹笙。玄鶴俯而聽琴，白魚躍而應節。清音叨咷，片時則梁下塵飛，雅韻鏗鏘，卒爾則天邊雪落；一時忘味，孔丘留滯不虛，三日繞梁，韓娥餘音是實。十娘曰：『少府稀來，豈不盡樂！五嫂大能作舞，且勸作一曲。』亦不辭憚。遂即逶迤而起，婀娜徐行。蟲蛆面子，妒殺陽城，蠶賊容儀，迷傷下蔡。舉手頓足，雅合宮商，顧後窺前，深知曲節。欲似蟠龍宛轉，野鵠低昂。迴面則日照蓮花，翻身則風吹弱柳。斜眉盜盼，異種嬉姑，緩步急行。窮奇造鑿。羅衣熠耀，似彩鳳之翔雲，錦袖紛披，若青鸞之映水。千嬌眼子，天上失其流星，一搦腰支，洛浦愧其迴雪。光前豔後，難遇難逢，進退去來，希聞希見。兩人俱起舞，共勸下官。下官遂作而謝曰：『滄海之中難爲水，霹靂之後難爲雷；不敢推辭，定爲醜拙。』遂起作舞。桂心咥咥然低頭而笑。十娘問曰：『笑何事？』桂心曰：『笑兒等能作音聲。』十娘曰：『何處有能？』答曰：『若其不能，何因百獸率舞？』下官笑曰：『不是百獸率舞，乃是鳳凰來儀。』一時大笑。五嫂謂桂心曰：『莫令曲誤！張郎頻顧。』桂心曰：『不辭歌者苦，但傷知音稀。』下官曰：『路逢西施，何必須識！』遂舞，著詞曰：『從來巡遶四邊，忽逢兩箇神仙，眉上冬天出柳，頰中旱地生蓮，千看千處嫵眉，萬看萬處嬡妍，今宵若其不得，剩命過與黃泉。』又一時大笑。舞畢，因謝曰：『僕實庸才，得陪清賞，賜垂音樂，慚荷不勝。』十娘詠曰：『得意似鴛鴦，情乖若胡越。不向君邊盡，更知何處歇！』十娘曰：『兒等並無可收採，少府公云：「冬天出柳，旱地生蓮。」總是相弄也。』下官答曰：『十娘面上非春，翻生柳葉。』十娘應聲曰：『少府頭中有水，那不生蓮華？』下官笑曰：『十娘機警，異同著便。』十娘答曰：『得便不能與，明年知有何處。』於時硯在床頭，下官因詠筆硯曰：『摧毛任便點，愛色轉須磨，所以研難竟，良由水太多。』十娘忽見鴨頭鐺子，因詠曰：『嘴長非爲嘲，項曲不由攀，但令腳直上，他自眼雙翻。』五嫂曰：『向來大大不遜，漸漸深入也。』於時乃有雙燕子，梁間相逐飛。僕因詠曰：『雙燕子，聯翩幾萬迴，強知人是客，方便惱他來。』十娘詠曰：『雙燕子，可可事風流，即令人得伴，更亦不相求。』酒巡到十娘，下官詠酒杓子曰：『尾動惟須急，頭低則不平，渠今合把爵，深淺任君情。』十娘詠盞曰：『發初先向口，欲竟漸伸頭；從君中道歇，到底即須休。』下官翕然而起謝曰：『十娘詞句，事盡入神，乃是天生，不關人學。』五嫂曰：『張郎新到，無可散情，且遊後園，暫適懷抱。』其時園內，雜果萬株，含青吐綠，叢花四照，散紫翻紅，激石鳴泉，疏巖鑿磴，無冬無夏，嬌鶯亂於錦枝，非古非今，花魴躍於銀池；婀娜蓊茸。清冷颸颵；鵝鴨分飛，芙蓉間出；大竹小竹，誇渭南之千畝，花合花開，笑河陽之一縣；青青岸柳，絲條拂於武昌，赫赫山楊，箭幹稠於董澤。余乃詠花曰：『風吹遍樹紫，日照滿池丹，若爲交暫折，擎就掌中看。』十娘詠曰：『映水俱知笑，成蹊竟不言，即今無自在，高下任渠攀。』下官即起謝曰：『君子不出遊言，意言不勝再，娘子恩深，請五嫂等各製一篇。』下官詠曰：『昔時過小苑，今朝戲後園，兩歲梅花匝，三春柳色繁；水明魚影靜，林翠鳥歌喧，何須杏樹嶺，即是桃花源。』十娘詠曰：『梅蹊命道士，桃澗佇神仙，舊魚成大劍，新龜類小錢；水湄唯見柳，池曲且生蓮，欲知賞心處，桃花落眼前。』五嫂詠曰：『極目遊芳苑，相將對花林，露淨山光出，池鮮樹影沉；落花時泛酒，歌鳥惑鳴琴，是時日將夕，攜樽就樹陰。』當時，樹上忽有一李子落下官懷中。下官詠曰：『問李樹：如何意不同，應來主手裡，翻入客懷中？』五嫂即報詩曰：『李樹子，元來不是偏，巧知娘子意，擲果到渠邊。』於時，忽有一蜂子飛上十娘面上。十娘詠曰：『問蜂子：蜂子太無情，飛來蹈人面，欲似意相輕？』下官代蜂子答曰：『觸處尋芳樹，都盧少物華。試從香處覓，正值可憐花。』衆人皆拊掌而笑。其時，園中忽有一雉，下官命弓箭射之，應弦而倒。五嫂笑曰：『張郎才器，乃是曹植天然，今見武功，又復子南夫也。今共娘子相配，天下惟有兩人耳。』十娘因見射雉，詠曰：『大夫巡麥隴，處子習桑間，若非由一箭，誰能爲解顏。』僕答曰：『心緒恰相當，誰能護短長，一床無兩好，半醜亦何妨。』五嫂曰：『張郎射路長垛如何？』僕答曰：『且得不闕事而已。』遂射之，三發皆遶遮齊，衆人稱好。十娘詠弓曰：『平生好須弩，得挽則低頭，聞君把提快，再乞五三籌。』下官答曰：『縮幹全不到，抬頭則大過。若令臍下入，百放故籌多。』於時，日落西淵，月臨東渚。五嫂曰：『向來調謔，無處不佳，時既曛黃，且還房室，庶張郎共娘子安置。』十娘曰；『人生相見，且論盃酒，房中小小，何暇匆匆。』遂引少府向十娘臥處：屏風十二扇，畫鄣五三張，兩頭安彩幔，四角垂香囊；檳榔豆蔻子，蘇合綠沉春，織文安枕席，亂彩疊衣箱；相隨入房裡，縱橫照羅綺，蓮花起鏡臺，翡翠生金履；帳口銀虺裝，床頭玉獅子，十重蛩蛩氈，八疊鴛鴦被，數箇袍褲，異種妖婬；姿質天生有，風流本性饒，紅衫窄裏小擷臂，綠袂帖亂細纏腰；時將帛子拂，還投和香燒；妍華天性足，由來能裝束；斂笑正金釵，含嬌累繡縟；梁家妄稱梳髮緩，京兆何曾畫眉曲。十娘因在後，沉吟久不來。余問五嫂曰：『十娘何處去，應有別人邀？』五嫂曰：『女人羞自嫁，方便待渠招。』言語未畢，十娘則到。僕問曰：『旦來披霧，香處尋花，忽遇狂風，蓮中失藕；十娘何處漫行來？』十娘回頭笑曰：『星留織女，遂處人間；月待姮娥，暫歸天上。少府何須苦相怪！』於時兩人對坐，未敢相觸，夜深情急，透死忘生。僕乃詠曰：『千看千意密，一見一憐深，但當把手子，寸斬亦甘心。』十娘斂色卻行。五嫂詠曰：『他家解事在，未肯輒相瞋，徑須剛捉著，遮莫造精神。』余時把著手子，忍心不得。又詠曰：『千思千腸熱，一念一心焦，若爲求守得，暫借可憐腰。』十娘又不肯，余捉手挽，兩人爭力。五嫂詠曰：『巧將衣障口，能用被遮身，定知心肯在，方便故邀人。』十娘失聲成笑，婉轉入懷中。當時腹裡顛狂，心中沸亂。又詠曰：『腰支一遇勒，心中百處傷，但若得口子，餘事不承望。』十娘嗔詠曰：『手子從君把，腰支亦任迴。人家不中物，漸漸逼他來。』十娘曰：『雖作拒張，又不免輸他口子。』口子鬱郁，鼻似薰穿，舌子芬芳，頰疑鑽破。五嫂詠曰：『自隱風流到，人前法用多，計時應拒得，佯作不禁他。』十娘曰：『昔日曾經自弄他，今朝並悉從人弄。』下官起，諮請曰：『十娘有一思事，亦擬申論，猶自不敢即道，請五嫂處分。』五嫂曰：『但道！不須避諱。』余因詠曰：『藥草俱嘗遍，並悉不相宜，惟須一箇物，不道自應知。』十娘答詠曰：『素手曾經捉，纖腰又被將，即今輸口子，餘事可平章。』下官斂手而答曰：『向來惶惑，實畏參差；十娘憐愍客人，存其死命，可謂白骨再肉，枯樹重花。伏地叩頭，慇懃死罪。』五嫂因起謝曰：『新婦曾聞：線因針而達，不因針而繾；女因媒而嫁，不因媒而親。新婦向來專心爲勾當，以後之事，不敢預知；娘子安穩，新婦向房臥去也。』於時夜久更深，情急意密。魚燈四面照，蠟燭兩邊明。十娘即喚桂心，並呼芍藥，與少府脱鞾履，疊袍衣，閣幞頭，掛腰帶。然後自與十娘施綾帔，解羅裙，脱紅衫，去綠襪。花容滿目，香風裂鼻。心去無人制，情來不自禁。插手紅褌，交腳翠被。兩唇對口，一臂枕頭，拍搦奶房間，摩挲髀子上，一喫一意快，一勒一傷心，鼻裡痠痺，心中結繚；少時眼花耳熱，脈脹筋舒，始知難逢難見，可貴可重。俄頃中間，數迴相接。誰知可憐病鵲，夜半驚人，薄媚狂雞，三更唱曉，遂則披衣對坐，泣淚相看。下官拭淚而言曰：『所恨別易會難，去留乖隔，王事有限，不敢稽停；每一尋思，病深骨髓。』十娘曰：『兒與少府，平生未展，邂逅新交，未盡歡娛，忽嗟別離，人生聚散，知復如何！』因詠曰：『元來不相識，判自斷知聞，天公強多事，今遣若爲分。』僕乃詠曰：『積愁腸已斷，懸望眼應穿，今宵莫閉戶，夢裡向渠邊。』少時，天曉已後，兩人俱泣，心中哽咽，不能自勝。侍婢數人，並皆歔欷，不能仰視。五嫂曰：『有同必異。自昔攸然；樂盡哀生，古來常事。願娘子稍自割捨。』下官乃將衣袖與娘子拭淚。十娘乃作別詩曰：『別時終是別，春心不值春，羞見孤鸞影，悲看一騎塵；翠柳開眉色，紅桃亂臉新，此時君不在，嬌鶯弄殺人。』五嫂詠曰：『此時經一去，誰知隔幾年！雙鳧傷別緒，獨鶴慘離絃；怨起移醒後，愁生落醉前；若使人心密，莫惜馬蹄穿。』下官詠曰：『忽然聞道別，愁來不自禁，眼下千行淚，腸懸一寸心；兩劍俄分匣，雙鳧忽異林，慇懃惜玉體，勿使外人侵。』十娘小名『瓊英』，下官因詠曰：『卞和山未斵，羊雍地不耕，自憐無玉子，何日見瓊英？』十娘應聲詠曰：『鳳錦行須贈，龍梭久絕聲，自恨無機杼，何日見文成？』下官瞿然，破愁成笑。遂喚奴曲琴，取『相思枕』留與十娘，以爲記念。因詠曰：『南國傳椰子，東家賦石榴；聊將代左腕，長夜枕渠頭。』十娘報以雙履，報詩曰：『雙鳧乍失伴，兩燕還相屬，聊以當兒心，竟日承君足。』下官又遺曲琴取『揚州青銅鏡』，留與十娘。並贈詩曰：『仙人好負局，隱士屢潛觀。映水菱光散，臨風竹影寒；月下時驚鵲，池邊獨舞鸞，若道人心變，從渠照膽看。』十娘又贈手中扇，詠曰：『合觀遊壁水，同心侍華闕，颯颯似朝風，團團如夜月，鸞姿侵霧起，鶴影排空發，希君掌中握，勿使恩情歇。』下官辭謝訖，因遣左右取『益州新樣錦』一疋，直奉五嫂；因贈詩曰：『今留片子信，可以贈佳期，裁爲八幅被，時復一相思。』五嫂遂抽金釵送張郎，因報詩曰：『兒今贈君別，情知後會難，莫言釵意小，可以掛渠冠。』更取『滑州小綾子』一疋，留與桂心香兒數人共分。桂心已下，或脱銀釵，落金釧，解帛子，施羅巾，皆自送張郎曰：『好去。若因行李，時復相過。』香兒因詠曰：『大夫存行跡，慇懃爲數來，莫作浮萍草，逐浪不知迴！』下官拭淚而言曰：『犬馬何識，尚解傷離，鳥獸無情，由知怨別；心非木石，豈忘深恩！』十娘報詩曰：『他道愁勝死，兒言死勝愁，愁來百處痛，死去一時休。』又詠曰：『他道愁勝死，兒言死勝愁，日夜懸心憶，知隔幾年秋。』下官詠曰：『人去悠悠隔兩天，未審迢迢度幾年？縱使身遊萬里外，終歸意在十娘邊。』十娘詠曰：『天涯地角知何處，玉體紅顏難再遇！但令翅羽爲人生，會些高飛共君去。』下官不忍相看，忽把十娘手子而別。行至二三里，迴頭看數人，猶在舊處立。余時漸漸去遠，聲沉影滅，顧瞻不見，惻愴而去。行到山口，浮舟而過，夜耿耿而不寐，心煢煢而靡託，既悵恨於啼猨，又悽傷於別鵠。飲氣吞聲，天道人情，有別必怨，有危必盈。去日一何短，來宵一何長，比目絕對，雙鳧失伴，日日衣寬，朝朝帶緩，口上唇裂，胸間氣滿，淚臉千行，愁腸寸斷。端坐橫琴，涕血流襟，千思競起，百慮交侵，獨嚬眉而永結，空抱膝而長吟。望神仙兮不可見，普天地兮知余心。思神仙兮不可得，覓十娘兮斷知聞。欲聞此兮腸亦亂，更見此兮惱餘心。

汪國垣在附注中有甚爲詳細的說明：

按張文成遊仙窟一卷，唐時流傳日本。書凡數刻，中土向無傳本。何世寧曾據之以補全唐詩；楊守敬始著錄於日本訪書志。治唐稗者，始稍稍稱焉。余舊藏鈔本，卷首有『平等閣』及『忠州李士棻隨身書卷』二印記，卷尾有『壬午三月，借遵義黎氏影寫本，重校。』小字一行，乃知此本爲芋仙舊廠。芋仙與蒓齋有縞紵之雅。黎氏在日本，刻古逸叢書，嘗以初印本寄李，李累索之，不以爲貪。則此本原鈔，或即出諸黎氏，未可知也。原鈔卷首，題寧州襄樂縣尉張文成作。世因定爲唐張鷟所撰。鷟，字文成。深州陸澤人。兩唐書並附見張薦傳。鷟兒時，夢紫文鷟鷟，其祖謂是兒當以文章瑞朝廷，因以爲名字。調露初，登進士第，授岐王府參軍。八舉皆登甲科，大有文譽。調長安尉，遷鴻臚丞。凡四參選，判策爲銓府之最。員半千謂人曰：『張子之文，如青錢萬選萬中。』時目爲『青錢學士』。然性褊躁，不持士行。姚崇甚薄之。開元初，御史李全交劾鷟訕短時政，貶嶺南。遊得內徒，入爲司門員外郎。卒。鷟下筆敏速，言頗詼諧，大行於時，後進莫不傳記。新羅日本東夷諸番，尤重其文。每遣使入朝，必出重金貝，以購其文。惟浮豔少理致，論著亦率詆誚蕪穢。（以上摘兩唐書本傳）大唐新語亦稱鷟後轉洛陽尉，故有詠燕詩。其末章云：『變石身猶重，銜泥力尚微。從來赴甲第，兩起一雙飛。』時人無不諷詠云云。今鷟書之傳於今者，有龍筋鳳髓判及朝野僉載。而遊仙窟一卷無傳，其目亦不見史志及諸家著錄。然據兩唐書，既稱日本新羅爭傳其文，而新語詠燕與龍筋鳳髓之作，浮豔鄙倍，與此篇辭旨，正復相同。據此，則遊仙窟之出於張鷟，當非僞造也。惟寧州襄樂縣尉結銜，兩唐書無可考。著作署字，古人雖有常道將華陽國志之例，亦非習見。雖異國流傳，不無歧異；然徵諸史籍，不能無疑。然自此以見以儷語爲傳奇，其淵源固有自也。

又按遊仙窟不傳於中國，至日本人推重其書，則自唐以來，迄今弗衰，故文學蒙其影響。其流傳日本之年歲可考者：據慶安五年（清順治九年）刻本，前有文保三年（元延祐六年）文章生英房序，有『嵯峨天皇書卷之中，撰得遊仙窟』之語。日本嵯峨天皇，當唐元和長慶間，則是中唐時此書已流傳日本矣。惟日本最古之萬葉集卷四，有大伴家持贈坂上大孃歌十五首，辭意多與此書相同。後人評論，如契沖阿闍梨，遂斷爲出於遊仙窟。前乎此者，尚在山上憶良沈痾自哀文亦引遊仙窟云：『九泉下人，一錢不值。』山上在聖武天皇天平之世，此文爲山上末年之作，正當唐開元二十一年。是此書於開元張鷟尚在之時，即已傳至日本。又早於嵯峨天皇八十餘年。此徵諸萬葉集可信者也。竊意張氏此書，當爲早年一時興到之作。當時有無寓意，今不可知。惟日本當趙宋南渡之時，有西行法師傳鈔之唐物語一書，其第九章述及遊仙窟本事，定爲張文成愛慕武則天而作。平康賴寶物集卷四亦云：『則天皇后，高宗之后也。遇好色者張文成，得遊仙窟之文。所謂「可憎病鵲，夜半驚人」，即指當時之事也』云云。日人幸田露伴著蝸牛庵夜談，頗疑此爲蓮花六郎之傳訛；因易之昌宗姓張，而二人之父爲張行成，（按易之昌宗爲張行成之族孫，非其父也。易之父，名希臧。見兩唐書。）文成恰有遊仙窟之文，遂牽合而有此一段傳說。固不足深信者也。至其書辭旨淺鄙，文氣卑下，了無足取。惟唐人口語，尚賴此略存。日本當朱雀天皇承平天慶中，（朱雀天皇，後唐長興二年立。）源順奉醍醐天皇第四公主勤子內親王之命，撰集倭名類聚鈔二十卷，雜引尚書，詩，禮，爾雅，說文，方言，釋名，廣雅，玉篇，唐韻，史，漢，白虎通，山海經，文選，本草，兼名苑，辯色立成，楊氏漢語鈔，四聲字苑諸書，而遊仙窟亦引用在內。則日人於欣賞文藝之餘，又兼取其名物有裨考訂者也。

此段說明，意在使我們知道「遊仙窟」流傳日本的情形，和日人重視此書的觀念。至於書中內容與段落。

鄭振鐸認爲：勉強處加以區分，則只可分成了三段：

第一段寫文成初入「遊仙窟」與十娘五嫂相見。

第二段寫文成與十娘五嫂等登堂讌宴，遊園校射。

第三段寫文成入室，與十娘合歡。一夜之後，即行分別。

復說：

遊仙窟雖沒有鶯鶯傳那末婉轉曲折，卻遠勝於燕山外史的笨重不靈活。她只寫得一次的調情，一回的戀愛，一夕的歡娛，卻用了千鈞的力去寫。雖用的是最不適宜於寫小說的古典文體，有的地方卻居然寫得十分的清秀超脫，逸趣橫生。下面是一個例：

須臾之間，有一婢名琴心，亦有姿首，到下官處，時復偷眼看，十娘欲似不快。五嫂大語嗔曰：知足不辱，人生有限。娘子欲似皺眉，張郎不須斜眼。十娘佯捉色嗔曰：少府關兒何事？五嫂頻頻相惱。

文中所插附的詩句，也頗有許多動人的深情的話語像那樣的大膽而帶些粗野的詩句，如「但當把手子，寸斬亦甘心」之句，是一般唐人詩中所決覓不到的，那時當然也有這類的詩不少，卻一一的爲時間所淘汰了。

忽然心裡愛，不覺眼中憐。未關雙眼曲，直是寸心偏。

問蜂子，蜂子太無情，飛來蹈人面，欲似意相輕。

千看千意密，一見一憐深。但當把手子，寸斬亦甘心。千思井腸熱。一念一心焦。若爲求守得。暫借可憐腰。

巧將衣障口，能用被遮身。定知心肯在，方便故邀人。

開卷後，有幾段對答的詩語，很覺得有趣，文成聞十娘在彈琴，便做了一首詩去逗她：

自隱多姿則，欺他獨自眠。故故將纖手，時時弄小絃。耳聞猶氣絕，眼見若爲憐。從渠痛不肯，人更別求天。

他則決絕似的答覆他道：

面非他舍面，心是自家心。何處關天事，辛苦漫追尋。

他窺見了她的半面，便又作了一詩去逗她：

斂笑偷殘靨，含羞露半脣。一眉猶叵耐，雙眼定傷人。

她卻又決絕他似的答覆道：

好是他家好，人非著意人。何須漫相弄，幾許費精神。

這樣的一逗一拒，一引一答，頗使我們想起了民間歌曲中最常見的男女問答的歌辭，宛如使我們見到了山中樵夫與採茶女，水際漁夫與船娘們的「行歌互答。」

遊仙窟中的詩歌，尚有幾點可以注意的。第一，是雜用五七言的詩句；如下面的一首：

……錦障劃然卷，羅帷垂半欹。紅顏雜綠黛，無處不相宜，豔色浮妝粉，含香亂口脂。鬢欺蟬鬢非成鬢，眉笑娥眉不是眉，見許實聘婷，何處不輕盈，可憐嬌裡面，可愛語中聲。婀娜腰支細細許，賺䀮眼子長長馨。巧兒舊來雙未得，畫匠迎生摸不成。相著未相識，傾城復傾國。……

像這樣形式的韻語，也許是菩薩蠻等諸詞調的先聲，也許竟是依據了當時流行著的詞調或新的歌辭而寫的。在張鷟的時候，我們相信，詞的一體或至少詞的調子已經是很流行著的了。

第二，是詠物詩的雋妙。其中的詠物詩，幾乎沒有一首不好，雖淺露，卻雋美；雖粗疏，卻富於情致；雖若無多大意味，卻往往是蘊蓄著很巧妙的雙關之意。例如，詠箏的一詩：

心虛不可測，眼細強關情。迴身已入抱，不見有嬌聲。

像這樣的一種雙關的詠物詩，又是民間的歌曲中所常見的。

我由此頗覺得，張鷟的詩文，所以能夠「大行一時，晚進莫不傳記」者，其原由也許即在於此，其所以能夠流傳於海外，「新羅、日本東夷諸蕃，」「每遣使入朝，必重出金貝以購其文」者，大約也必由於他的文字能夠運用俗文學的體製，能夠通俗之故。而後來文人學士之以「詆誚蕪猥」鄙其文者，也正是因此之故。

日本人原來視「遊仙窟」如至寶，且對日本文學有深刻的影響，那麼，我們也應對此言情之作，看的珍貴。不過，作者說是「遊仙」，究其實際，大概是像杜甫「江畔尋花獨步」第五首所寫：

黃四娘家花滿蹊，千朵萬朵壓枝低；
留連戲蝶時時舞，自在嬌鶯恰恰啼。

的情趣吧。這首詩的象徵意義，雖然是在去黃四娘家（窟）的門前有千萬朵壓低了枝條的繁花似錦。叫人著迷。更富象徵情味的「留連戲蝶」翩翩舞的戲娛姿態，那婉轉歌唱的嬌滴滴女兒們的歌聲，怎地不令人傾倒。小杜「十年一覺楊州夢」也與老杜的體會相同。

關於「遊仙窟解題」是山由孝雄作，謝之逸譯，我們也節錄一段，看看當時日本人的著迷程度：

遊仙窟是成於唐初的一部小説，傳爲張文成的著作。

張文成是則天武后時人，名叫鷟，文成是他的字。生前，文名在本邦很高，看唐書記著「新羅、日本使至，必出金貝購其文，」就可以想像了。他的著作有朝野僉載、龍筋鳳髓判等。此書（指遊仙窟）應該在本國（指中國）傳存的，但並未聽説流傳，未知何故。或者在本國已佚失，僅傳於日本罷。

本書早已見於「日本國見在書目錄，」正如傳入日本的唐書所説的，是日本遣唐使攜回的，可是在大寶時充當遣唐使少錄（官名——譯者）的山上憶良，在他的沈痾自哀文裡説

遊仙窟曰，九泉下人，一錢不直。

據此看來，或者是山上憶良一行人帶回來的也未可知。右語是節錄本書第二十七頁所見的文字。在憶良的文中，也引用得有孔子的話，佛經的話，抱朴子、帛公略説等書，可想見當時已把此書和經子爲伍，是不足怪的。

本書似爲「奈良朝」時代的文人所愛讀，除上述之外，萬葉集卷四有大伴家持贈坂上大嬢的歌十五首，其中有四首，以此書中所述爲根據，這是自契沖以來的學者所承認的。第一首有句曰——

「覺Kite 搔Ki 探Redomo 手Nimo 觸Reneba」

（驚覺攬之，忽然空手。）

第十五首有句曰——

「吾胸截Ni燒Ku如Si

（未曾飲炭，腹熱如燒，不憶吞刀，腸穿似割。）

這些句子，都是以本書的文學做藍本而寫成的。如要探求此外間接受本書影響的歌，爲數必多。

本書入「平安朝」後，更爲廣布源順奉了勤子內親王的旨令，撰和名類聚抄，即以本書的訓爲典據，引用之處，凡十有四條。用爲他的著作的典據的，在漢籍則有爾雅、說文、唐韻、玉篇、詩經、禮記、史記、漢書、白虎通、山海經等；在日本的書籍，則有日本書記、萬葉集又式等。可見那時已把此書和這些書籍爲伍，被人重視。又本書的文句，又爲和漢朗詠集等所引用，或被用爲「謠物。」又在唐物語裡，也以本書做材料，作第一場的說話。

要知道日本文學之源流及其重視程度，唐代的「遊仙窟」爲學者座右必讀之書，在日本的價值由此可見。

張鷟尙有「朝野僉載」，「龍筋鳳髓」等書。「朝野僉載」，其所記諸事繁多，但皆短篇，現錄三則以見其他：

貞觀年中。定州鼓城縣人。魏金家富。母忽然失明。問卜者王子貞。子貞爲卜之日。

明年有人從東來青衣者。三月一日來。療必愈。至時。候見一人。著青紬襦。遂邀爲設飲食。其人曰。僕不解醫。但解作犁耳。爲主人作之。持斧繞舍求犁轅。見桑曲枝臨井上。遂斫下。其母兩眼煥然見物。此曲桑蓋井之所致也。

監察御史李嵩李全。交殿中王旭。京師號爲三豹。嵩爲赤黧豹。交爲白額豹。旭爲黑豹。皆狼戾不軌。鴆毒無儀。體性狂疎。精神慘刻。每訊囚。必鋪棘臥體。削竹籤指。方梁壓髁。碎瓦搘膝。遣仙人獻果。玉女登梯。犢子懸駒。驢兒拔橛。鳳皇晒翅。獼猴鑽火。上麥索。下闌單。人不聊生。囚皆乞死。肆情鍛鍊。證是爲非。任意指麾。傳空爲實。周公孔子。請伏殺人。伯夷叔齊。求其劫罪。訊劾乾壍。水必有期。推鞫濕泥。塵非不久。來俊臣乞爲弟子。索元禮求作門生。被追者皆相謂曰。牽牛付虎。未有出期。縛鼠與貓。終無脱日。妻子永別。友朋長辭。京中人相要作咒曰。若違心負教。橫遭三豹。其毒害也如此。

彭博通者。河間人也。身長八尺。曾於講堂堦上。臨堦而立。取鞋一輛以臂夾。令有力者後拔之。鞋底中斷。博通腳終不移。牛駕車正走。博通倒曳車尾。卻行數十步。横拔車轍深二尺餘。皆縱橫破裂。曾遊瓜埠江。有急風張帆。博通捉尾纜。挽之不進。

張鷟另有「耳目記」一書，大都貶抑時人之作，對酷吏權奸尤多指摘，並錄三則如下：

周推事索元禮。時人號爲索使。訊囚作鐵籠頭。轚切其頭。仍如楔焉。多至腦裂髓出。亦爲鳳矖翅等。以椽關手足而轉之。並研骨至碎。亦懸囚於梁下。以石縋頭。其酷法如此。元禮故胡人薛師假父。後罪贓賄。流死嶺南。

唐監察御史李全交。專以羅織爲業。臺中號爲人頭羅剎。殿中號爲鬼面夜叉。訊囚引枷柄向前。名爲驢狗拔橛。縛枷頭著樹。名曰犢子縣車。兩手捧枷。累磚於上。號爲仙人獻果。立高木之上。枷向後拗之。名巫女登梯。

唐滕王極淫。諸官妻美。無不嘗偏。詐言妃喚。即行無禮。時典籤崔簡妻鄭氏初到。王遣喚。欲不去。懼王之威。去則被辱。鄭曰。昔愍懷之妃。不受賊人之逼。當今清泰。敢行此事耶。遂入王中門外小閣。王在其中。鄭入。欲逼之。鄭大叫。左右曰。王也。鄭曰。大王豈作如是。必家奴耳。敢一隻履。擊王頭破。抓面流血。聞而出。鄭氏乃得還。王大慚。旬日不視事。簡每日參候。不敢離門。後王衙坐。簡向前謝過。王慚卻入。月餘日乃出。諸官之妻。曾被王喚入者。莫不羞之。其婿問之。無辭以對。

張鷟「遊仙窟」文筆艷麗，詞采纏綿，在日本成爲古典文學的範本。白居易「長恨歌」及其「長慶集」則爲專誠到長安的惠萼僧尋獲帶回日本，成爲日本古典文學膜拜頂禮的聖經，將白居易尊奉爲天降文曲星的神人。甚至有與白居易生日相同的，認爲是天帝安排，榮寵萬分。但白居易的長恨歌本於長恨歌傳，與陳鴻爲詩爲文，相得益彰，並傳千古。陳鴻字大亮，貞元主客郎中，太和三年，官尚書主客郎中。現錄其作，以觀全文：

長恨歌傳

陳鴻撰　傳文據文苑英華校錄　歌據長慶集

開元中，泰階平，四海無事。玄宗在位歲久，勌於旰食宵衣，政無大小，始委於右丞相，稍深居遊宴，以聲色自娛。先是元獻皇后武淑妃皆有寵，相次即世。宮中雖良家子千數，無可悅目者。上心忽忽不樂。時每歲十月，駕幸華清宮，內外命婦，熠燿景從，浴日餘波，賜以湯沐，春風靈液，澹蕩其間。上心油然，若有所遇，顧左右前後，粉色如土。詔高力士潛搜外宮，得弘農楊玄琰女於壽邸，既笄矣。鬢髮膩理，纖穠中度，舉止閑冶，如漢武帝李夫人。別疏湯泉，詔賜藻瑩，既出水，體弱力微，若不任羅綺。光彩煥發，轉動照人。上甚悅。進見之日，奏霓裳羽之曲以導之；定情之夕，授金釵鈿合以固之。又命戴步搖，垂金璫。明年，册爲貴妃，半后服用。繇是冶其容，敏其詞，婉孌萬態，以中上意。上益嬖焉。時省風九州，泥金五嶽，驪山雪夜，上陽春朝，與上行同輦，止同室，宴專席，寢專房。雖有三夫人，九嬪，二十七世婦，八十一御妻，曁後宮才人，樂府妓女，使天子無顧盼意。自是六宮無復進幸者。非徒殊豔尤態致是，蓋才智明慧，善巧便佞，見意希旨，有不可形容者。叔父昆弟皆列位清貴，爵爲通侯。姊妹封國夫人，富埒王宮，車服邸第，與大長公主侔矣。而恩澤勢力，則又過之，出入禁門不問，京師長吏爲之側目。故當時謠詠有云：『生女勿悲酸，生男勿喜歡。』又曰：『男不封侯女作妃，看女卻爲門上楣。』其爲人心羡慕如此。天寶末，兄國忠盜丞相位，愚弄國柄。及安祿山引兵嚮闕，以討楊氏爲詞。潼關不守，翠華南幸，出咸陽，道次馬嵬亭。六軍徘徊，持戟不進。從官郎吏伏上馬前，請誅晁錯以謝天下。國忠奉氂纓盤水，死於道周。左右之意未快。上問之。當時敢言者，請以貴妃塞天下怨。上知不免。而不忍見其死，反袂掩面，使牽之而去。倉皇展轉，竟就死於尺組之下。既而玄宗狩成都，肅宗禪靈武。明年，大赦改元，大駕還都。尊玄宗爲太上皇，就養南宮。自南宮遷於西内。時移事去，樂盡悲來。每至春之日，冬之夜，池蓮夏開，宮槐秋落。梨園弟子，玉琯發音，聞霓裳羽衣一聲，則天顏不怡。左右歔欷。三載一意，其念不衰。求之夢魂，杳不能得。適有道士自蜀來，知上心念楊妃如是，自言有李少君之術。玄宗大喜，命致其神。方士乃竭其術以索之，不至。又能遊神馭氣，出天界，沒地府以求之，不見。又旁求四虛上下，東極天海，跨蓬壺。見最高仙山，上多樓闕，西廂下有洞户，東嚮，闔其門，署曰『玉妃太眞院』。方士抽簪扣扉，有雙鬟童女，出應其門。方士造次未及言，而雙鬟復入。俄有碧衣侍女又至，詰其所從。方士因稱唐天子使者，且致其命。碧衣云：『玉妃方寢，請少待之。』於時雲海沈沈，洞天日曉，瓊户重闔，悄然無聲。方士展息斂足，拱手門下。久之，而碧衣延入，且曰：『玉妃出。』見一人冠金蓮，披紫綃，珮紅玉，曳鳳舄，左右侍者七八人，揖方士，問『皇帝安否？』次問天寶十四載已還事。言訖，憫然。指碧衣取金釵鈿合，各折其半，授使者曰：『爲我謝太上皇，謹獻是物，尋舊好也。』方士受辭與信，將行，色有不足。玉妃固徵其意。復前跪致詞：『請當時一事，不爲他人聞者，驗於太上皇，不然，恐鈿合金釵，負新垣平之詐也。』玉妃茫然退立，若有所思，徐而言曰：『昔天寶十載。侍輦避暑於驪山宮。秋七月，牽牛織女相見之夕，秦人風俗，是夜張錦繡，陳飲食，樹瓜華，焚香於庭，號爲乞巧。宮掖間尤尚之。時夜殆半，休侍衛於東西廂，獨侍上。上憑肩而立，因仰天感牛女事，密相誓心，願世世爲夫婦。言畢，執各嗚咽。此獨君主知之耳。』因自悲曰：『由此一念，又不得居此。復墮下界，且結後緣。或爲天，或爲人，決再相見，好合如舊。』因言：『太上皇亦不久人間，幸惟自安，無自苦耳。』使者還奏太上皇，皇心震悼，日日不豫。其年夏四月，南宮宴駕。元和元年冬十二月，太原白樂天自校書郎尉於盩厔。鴻與瑯琊王質夫家於是邑，暇日相拾遊仙遊寺，話及此事，相與感歎。質夫舉酒於樂天前曰：『夫希代之事，非遇出世之才潤色之，則與時消沒；不聞於世。樂天深於詩，多於情者也。試爲歌之。如何？』樂天因爲長恨歌。意者不但感其事，亦欲懲尤物，窒亂階，垂於將來者也。歌既成，使鴻傳焉。世所不聞者，予非開元遺民，不得知。世所知者，有玄宗本紀在。今但傳長恨歌云爾。

漢皇重色思傾國，御宇多年求不得。楊家有女初長成，養在深閨人未識。天生麗質難自棄，一朝選在君王側。回眸一笑百媚生，六宮粉黛無顏色。春寒賜浴華清池，溫泉水滑洗凝脂，侍兒扶起嬌無力，始是新承恩澤時。雲鬢花冠金步搖，芙蓉帳裡暖春宵。春宵苦短日高起，從此君王不早朝。承歡侍寢無閒暇，春從春遊夜專夜；後宮佳麗三千人，三千寵愛在一身，金屋妝成嬌侍夜，玉樓宴罷醉和春。姊妹弟兄皆列土，可憐光彩生門户；遂令天下父母心，不重生男重生女。驪宮高處入青雲，仙樂風飄處處聞。緩歌慢舞凝絲竹，盡日君王看不足。漁陽鞞鼓動地來，驚破霓裳羽衣曲。九重城闕煙塵生，千乘萬騎西南行，翠華搖搖行復止，西出都門百餘里，六軍不發無奈何，宛轉娥眉馬前死。花鈿委地無人收，翠翹金雀玉搔頭，君王掩面救不得，回看血淚相和流。黃埃散漫風蕭索，雲棧縈迴登劍閣，峨眉山下少人行，旌旗無光日色薄。蜀江水碧蜀山青，聖主朝朝暮暮情，行宮見月傷心色，夜雨聞鈴腸斷聲。天施地轉回龍馭，到此躊躇不能去，馬嵬坡下塵土中，不見玉顏空死處。君臣相顧盡沾衣，東望都門信馬歸。歸來池苑皆依舊，太液芙蓉未央柳，芙蓉如面柳如眉，對此如何不淚垂？春風桃李花開日，秋雨梧桐落葉時，西宮南内多秋草，落葉滿階紅不掃。梨園弟子白髮新，椒房阿監青娥老。夕殿螢飛思悄然，孤燈挑盡未成眠，遲遲鐘漏初長夜，耿耿星河欲曙天。鴛鴦瓦冷霜華重，翡翠衾寒誰與共？悠悠生死別經年，魂魄不曾來入夢。臨邛道士鴻都客，能以精誠致魂魄，爲感君王展轉思，遂教方士慇懃覓。排雲馭氣奔如電，昇天入地求之遍，上窮碧落下黃泉，兩處茫茫皆不見。忽聞海上有仙山，山在虛無縹渺間。樓殿玲瓏五雲起，其中綽約多仙子。中有一人名太眞，雪膚花貌參差是。金闕西廂叩玉扃，轉教小玉報雙成。聞道漢家天子使，九華帳裡夢魂驚。

攬衣推枕起徘徊，珠箔銀鉤迤邐開。雲髻半偏新睡覺，花冠不整下堂來。風吹仙袂飄飄舉，猶似霓裳羽衣舞，玉容寂寞淚闌干，梨花一枝春帶雨。含情凝涕謝君王，一別音容兩渺茫，昭陽殿裡恩愛絕，蓬萊宮中日月長。回頭下望人寰處，不見安長見塵霧。唯將舊物表深情，鈿合金釵寄將去。釵留一股合一扇，釵擘黃金合分鈿。但令心似金鈿堅，天上人間會相見。臨別慇懃重寄詞，詞中有誓兩心知，七月七日長生殿，夜半無人私語時：『在天願作比翼鳥，在地願爲連理枝。』天長地久有時盡，此恨綿綿無盡期！

玄宗原甚英銳，但寵溺玉環後，朝政初委李林甫，後信楊國忠，絕忠言，嬿樂無度，安祿山叛亂，毒流四海，禍便不可遏止。陳白之作的意旨，都有諷諭帝王應勤政愛民。「長恨歌傳」，與「長恨歌」之作，唐時已留傳日本。紫式部長篇「源氏物語」之構成，多受二作之影響，對日本古典文學更有推動之作用。

「李娃傳」作者白行簡，字知退，是白居易單。自元進士，官左拾遺。司門員外郎。主客郎中，與李公佐友善，此傳亦受公佐敦促而成，流傳迄今。

「李娃傳」之成爲傳奇小說中最動人之處，是「李娃」此一女主角塑造的成功。其美艷妍媚，故然不是其濟輩可及。而其蘭心慧質，又不是娼家女子所能望其項背。出污泥而不染，是其本質的高潔，而活人於絕望之溝渠，又非清朗如明月的性格者所能爲。我們先看這故事的內容：

李娃傳

白行簡撰　據太平廣記校錄

國夫人李娃，長安之倡女也。節行瓌奇，有足稱者，故監察御史白行簡爲傳述。天寶中，有常州刺史滎陽公者，略其名氏，不書。時望甚崇，家徒甚殷。知命之年，有一子，始弱冠矣；雋朗有詞藻，迥然不群，深爲時輩推伏。其父愛而器之，曰：『此吾家千里駒也。』應鄉賦秀才舉，將行，乃盛其服玩車馬之飾，計其京師薪儲之費，謂之曰：『吾觀爾之才，當一戰而霸。今備二載之用，且豐爾之給，將爲其志也。』生亦自負，視上第如指掌。自毗陵發，月餘抵長安，居於布政里。嘗遊東市還，自平康東門入，將訪友於西南。至鳴珂曲，見一宅，門庭不甚廣，而室宇嚴邃。闔一扉，有娃方凭一雙鬟青衣立，妖姿要妙，絕代未有。先忽見之，不覺停驂久之，徘徊而不能去。乃詐墜鞭於地，候其從者，勑取之。累眄於娃，娃回眸凝睇，情甚相慕。竟不敢措辭而去。生自爾意若有失，乃密徵其友遊長安之熟者，以訊之。友曰：『此狹邪李氏宅也。』曰：『娃可求乎！』對曰：『李氏頗贍。前與通之者貴戚豪族，所得甚廣。非累百萬，不能動其志也。』生曰：『苟患其不諧，雖百萬，何惜。』他日，乃潔其衣服，盛賓從，而往扣其門。俄有侍兒啓扃。生曰：『此誰之第耶？』侍兒不答，馳走大呼曰：『前時遺策郎也！』娃大悅曰：『爾姑止之。吾當整妝易服而出。』生聞之私喜。乃引至蕭牆間，見一姥垂白上僂，即娃母。生跪拜前致詞曰：『聞茲地有隙院，願税以居，信乎？』姥曰：『懼其淺陋湫隘，不足以辱長者所處，安敢言直耶。』延生於遲賓之館，館宇甚麗。與生偶坐，因曰：『某有女嬌小，技藝薄劣，欣見賓客，願將見之。』乃命娃出。明眸皓腕，舉步豔冶。生遽驚起，莫敢仰視。與之拜畢，敘寒燠，觸類妍媚，目所未睹。復坐，烹茶斟酒，器用甚潔。久之，日暮，鼓聲四動。姥訪其居遠近。生紿之曰：『在延平門外數里。』冀其遠而見留也。姥曰：『鼓已發矣。當速歸，無犯禁。』生曰：『幸接歡笑，不知日之云夕，道里遼闊，城内又無親戚。將若之何？』娃曰：『不見責僻陋，方將居之，宿何害焉。』生數目姥。姥曰：『唯唯。』生乃召其家僮，持雙縑，請以備一宵之饌。娃笑而止之曰：『賓主之儀，且不然也。今夕之費，願以貧窶之家，隨其粗糲以進之。其餘以俟他辰。』固辭，終不許。俄徙坐西堂，幃幕簾榻，煥然奪目；妝奩衾枕，亦皆侈麗。乃張燭進饌，品味甚盛。徹饌，姥起。生娃談話方切，詼諧調笑，無所不至。生曰：『前偶過卿門，遇卿適在屏間。厥後心常勤念，雖寢與食，未嘗或捨。』娃答曰：『我心亦如之。』生曰：『今之來，非直求居而已。願償平生之志。但未知命也若何？』言未終，姥至，詢其故，具以告。姥笑曰：『男女之際，大欲存焉。情苟相得，雖父母之命，不能制也。女子固陋，曷足以薦君子之枕席？』生遂下階，拜而謝之曰：『願以己爲廝養。』姥遂目之爲郎，飲酣而散。及旦，盡徙其囊橐，因家於李之第。自是生屏跡戢身，不復與親知相聞。日會倡優儕類，狎戲遊宴。囊中盡空，乃鬻駿乘，及其家童。歲餘，資財僕馬蕩然。邇來姥意漸怠，娃情彌篤。他日，娃謂生曰：『與郎相知一年，尚無孕嗣。常聞竹林神者，報應如響，將致薦酹求之，可乎？』生不知其計，大喜。乃質衣於肆，以備牢醴。與娃同謁祠宇而禱祝焉，信宿而返。策驢而後，至里北門，娃謂生曰：『此東轉小曲中，某之姨宅也。將憩而覲之，可乎？』生如其言，前行不踰百步，果見一車門。窺其際，甚弘敞。其青衣自車後止之曰：『至矣。』生下，適有一人出訪曰：『誰？』曰：『李娃也。』乃入告。俄有一嫗至，年可四十餘，與生相迎，曰：『吾甥來否？』娃下車，嫗迎訪之曰：『何久疏絕？』相視而笑。娃引生拜之。既見，遂偕入西戟門偏院中。有山亭，竹樹蔥蒨，池榭幽絕。生謂娃曰：『此姨之私第耶？』笑而不答，以他語對。俄獻茶果，甚珍奇。食頃，有一人控大宛，汗流馳至，曰：『姥遇暴疾頗甚，殆不識人。宜速歸。』娃謂姨曰：『方寸亂矣。某騎而前去，當令返乘，便與郎偕來。』生擬隨之。其姨與侍兒偶語，以手揮之，令生止於戶外，曰：『姥且歿矣。當與某議喪事以濟其急。奈何遽相隨而去？』乃止，共計其凶儀齋祭之用。日晚，乘不至。姨言曰：『無復命，何也？郎驟往視之，某當繼至。』生遂往，至舊宅，門扃鑰甚密，以泥緘之。生大駭，詰其鄰人。鄰人曰：『李本稅此而居，約已周矣，第主自收。姥徙居，而且再宿矣。』徵「徙何處？」曰：『不得其所。』生將馳赴宣陽，以詰其姨，日已晚矣，計程不能達。乃弛其裝服，質饌而食，賃榻而寢。生恚怒方甚，自昏達旦，目不交睫。質明，乃策蹇而去。既至，連扣其扉，食頃無人應。生大呼數四，有宦者徐出。生遽訪之：『姨氏在乎？』曰：『無之。』生曰：『昨暮在此，何故匿之？』訪其誰氏之第。曰：『此崔尚書宅。昨者有一人稅此院，云遲中表之遠至者。未暮去矣。』生惶惑發狂，罔至所措，因返訪布政舊邸。邸主哀而進膳。生怨懣，絕食三日，遘疾甚篤，旬餘愈甚。邸主懼其不起，徙之於凶肆之中。綿綴移時，合肆之人共傷歎而互飼之。後稍愈，杖而能起。由是凶肆日假令之執繐帷，獲其直以自給。累月，漸復壯，每聽其哀歌，自歎不及逝者，輒嗚咽流涕，不能自止。歸則效之。生，聰敏者也。無何，曲盡其妙，雖長安無有倫比。初，二肆之傭凶器者，互爭勝負。其東肆車 皆奇麗，殆不敵，唯哀挽劣焉。其東肆長知生妙絕，乃醵錢二萬索顧焉。其黨耆舊，共較其所能者，陰教生新聲，而相讚和。累句，人莫知之。其二肆長相謂曰：『我欲各閱所傭之器於天門街，以較優劣。不勝者罰直五萬，以備酒饌之用，可乎？』二肆許諾。乃邀立符契，署以保證，然後閱之。士女大和會，聚至數萬。於是里胥告於賊曹，賊曹聞於京尹。四方之士，盡赴趨焉，巷無居人。自旦閱之，及亭午，歷舉輦與威儀之具，西肆皆不勝，師有慚色。乃置層榻於南隅，有長髯者，擁鐸而進，翊衛數人，於是奮髯揚眉，扼腕頓顙而登，乃歌白馬之詞；恃其夙勝，顧眄左右，旁若無人，齊聲讚揚之，自以爲獨步一時，不可得而屈也。有頃，東肆長於北隅上設連榻，有烏巾少年，左右五六人，秉翣而至，即生也。整衣服，俯仰甚徐，申喉發調，容若不勝。乃歌薤露之章，舉聲清越，響振林木，曲度未終，聞者欷歔掩泣。西肆長爲衆所誚，益慚恥。密置所輸之直於前，乃潛遁焉。四坐愕眙，莫之測也。先是，天子方下詔，俾外方之牧，一至闕下，謂之入計。時也適遇生之父在京師，與同列者易服章竊往觀焉。有老豎，即生乳母婿也，見生之舉措辭氣，將認之而未敢，乃泫然流涕。生父驚而詰之。因告曰：『歌者之貌，酷似郎之亡子。』父曰：『吾子以多財爲盜所害。奚至是耶？』言訖，亦泣。及歸，豎間馳往，訪於同黨曰：『向歌者誰？若斯之妙歟？』皆曰：『某氏之子。』徵其名，且易之矣。豎凜然大驚；徐往，迫而察之。生見豎色動，回翔將匿於衆中。豎遂持其袂曰：『豈非某乎？』相持而泣。遂載以歸。至其室，父責曰：『志行若此，污辱吾門；何施面目，復相見也。』乃徒行出，至曲江西杏園東，去其衣服，以馬鞭鞭之數百。生不勝其苦而斃。父棄之而去。其師命相狎暱者陰隨之，歸告同黨，共加傷歎。令二人瘞葦席瘞焉。至，則心下微溫。舉之，良久，氣稍通。因共荷而歸，以葦筒勺飲，經宿乃活。月餘，手足不能自舉。其楚撻之處皆潰爛，穢甚。同輩患之，一夕，棄於道周。行路咸傷之，往往投其餘食，得以充腸。十旬，方杖策而起。被布裘，裘有百結，襤褸如懸鶉。持一破甌，巡於閭里，以乞食爲事。自秋徂冬，夜入於糞壤窟室，晝則周遊廛肆。一旦大雪，生爲凍餒所驅，冒雪而出，乞食之聲甚苦。聞見者莫不悽惻。時雪方甚，人家外戶多不發。至安邑東門，循理垣北轉第七八，有一門獨啓左扉，即娃之第也。生不知之，遂連聲疾呼『饑凍之甚』，音響悽切，所不忍聽。娃自閤中聞之，請侍兒曰：『此必生也。我辨其音矣。』連步而出。見生枯瘠疥厲，殆非人狀。娃意感焉，乃謂曰：『豈非某郎也？』生憤懣絕倒，口不能言，頷頤而已。娃前抱其頸，以繡襦擁而歸於西廂。失聲長慟曰：『令子一朝及此，我之罪也！』絕而復蘇。姥大駭，奔至，曰：『何也？』娃曰：『某郎。』姥遽曰：『當逐之。奈何令至此？』娃斂容卻睇曰：『不然。此良家子也。當昔驅高車，持金裝，至某之室，不踰期而蕩盡。且互設詭計，捨而逐之，殆非人。令其失志，不得齒於人倫。父子之道，天性也。使其情絕，殺而棄之。又困躓若此。天下之人盡知爲某也。生親戚滿朝，一旦當權者熟察其本末，禍將及矣。況欺天負人，鬼神祐，無自貽其殃也。某爲姥子，迨今有二十歲矣。計其貲，不啻直千金。今姥年六十餘，願計二十年衣食之用以贖身，當與此子別卜所詣。所詣非遙，晨昏得以溫凊。某願足矣。』姥度其志不可奪，因許之。給姥之餘，有百金。北隅因五家稅一隙院。乃與生沐浴，易其衣服；爲湯粥，通其腸；次以酥乳潤其臟。旬餘，方薦水陸之饌。頭巾履襪，皆取珍異衣之，未數月，肌膚稍腴；卒歲，平愈如初。異時，娃謂生曰：『體已康矣，志已壯矣。淵思寂慮，默想曩昔之藝業，可溫習乎？』生思之，曰：『十得二三耳。』娃命車出遊，生騎而從。至旗亭南偏門鬻墳典之肆，令生揀而市之，計費百金，盡載以歸。因令生斥棄百慮以志學，俾夜作晝，孜孜矻矻，娃常偶坐，宵分乃寐。伺其疲倦，即諭之綴詩賦。二歲而業大就。海內文籍，莫不該覽。生謂娃曰：『可策名試藝矣。』娃曰：

『未也，且令精熟，以俟百戰。』更一年，曰：『可行矣。』於是遂一上登甲科，聲振禮闈。雖前輩見其文，罔不斂衽敬羨，願友之而不可得。娃曰：『未也。今秀士，苟獲擢一科第，則自謂可以取中朝之顯職，擅天下之美名。子行穢跡鄙，不侔於他士。當礱淬利器，以求再捷。方可以連衡多士，爭霸群英。』生由是益自勤苦，聲價彌甚。其年，遇大比，詔徵四方之雋，生應直言極諫科，策名第一，授成都府參軍。三事以降，皆其友也。將之官，娃謂生曰：『今之復子本軀，某不相負也。願以殘年，歸養老姥。君當結媛鼎族，以奉蒸嘗。中外婚媾，無自黷也。勉思自愛。某從此去矣。』生泣曰：『子若棄我，當自剄以就死。』娃固辭不從，生勤請彌懇。娃曰：『送子涉江，至於劍門，當令我回。』生許諾。月餘，至劍門。未及發而除書至，生父由常州詔入，拜成都尹，兼劍南採訪使。浹辰，父到。生因投刺，謁於郵亭。父不敢認，見其祖父官諱，方大驚，命登階，撫背慟哭移時，曰：『吾與爾父子如初。』因詰其由，具陳其本末。大可之，詰娃安在。曰：『送某至此，當令復還。』父曰：『不可。』翌日，命駕與生先之成都，留娃於劍門，築別館以處之。明日，命媒氏通二姓之好，備六禮以迎之，遂如秦晉之偶。娃既備禮，歲時伏臘，婦道甚修，治家嚴整，極爲親所眷。向後數歲，生父母偕歿，持孝甚至。有靈芝產於倚廬。一穗三秀。本道上聞。又有白鸞數十。巢其層甍。天子異之，寵錫加等。終制，累遷清顯之任。十年間，至數郡。娃封汧國夫人。有四子，皆爲大官；其卑者猶爲太原尹。弟兄姻媾皆甲門，內外隆盛，莫之與京。嗟乎，倡蕩之姬，節行如是，雖古先烈女，不能踰也。焉得不爲之歎息哉！予伯祖嘗牧晉州，轉户部，爲水陸運使，三任皆與生爲代，故暗詳其事。貞元中，予與隴西公佐話婦人操烈之品格，因遂述汧國之事。公佐拊掌竦聽，命予爲傳。乃握管濡翰，疏而存之。時乙亥歲秋八月，太原白行簡云。

救人於九死一生，是惻隱之心，也是本性的善良，義利之辨，出於娼門，尤其不是惻隱與善良即可爲，是出萬善人之上的「智仁勇」三達德的精神意志才能愼謀能斷，取最強烈的愛心於一瞬，而能擁此「枯瘠疥厲，殆非人狀」饑凍絕倒之「良家子」的殘軀。使之死而復生，遲頓而淬厲，飛騰而青雲直上的「李娃」，其地位之崇高，絕非傾城傾國之絕代佳人可比。「李娃傳」之圓滿結局，一是「李娃」自審出身娼門告訴元和：「今之復子本軀，某不相負也。原以殘年，歸養老姥。」如此謙抑，亦智者之所爲。元和以「自頸」誠心挽留。而其父不以娼家爲恥，且能衝破當時門第陋習爲此奇女子築別館，備六禮，結秦晉之偶。其節行受到尊重，衝破門第的籓籬。發揚人性的可貴，其意非比尋常，令人贊嘆。

鶯鶯傳

元稹撰　據太平廣記校錄

貞元中，有張生者，性溫茂，美風容，內秉堅孤，非禮不可入。或朋從游宴，擾雜其間，他人皆洶洶拳拳，若將不及，張生容順而已，終不能亂。以是年二十三，未嘗近女色。知者詰之。謝而言曰：『登徒子非好色者，是有兇行。余眞好色者，而適不我值。何以言之？大凡物之尤者，未嘗不留連於心，是知其非忘情者也。』詰者識之。

無幾何，張生遊於蒲。蒲之東十餘里，有僧舍曰普救寺，張生寓焉。適有崔氏孀婦，將歸長安，路出於蒲，亦止茲寺。崔氏婦，鄭女也。張出於鄭，緒其親，乃異派之從母。是歲，渾瑊薨於蒲。有中人丁文雅，不善於軍，軍人因喪而擾，大掠蒲人。崔氏之家，財產甚厚，多奴僕。旅寓惶駭，不知所托。先是，張與蒲將之黨有善，請吏護之，遂不及於難。十餘日，廉使杜確將天子命以總戎節，令於軍，軍由是戢。鄭厚張之德甚，因飾饌之命張，中堂宴之。復謂張曰：『姨之孤嫠未亡，提攜幼稚。不幸屬師徒大潰，實不保其身。弱子幼女，猶君之生。豈可比常恩哉！今俾以仁兄禮奉見，冀所以報恩也。』命其子曰歡郎，可十餘歲，容甚溫美。次命女：『出拜爾兄，爾兄活爾。』久之，辭疾。鄭怒曰：『張兄保爾之命。不然，爾且擄矣。能復遠嫌乎？』久之，乃至。常服睟容，不加新飾，垂鬟接黛，雙臉銷紅而已。顏色艷異，光輝動人。張驚，爲之禮。因坐鄭旁，以鄭之抑而見也，凝睇怨絕，若不勝其體者。問其年紀。鄭曰：『今天子甲子歲之七月，終於貞元庚辰，生年十七矣。』張生稍以詞導之，不對。終席而罷。張自是惑之，願致其情，無由得也。崔女婢曰紅娘。生私爲之禮者數四，乘間遂道其衷。婢果驚沮，腆然而奔。張生悔之。翌日，婢復至。張生乃羞而謝之，不復云所求矣。婢因謂張曰：『郎之言，所不敢言，亦不敢泄。然而崔之姻族，君所詳也。何不因其德而求娶焉？』張曰：『余始自孩提，性不苟合。或時紈綺閒居，曾莫流盼。不爲當年，終有所蔽。昨日一席間，幾不自持。數日來，行忘止，食忘飽，恐不能逾旦暮，若因媒氏而娶，納采問名，則三數月間，索我於枯魚之肆矣。爾其謂何？』婢曰：『崔之貞愼自保，雖所尊不可以非語犯之。下人之謀，固難入矣。然而善屬文，往往沉吟章句，怨慕者久之。君試爲喻情詩以亂之。不然，則無由也。』張大喜，立綴春詞二首以授之。是夕，紅娘復至，持綵箋以授張，曰：『崔所命他。』題其篇曰明月三五夜。其詞曰：『待月西廂下，迎風戶半開。拂牆花影動，疑是玉人來。』張亦微喻其旨。是夕，歲二月旬有四日矣。崔之東有杏花一株，攀援可踰。既望之夕，張因梯其樹而踰焉。達於西廂，則戶半開矣。紅娘寢於床。生因驚之。紅娘駭曰：『郎何以至？』張因紿之曰：『崔氏之牋召我也，爾爲我告之。』無幾，紅娘復來。連曰：『至矣！至矣！』張生且喜且駭，必謂獲濟。及崔至，則端服嚴容，大數張曰：『兄之恩，活我之家，厚矣。是以慈母以弱子幼女見託。奈何因不令之婢，致淫逸之詞。始以護人之亂爲義，而終掠亂以求之。背人之惠，不祥。將寄於婢僕，又以亂易亂，其去幾何。是誠欲寢其詞，則保人之姦不義，明之於母，則懼不得發其眞誠。是用託短章，願自陳啓。猶懼兄之見難，是用鄙靡之詞，以求其必至。非禮之動，能不愧心。特願以禮自持，毋及於亂！』言畢，翻然而逝。張自失者久之。復踰而出，於是絕望。數夕，張生臨軒獨寢，忽有人覺之。驚駭而起，則紅娘斂衾攜枕而至，撫張曰：『至矣至矣！睡何爲哉！』並枕重衾而去。張生拭目危坐久之，猶疑夢寐。然而修謹以俟。俄而紅娘捧崔氏而至。至會，則嬌羞融治，力不能運支體，曩時端莊，不復同矣。是夕，旬有八日也。斜月晶瑩，幽輝半床。張生飄飄然，且疑神仙之徒，不謂從人間至矣。有頃，寺鐘鳴，天將曉。紅娘促去。崔氏嬌啼宛轉，紅娘又捧之而去，終夕無一言。張生辨色而興，自疑曰：『豈其夢邪？』及明，睹妝在臂，香在衣，淚光熒熒然，猶瑩於茵席而已。是後又十餘日，杳不復知。張生賦會眞詩三十韻，未畢，而紅娘適至，因授之，以貽崔氏。自是復容之。朝隱而出，暮隱而入，同安於曩所謂西廂者，幾一月矣。張生常詰鄭氏之情。則曰：『我不可奈何矣。』因欲就成之。無何，張生將之長安，先以情諭之。崔氏宛無難詞，然而愁怨之容動人矣。將行之再夕。不復可見，而張生遂西下。數月，復游於蒲，會於崔氏者又累月。崔氏甚工刀札，善屬文。求索再三，終不可見。往往張生自以文挑，亦不甚睹覽。大略崔之出人者，藝必窮極，而貌若不知；言則敏辯，而寡於酬對。待張之意甚厚，然未嘗以詞繼之。時愁艷幽邃，恆若不識，喜慍之容，亦罕形見。異時獨夜操琴，愁弄悽惻。張竊聽之。求之，則終不復鼓矣。以是愈惑之。張生俄以文調及期，又當西去，當去之夕，不復自言其情，愁歎於崔氏之側。崔已陰知將訣矣，恭貌怡聲，徐謂張曰：『始亂之，終棄之，固其宜矣。愚不敢恨。必也君亂之，君終之，君之惠也。則沒身之誓，其有終矣。又何必深感於此行？然而君既不懌，無以奉寧。君常謂我善鼓琴，向時羞顏，所不能及。今且往矣，既君此誠。』因命拂琴，鼓霓裳羽衣序，不數聲，哀音怨亂，不復知其是曲也。左右皆欷歔。崔亦遽止之，投琴，泣下流連，趨歸鄭所，遂不及復至。明旦而張行。明年，文戰不勝，張遂止於京。因貽書於崔，以廣其意。崔氏緘報之詞，粗載於此，曰：『捧覽來問，撫愛過深。兒女之情，悲喜交集。兼惠花勝一合，口脂五寸，致燿首膏脣之飾。雖荷殊恩，誰復爲容？睹物增懷，但積悲歎耳。伏承便於京中就業，進修之道，固在便安。但恨僻陋之人，永以遐棄。命也如此，知復何言！自去秋已來，常忽忽如有所失。於喧譁之下，或勉爲語笑，閒宵自處，無不淚零。乃至夢寐之間，亦多感咽，離憂之思，綢繆繾綣，暫若尋常，幽會未終，驚魂已斷。雖半衾如暖，而思之甚遙。一昨拜辭，倏逾舊歲。長安行樂之地，觸緒牽情。何幸不忘幽微，眷念無斁。鄙薄之志，無以奉酬。至於終始之盟，則固不忒。鄙昔中表相因，或同宴處。婢僕見誘，遂致私誠。兒女之心，不能自固。君子有援琴之挑，鄙人無投梭之拒。及薦寢席，義盛意深。愚陋之情，永謂終託。豈期既見君子，而不能定情。致有自獻之羞，不復明侍巾幘。沒身永恨，含歎何言！倘仁人用心，俯遂幽眇，雖死之日，猶生之年。如或達士略情，捨小從大，以先配爲醜行，以要盟爲可欺。則當骨化形銷，丹誠不泯，因風委露，猶託清塵。存沒之誠，言盡於此。臨紙嗚咽，情不能申。千萬珍重，珍重千萬！玉環一枚，是兒嬰年所弄，寄充君子下體所佩。玉取其堅潤不渝，環取其終始不絕。兼亂絲一絇，文竹茶碾子一枚。此數物不足見珍。意者欲君子如玉之眞，弊志如環不解。淚痕在竹，愁緒縈絲。因物達情，永以爲好耳。心邇身遐，拜會無期。幽憤所鍾，千里神合。千萬珍重！春風多厲，強飯爲嘉。愼言自保，無以鄙爲深念。』張生發其書於所知，由是時人多聞之。所善楊巨源好屬詞，因爲賦崔娘詩一絕云：『清潤潘郎玉不如，中庭蕙草雪銷初。風流才子多春思，腸斷蕭娘一紙書。』河南元稹亦續生會眞詩三十韻，詩曰：『微月透簾櫳，螢光度碧空。遙天初縹緲，低樹漸蔥龍。龍吹過庭竹，鸞歌拂井桐。羅綃垂薄霧，環珮響輕風。絳節隨金母，雲心捧玉童。便深人悄悄，晨會雨濛濛。珠瑩光文履，花明隱繡龍。瑤釵行彩鳳，羅帔掩丹虹。言自瑤華蒲，將朝碧玉宮，因游洛城北，偶向宋家東。戲調初微拒，柔情已暗通。低鬟蟬影動，迴步玉塵蒙。轉面流花雪，登床抱綺叢。鴛鴦交頸舞，翡翠合歡籠。眉黛羞偏聚，唇朱暖更融。氣清蘭蕊馥，膚潤玉肌豐。無力慵移腕，多嬌愛斂躬。汗流珠點點，髮亂綠蔥蔥，方喜千年會，俄聞五夜窮。留連時有恨，繾綣意難終。慢臉含愁態，芳詞誓素衷。贈環明運合，留結表心同。啼粉流宵鏡，殘燈遠暗蟲。華光猶苒苒，旭日漸曈曈。乘鶩還歸洛，吹簫亦上嵩。衣香猶染麝，枕膩尚殘紅。冪冪臨塘草，飄飄思渚蓬。素琴鳴怨鶴，清漢望歸鴻。海闊誠難渡，天高不易沖。行雲無處所，簫史在樓中。』張之友聞之者，莫不從異之，然而張志亦絕矣。稹特與張厚，因徵其詞。張曰：『大凡天之所命尤物也，不妖其身，必妖於人。使崔氏子遇合富貴，乘寵嬌，不爲雲，爲雨，則爲蛟，爲螭，吾不知其變化矣。昔殷之辛，周之幽，據百萬之國，其勢甚厚。然而一女子敗之。潰其衆，屠其身，至今爲天下僇笑。予之德不足以勝妖孽，是用忍情。』於時坐者皆爲深歎。後歲餘，崔已委身於人，張亦有所娶。適經所居，乃因其夫言於崔，求以外兄見。夫語之。而崔終不爲出。張怨念之誠，動於顏色，崔知之，潛賦一章，詞曰：『自從消瘦減容光，萬轉千迴懶下床。不爲旁人羞不起，爲郎憔悴卻羞郎。』意不之見。後數日，張生將行，又賦一章以謝絕云：『棄置今何道，當時且自親。還將舊時意，憐取眼前人。』自是，絕不復知矣。時人多許張爲善補過者。予嘗於朋會之中，往往及此意者，夫使知者不爲，爲之者不惑。貞元歲九月，執事李公垂宿於予靖安里第，語及於是，公垂卓然稱異，遂爲鶯鶯歌之以傳之。崔氏小名鶯鶯，公垂以命篇。

有關汪國垣所輯資料，附錄於後：

按元微之鶯鶯傳，太平廣記四百八十八雜傳記類採之。後人以張生賦會眞詩三十韻，又名曰會眞記。唐人以詩文張之者，元微之有續會眞詩三十韻；河中楊巨源有崔娘詩；亳州李紳有鶯鶯歌，皆見於本篇可考者也。宋趙德麟令畤惜其不能播之聲樂，乃譜商調蝶戀花十闋，以述其事。見所著侯鯖錄。金章宗時，有董解元演之爲西廂記，見傳是樓書目。但無齣句關目，行間全載宮調，引子，尾聲，所謂弦索西廂也。元有王實甫西廂記；關漢卿續西廂記；明有李日華南西廂記；陸天池南西廂記；周公魯翻西廂記。至清查繼佐又有續西廂雜劇。他如所謂續西廂，翻西廂，竟西廂，後西廂者；亂旨猥瑣，不著撰人。流傳至今，推爲美談。於是詞人韻事，傳播藝林，皆推本於微之此傳，而益加恢張者也。唐人小說，影響於元明大曲雜劇者頗多，而此傳最傳最廣。究其原因：一則以傳出微之，文雖不高，而辭旨頑豔，頗切人情；一則社會心理，趨尚在此，觀於趙令畤稱『今世士大夫，無不舉此爲美話。』宋世已然，於今爲烈；其流播之故可知矣。至其傳中之所謂張生，宋人有疑爲張籍者。王銍趙德麟並爲辨正，以張生爲元稹之託名，徵諸本集詩歌，及其年譜，皆與此傳吻合。前人已詳言之，當無疑義。張生本無名字。宋王楙野客叢書二十九卷，稱『唐有張君瑞遇崔氏於蒲，崔小名鶯鶯，元稹與李紳語其事，作鶯鶯歌』云。則張生之爲君瑞，宋時或有所本，姑存其說於此。趙德麟侯鯖錄卷五所載辨正及商調蝶戀花十闋，關係此傳甚切。茲全錄於後，俾便參稽云。

辨傳奇鶯鶯事

王性之作傳奇辨正云：嘗讀蘇翰林贈張子野有詩曰：『詩人老去鶯鶯在。』注言所謂張生，乃張籍也。僕按元微之所傳奇鶯鶯事，在貞元十六年春，又言明年生文戰不利，乃在十七年。而唐登科記，張籍以貞元十五年商郢下登科。既先二年，決非張籍明矣。每觀其文，撫卷歎息，未知張生果爲何人，意其非微之一等人，不可當也。會清源莊季裕爲僕言友人楊阜公，嘗得微之所作姨母鄭式墓誌云：『其既喪夫遭軍亂，微之爲保護其家備至。』則所謂傳奇者，蓋微之自敘，特假他姓以自避耳。僕退而考微之長慶集，不見所謂鄭氏誌文；豈僕家所收未完，或別有他本爾。然細味微之所序，及考於他書，則與季裕所說皆合。蓋昔人事有悖於義者，多託之鬼神夢寐，或假之他人，或云見他書，後世猶可考也。微之心不自聊，既出之翰墨，姑易其姓氏耳。不然，爲人敘事，安能委曲詳盡如此。按樂天作微之墓志，以太和五年薨。年五十三。則當以大歷十四年己未生，至貞元十六年庚辰，正二十二歲矣。（傳奇言生二十二歲，未知女色。）又韓退之作微之妻韋叢墓誌文，『作婿韋氏時，微之始以選爲校書郎。』正傳奇所謂後歲餘，生亦有所娶者也。（貞元十八年，微之始中書判拔萃授校書郎，二十四歲矣。）又微之作陸氏姊誌云：『予外祖父授睦州刺史鄭濟。』白樂天作微之母鄭夫人誌亦言：『鄭濟女』而唐崔氏譜，『永寧尉鵬，亦娶鄭濟女』。則鶯鶯者，乃崔鵬之女，於微之爲中表。正傳奇所謂鄭氏爲異派之從母者也。非特此而已，僕家有微之作元氏古豔詩百餘篇，中有春詞二首，其間皆隱鶯字，（傳奇言立綴春詞二首以授之，不書諱字者，即此意。）及自有鶯鶯詩，離思詩，雜憶詩，與傳奇所載，猶一家說也。又有古決絕詞，夢遊春詞，前敘所遇，後言捨之以義。又敘娶韋氏之年，與此無少異者。（夢遊春詞云：『當年二紀初，佳節三星度。韋門正全盛，出入多歡裕。』二紀初，謂二十四歲者也。）其詩中多言雙文，意謂二鶯字，爲雙文也。併書於後，使覽之者可考焉。又意古豔詩，多微之專因鶯鶯而作無疑。又微之百韻詩寄樂天云：『山岫當堦翠，牆花拂面枝。鶯聲愛嬌小，燕翼玩逶迤。』注云：昔予賦詩云：

『爲見牆頭佛面花。』時惟樂天知此事。又云：『幼年與蒲中詩人楊巨源友善，日課詩。』（傳奇言生發其書于所知，予亦聞其說。生所善楊巨源爲賦崔娘詩一絕。）凡是數端，有一於此，可驗決爲微之無疑；況於如是之衆也。然必更以張生者，豈元與張受命姓氏，本同所自出耶。（張姓出黃帝之後，元姓亦然。後爲拓拔氏，後魏有國，改號元氏。）僕性喜討論，考合異同。每聞一事隱而未見，或可見而事不同，如瓦礫之在懷，必欲討閱歸於一說而後已。嘗謂讀千載之書，而探千載之跡，必須盡見當時事理，如身履其間，絲分縷解，始終備盡，乃可以置議論。若略執一言一事，未見其餘，則事之相戾者多矣。又謂前世之事，無不可考者，特學者觀書少而未見爾。微之所遇合，雖涉於流宕自放，不中禮，然名輩風流餘韻，照暎後世，亦人間可喜事。而士之臻此者特鮮也。雖巧爲避就，然意微而顯，見於微之其他文辭者，彰著又如此。故反復抑揚，張而明之，以信其說。他時見所謂姨母鄭氏誌文，當詳載於後云。微之古豔詩春詞云：『春來頻到宋家東，垂衷開懷待好風。鶯藏柳暗無人語，惟有牆花滿樹紅。深院無人草樹光，嬌鶯不語趁陰藏。等閑弄水浮花片，流出門前賺阮郎。』鶯鶯詩云：『殷紅淺碧舊衣裳，取次梳頭暗淡妝。夜合帶煙籠曉月，牡丹經雨泣殘陽。依稀似笑還非笑，彷彿聞香不是香。頻動橫波嗔不語，等閑教見小兒郎。』離思云：『自愛殘妝曉鏡中，鐶釵謾篸綠絲叢。須臾日射胭脂頰，一朶紅酥旋欲融。山泉散漫遶階流，萬樹桃花映小樓。閑讀道書慵未起，水晶簾下看梳頭。紅羅著壓逐時新，杏子花紗嫩麴塵。第一莫嫌才地弱，些些紕縵最宜人。曾經滄海難爲水，除卻巫山不是雲。取次花叢懶回顧，半緣修道半緣君。尋常百種花齊發，偏摘梨花與白人。今日江頭兩三樹，可憐枝葉度殘春。』春曉云：『半欲天明半未明，醉聞花氣睡聞鶯。娃兒撼起鐘聲動，二十年前曉寺情。』古決絕詞云：『乍可爲天上牽牛織女星，不願爲庭前紅槿枝。七月七日一相見，相見故心終不移。那能朝開暮飛去，一任東西南北吹。分不兩相守，恨不兩相思；對面且如此，背面當可知。春風撩亂百勞語，況是此時拋去時。握手苦相問，竟不言後期。君情既決絕，妾意已參差。借如死生別，安得長苦悲。』又云：『噫春冰之將泮，何余懷之獨結？有美一人，於焉曠絕；一日不見，比一日於三年，況三年之閒別，水得風兮小而已波，筍在苞兮高不見節。矧桃李之當春，競衆人而攀折。我自顧悠悠而若雲，又安能保君皚皚之如雪。感破鏡之分明，睹淚痕之餘血。幸它人之既不我先，又安能使它人之終不我奪。已焉哉！織女別黃姑，一年一度暫相見，彼此隔河何事無。』又云：『夜夜相抱眠，幽懷尚沉結。那堪一年事，長遣一宵說。但感久相思，何暇暫相悅。虹橋薄夜成，龍駕侵晨列。生憎野鵲性遲回，死恨天雞識時節。曙色漸曈曨，華星欲明滅。一去又一年，一年何可徹。有此迢遞期，不如死生別。天公信是妒相憐，何不傳教相決絕。』雜憶云：『今年寒食月無光，夜色纔侵已上床。憶得雙文通內裡，玉櫳深處暗聞春。花籠微月竹籠煙，百尺絲繩拂地懸。憶得雙文人靜後，潛教桃葉送秋千。寒輕夜淺繞迴廊，不辨花叢暗辨香。憶得雙文籠月下，小樓前後捉迷藏。山榴似火葉相兼，半拂低牆半拂簷。憶得雙文獨披掩，滿頭花草倚新簾。春冰消盡碧波湖，漾影殘霞似有無。憶得雙文衫子薄，鈿頭雲暎褪紅酥。』贈雙文云：『豔極翻含態，憐多轉自嬌。有時還暫笑，閑坐更無聊。曉月行堪墜，春酥見欲消。何酥冐垂手，不敢望迴腰。』夢遊春云：『昔歲夢遊春，夢遊何所遇？夢入深洞中，果遂平生趣。清冷淺漫流，畫舸蘭篙渡。過盡萬株桃，盤旋竹林路。長廊抱小樓，門牖相回互。樓下雜花叢，叢邊繞鴛鷺。池光漾霞影，曉日初明煦。未敢上階行，頻移曲池步。烏龍不作聲，碧玉曾相慕。漸到簾間，徘徊意猶懼。閑窺東西閣，奇玩參差布。隔子碧油糊，蛇鉤紫金鍍。逡巡日漸高，影響人將寤。鸚鵡飢亂鳴，嬌娃睡猶怒。簾開侍兒起，見我遙相諭。鋪沒繡紅裀，施張鈿裝具。潛褰翡翠帷，瞥見珊瑚樹。不辨花貌人，空驚香若霧。身回夜合偏，態斂晨霞聚。睡臉桃破風，汗妝蓮委露。叢梳百葉髻，金蹙重臺屨。紕軟鈿頭裙，玲瓏合歡褲。鮮妍脂粉薄，暗淡衣裳故。最似紅牡丹，雨來春欲暮。夢魂良易驚，靈境難久寓。夜夜望天河，無由重沿泝。結念心所期，返如禪頓悟。覺來八九年，不向花回顧。雜合兩京春，喧闐衆禽護。我到看花時，但作懷仙句。浮生轉經歷，道性尤堅固。近作夢仙詩，亦知勞肺腑。一夢何足去，良時事婚娶。當年二紀初，佳節三星度。朝蕣玉佩迎，高松女蘿附。韋門正全盛，出入多歡裕。』云云。（樂天和微之夢游仙詩序云：『斯言也，不可使不知吾者知，告吾者亦不可使不知。樂天，知吾者也。吾不敢不使吾子。予辱斯言，三復其旨，大抵悔既往而悟將來也。』云云。正謂此事，非張籍益明矣。）

微之年譜

己未代宗大歷十四年（是歲微之生）庚申德宗建中元年辛酉至甲子興元元年（是歲崔氏生）乙丑貞元元年丙寅至癸酉九年（是歲微之明經及第）甲戌至己卯十五年（十二月辛未咸寧王渾瑊薨于蒲，丁文雅不能御軍，遂作亂。）庚辰十六年（是歲微之年二十二，傳奇言生年二十二未近女色。崔氏年十七，傳奇言於今之貞元庚辰十七年矣。）辛巳十七年（是歲微之年二十三，傳奇言生以文調西去，所謂文戰不利，遂止京師。崔氏書所謂春風多厲，正次年春也。）壬午十八年（是歲微之年二十四，以中書判第四等授校書郎，即傳奇言後歲餘崔亦委身於人，生亦有所娶。按退之作微之妻韋叢誌曰選婿得稹，始以選授校書郎。即與微之夢遊春二紀初三星度所謂有所娶之言同。癸未十九年至乙酉順宗永正元年丙戌憲宗永和元年（是歲微之年二十八，歲中才識兼藏，明於體用科等，拜左拾遺，出爲河南尉。）丁亥戊子二年（是歲授監察御史）己丑四年（是歲娶韋氏，年二十七。）庚寅五年（是歲貶江陵士曹）辛卯至申午九年（是歲徙唐州從事）乙未十年（是歲召入都，徙通州司馬。）丙申至己亥十四年（是歲徙虢州長史，爲膳部員外郎。）庚子十五年（是歲穆宗即位，轉祠部郎中，知制誥。）辛丑穆宗長慶元年（是歲權翰林學士工部侍郎平章事）壬寅三年（是歲出爲同州刺史）癸卯甲辰四年（是歲移浙東觀察使越州刺史）乙巳敬宗寶曆元年丁未文宗太和元年己酉三年（是歲召爲尚書右丞，旋改鄂岳節度使。）庚戌辛亥五年（是歲薨於鎮，年五十三。）

趙德麟商調蝶戀花詞

夫傳奇者，唐元微之所述也，以不載於本集，而出於小說，或疑其非是。今觀其詞，自非大手筆，孰能與於此。至今士大夫，極談幽玄，訪奇述異，無不舉此以爲美話。至於娼優女子，皆能調說大略。惜乎不被之以音律，故不能播之聲樂，形之管絃。好事君子，極飲肆歡之際，願欲一聽其說，或舉其末而忘其本，或紀其略而不及其終篇。此吾曹之所共恨者也。今日暇日，詳觀其文，略其煩褻，分之爲十章。每章之下，屬之以詞；或全摭其文，或止取其意。又別爲一曲，載之傳前，先敘前篇之義。調曰商調。曲名蝶戀花。句句言情，篇篇見意。奉勞歌伴，先定格調，後聽蕪詞：

麗質仙娥生月殿。謫向人間，未免凡情亂。宋玉牆東流美盼，亂花深處曾相見。

密意濃歡方有便，不奈浮名，遊遣輕分散。最恨多才情太淺，等閑不念離人怨。

傳曰：余所善張君，性溫茂，美豐儀，寓於蒲之普救寺。適有崔氏孀婦，將歸長安，路出於蒲，亦止玆寺。崔氏婦，鄭女也。張出於鄭，緒其親，乃異派之從母。是歲，丁文雅不善於軍，軍人因喪而擾，大掠蒲人。崔氏之家，財產甚厚，多奴僕，旅寓惶駭；不知所措。先是，張與蒲將之黨有善，請吏護之，遂不及於難。鄭厚張之德甚，因飾饌之命張，中堂讌之。復謂張曰：『姨之孤嫠未亡，提攜幼稚。不幸屬師徒大潰，實不保其身。弱子幼女，猶君之所生也。豈可比常恩哉？今俾以仁兄之禮奉見，冀所以報恩也。』乃命其子曰歡郎，可十餘歲，容甚溫美。次命女曰鶯鶯，「出拜爾兄，爾兄活爾。』久之，辭病。鄭怒曰：『張兄保爾之命。不然，爾且虜矣。能復遠嫌乎？』又久之，乃至。常服睟容，不加新飾，垂鬟淺黛，雙臉斷紅而已。顏色豔異，光輝動人。張驚，爲之禮。因坐鄭傍，凝睇怨絕，若不勝其體。張問其年幾。鄭曰：『十七歲矣。』張生稍以諷導之，不對。終席而罷。奉勞歌伴，再和前聲：

錦額重簾深幾許。繡履彎彎，未省離朱户。強出嬌羞都不語，絳綃頻掩酥胸素。
黛淺愁紅妝淡佇。怨絕情凝，不肯聊回顧。媚臉未勻新淚汙，梅英猶帶春朝露。

張生自是惑之；願致其情，無由得也。崔之婢曰紅娘。生私爲之禮者數四，乘間，遂道其衷。翌日，復至，曰：『郎之言，所不敢言，亦不敢泄。然而崔之族姻，君所詳也，何不因其媒而求娶焉？』張曰：『予始自孩提時，性不苟合。昨日一席間，幾不自持。數日來，行忘止，食忘飯，恐不能踰旦暮。若因媒氏而娶，納采問名，則三數月間，索我於枯魚之肆矣。』婢曰：『崔之貞順自保，雖所尊，不可以非語犯之。然而善屬文，往往沉吟章句，怨慕者久之。君試爲諭情詩以亂之。不然，無由得也。』張大喜，立綴春詞二首以授之。奉勞歌伴，再和前聲：

懊惱嬌癡情未慣。不道看看，役得人腸斷。萬語千言都不管，蘭房跬步如天遠。

廢寢忘餐思相遍。賴有青鸞，不必憑魚雁。密寫香箋論繾綣，春詞一紙芳心亂。

是夕，紅娘復至，持綵牋以授張曰：『崔所命也。』題其篇曰明月三五夜，其詞曰：『待月西廂下，迎風戶半開。拂牆花影動，疑是玉人來。』奉勞歌伴，再和前聲：

庭院黃昏春雨霽。一縷深心，百種成牽繫。青翼驀然來報喜，魚牋微諭相容意。

待月西廂人不寐。簾影搖光，朱戶猶慵閉。花動拂牆紅萼墜，分明疑是情人至。

張亦微諭其旨。是歲，二月旬又四日矣。崔之東閣，有杏花一樹；攀援可踰。既望之夕，張因梯其樹而踰焉。達於西廂，則戶半開矣。無幾，紅娘復來。連曰：『至矣！至矣！』張生且喜且駭，謂必獲濟。及女至。則端服儼容，大數張曰：『兄之恩，活我家，厚矣。由是慈母以弱子幼女見依。奈何因不令之婢，致淫佚之詞。始以護人之亂爲義，而終掠亂而求之。是以亂易亂，其去幾何？誠欲寢其詞，則保人之姦，不義。明之母，則背人之惠，不祥。將寄於婢妾，又恐不得發其眞誠。是用託於短章，願自陳啓。猶懼兄之見難，是用鄙靡之詞，以求其必至。非禮之動，能不愧心。特願以禮自持，毋及於亂。』言畢，翻然而逝。張自失者久之。復踰而出，由是絕望矣。

奉勞歌伴，再和前聲：

屈指幽期惟恐誤。恰到春宵，明日當三五。紅影壓牆花密處，花陰便是桃源路。

不謂蘭誠金石固。斂袂怡聲，恣把多才數。惆悵空回誰共語，只應化作朝雲去。

後數夕，張君臨軒獨寢，忽有人覺之。驚欻而起，則紅娘斂衾攜枕而至，撫張曰：

『至矣！至矣！睡何爲哉！』並枕重衾而去。張生拭目危坐，久之，猶疑夢寐。俄而紅娘捧崔而至。則嬌羞融洽，力不能運支體，曩時之端莊，不復同矣。是夕，旬有八日。斜月晶熒，幽輝半牀。張生飄飄然，且疑神仙之徒，不謂從人間至也。有頃，寺鐘鳴曉，紅娘促去。崔氏嬌啼宛轉，紅娘又捧而去，終夕無一言。張生辨色而興，自疑曰：『豈其夢耶？』所可明者，妝在臂，香在衣，淚光熒熒然，猶瑩於茵席而已。

奉勞歌伴，再和前聲：

數夕孤眠如度歲。將謂今生，會合終無計。正是斷腸凝望際，雲心捧得嫦娥至。

玉困花柔羞抆淚。端麗妖嬈，不與前時比。人去月斜疑夢寐，衣香猶在妝留臂。

是後又十餘日，杳不復知。張生賦會眞詩三十韻，未畢，紅娘適至，因授之以貽崔氏。自是復容之。朝隱而出，暮隱而入，同安於曩所謂西廂，幾一月矣。張生將之長安，先以情諭之。崔氏宛無難詞，然愁怨之容動人矣。欲行之再夕，不復可見，而張生遂西。奉勞歌伴，再和前聲：

一夢行雲還暫阻。盡把深誠，綴作新詩句。幸有青鸞堪密付，良宵從此無虛度。

兩意相歡朝又暮。爭奈郎鞭，暫指長安路。最是動人愁怨處，離情盈抱終無語。

不數月，張生復遊於蒲，舍於崔氏者，又累月。張雅知崔氏善屬文，求索再三，終不可見。雖待張之意甚厚，然未嘗以詞繼之。異時，獨夜操琴，愁弄悽惻。張竊聽之。求之，則不復鼓矣。以是愈惑之。張生俄以文調。及期，又當西去。臨去之夕，崔恭貌怡聲，徐謂張曰：『始亂之，固其宜矣。愚不敢恨。必也君始之，君終之，君之惠也。則沒身之誓，其有終矣。又何必深憾於此行？然而君既不懌，無以奉寧。君嘗謂我善鼓琴，今且往矣，既達君此誠。』因命拂琴，鼓霓裳羽衣序，不數聲，哀音怨亂，不復知其是曲也。左右皆欷歔。張以遽止之。崔投琴擁面，泣下流漣，趣歸鄭所，遂不復至。奉勞歌伴，再和前聲：

碧沼鴛鴦交頸舞。正恁雙棲，又遣分飛去。酒翰贈言終不許，援琴請盡奴衷素。
曲未成聲先怨慕。忍淚凝情，強作霓裳序。彈到離愁淒咽處，絃腸俱斷梨花雨。

詰旦，張生遂西。明年，文戰不利，遂止於京。因貽書於崔，以廣其意。崔氏緘報之詞，粗載於此，曰：『捧覽來問，撫愛過深。兒女之情，悲喜交集。兼惠花勝一合，口脂五寸，致耀首膏唇之飾。雖荷多惠，誰復爲容？睹物增懷，但積悲歎耳。伏承便於京中就業，於進修之首，固在便安。但恨鄙陋之人，永以遐棄。命也如此，知復何言！自去秋以來，嘗忽忽如有所失。於喧譁之下，或勉爲笑語，閒宵自處，無不淚零。乃至夢寐之間，亦多敘感咽離憂之思。綢繆繾綣，暫若尋常。幽會未終，驚魂已斷。雖半衾如煖，而思之甚遙。一昨拜辭，倏逾舊歲。長安行樂之地，觸緒牽情。何幸不忘幽微，眷念無斁。鄙薄之志，雖以奉酬。至於始終之盟，則固不忒。鄙昔中表相因，或同宴處。婢僕見誘，遂致私誠。兒女之情，不能自固。君子有援琴之挑，鄙人無投梭之拒。及薦枕席，義盛恩深。愚幼之情，永謂終託。豈期既見君子，不能以禮定情。致有自獻之羞，不復明侍巾櫛。沒身永恨，含歎何言。儻仁人用心，俯遂幽劣，雖死之日，猶生之年。如或達士略情，捨小從大，以先配爲醜行，謂要盟之可欺。則當骨化形銷，丹忱不泯，因風委露，猶託清塵。存沒之誠，言盡於此。臨紙嗚咽，情不能申。千萬珍重！奉勞歌伴，再和前聲：

別後相思心目亂。不謂芳香，忽寄南來雁。卻寫花箋和淚卷，細書方寸教伊看。
獨寐良宵無計遣。夢裡依稀，暫若尋常見。幽會未終魂已斷，半衾如煖人猶遠。

玉環一枚，是兒嬰年所弄，寄充君子下體之佩。玉取其堅潔不渝，環取其始終不絕。兼致綵絲一絇，文竹茶合碾子一枚。此數物不足見珍。意者欲君子如玉之潔，鄙志如環不解。淚痕在竹，愁緒縈絲。因物達誠，永以爲好耳。心邇身遐，拜會無期。幽憤所鍾，千里神合。千萬珍重！春風多厲，強飯爲佳。愼言自保，毋以鄙爲深念也。奉勞歌伴，再和前聲：

尺素重重封錦字。未盡幽閨，別後心中事。珮玉採絲文竹器，願君一見知深意。
環玉長圓絲萬繫。竹上斕斑，總是相思淚。物會見郎人永棄，心馳魂去神千里。

張之友聞之，莫不聳異，而張之志，固絕之矣。歲餘，崔已委身於人，張亦有所娶。適經其所居，乃因其言於崔，以外兄見。夫已諾之，而崔終不爲出。張怨念之誠，動於顏色。崔知之，潛賦一詩，寄張曰：『自從消瘦減容光，萬轉千迴懶下床。不爲旁人羞不起，爲郎憔悴卻羞郎。』竟不之見。後數日，張君將行，崔又賦一詩以謝絕之。

詞曰：『棄置今何道，當時且自親。還將舊來意，憐取眼前人。』奉勞歌伴，再和前聲：

夢覺高唐雲雨散。十二巫峰，隔斷相思眼。不爲旁人移步懶，爲郎憔悴羞郎見。

青翼不來孤鳳怨。路失桃源，再會終無便。舊恨新愁無計遣，情深何似情俱淺。

逍遙子曰：樂天謂『微之能道人意中語』。僕於是益知樂天之言爲當也。何者，夫崔之才華婉美，詞彩豔麗，則於所載緘書詩章盡之矣。如其都愉淫冶之態，則不可得而見。及觀其文，飄飄然彷佛出於人目前。雖丹青摹寫其形狀，未知能如是工且至否？僕嘗採摭其意，撰成鼓子詞十一章示余友何東白先生。先生曰：『文則美矣，意猶有不盡者。胡不復爲一章於其後，具道張之與崔，既不能以理定其情；又不合之於義。始相遇也，如是之篤；終相失也，如是之遽。必及於此，則完矣。』余應之曰：『先生眞爲文者。言必欲有終始箴誡而後已。大都鄙靡之詞，止歌其事之可歌，不必如是之備，若夫聚散離合，亦人之常情，古今所共惜也，又況崔之始相得，而終至相失，豈得已哉。如崔已他適，而張詭計以求見，崔知張之意。而潛賦詩以謝之，其情蓋有未能忘者矣。樂天曰：「天長地久有時盡，此恨綿綿無盡期。」豈獨在彼者耶！』予因命此意，復成一曲，綴於傳末云。

鏡破人離何處問。路隔銀河，歲會知猶近。只道新來消瘦損，玉容不見空傳信。

棄擲前歡俱未忍。豈料盟言，陡頓無憑準。地久天長終有盡，綿綿不似無窮恨。

以上三種傳記體的小說，已發展到言情的高潮。「遊仙窟」說是過仙，春夢恍如仙境，懷抱又若仙子，以意度測，不過身入娼家，陷溫柔鄉。托之爲仙遇，亦不過掩飾遁詞，以免邪行艷寢，爲世垢病罷了。「長恨歌傳」哀國事之非，禍由自取，若行止有禮，治國有方，豈能觸一誤再誤，貽禍天下，「鶯鶯傳」才子佳人偷香竊玉，若係元稹自傳，應屬可信。杜甫「憶昔」詩寫開元盛況說：

憶昔當年全盛日，小邑猶藏萬家室。
稻米流脂粟米白，公私倉廩俱豐實。
九洲道路無豺虎，遠行不勞吉日出。
齊紈魯縞事斑斑，男耕去桑不相失。

以上所述，皆爲太平時日，男女喜怒哀樂的寫照，天寶後，經過大動亂，國勢已大不如往昔。開元中，皇上既然倦於朝政，歌舞淫逸，「上宮春色，四時在目」。影響社會，則才子佳人，舉止閑冶，效其流風，習尚澆薄，佈局於小說如「遊仙窟」如「霍小玉傳」，如「柳氏傳」，如「無雙傳」等言情快意，爭奇鬥艷。而當中又以「長恨歌」的樂極生悲，「鶯鶯傳」，「李娃傳」的轉側生姿，曲折委婉而各盡其妙，爲此類言情之作生色。

唐代小說受六朝志怪小說的影響很大，表面上儒教是思想的中心，但骨子裡佛與道及神仙與夢遊，在小說中就成爲遁世的傳奇。廣泛傳佈，以爲人間所有奇事，大都與神鬼有關。周樹人在中國小說史略說：「中國本信巫，秦漢以來，神仙之說盛行，漢末又大暢巫風，而鬼道愈熾，會小乘佛亦入中土，漸見流傳。凡此，皆張皇鬼神，稱道靈異，故自晉迄隋，特多鬼神志怪之書。其書有出於文人者，有出於教徒者。文人之作，雖非如釋道二家，意在自神其教，然亦非有意爲小說，蓋當時以爲幽明雖殊途，而人鬼乃皆實有，故其叙述異事，與記戴人間常事，自視固無誠妄之別矣。」

你說它是迷信，但古從至今，這種心靈上的寄託，卻從來沒有消滅過，你說儒家不講怪力亂神，是叫人安心立命在「成人之美」與人爲「善」上，樂天知命就是這個道理。

我們曾經介紹六根不淨的「杜子春」，他的世欲之心仍根深蒂固留在心中，故而不能忘我，於修持到最後時，「噫」的一聲，仍然回復到原來的自己，而前功盡棄。

唐人於「志怪」、「志人」之餘，不能忘情於「志夢」，這個「夢」是要放棄功名仕宦，去一個忘我的天地，去除掉物質與精神雙重的勞累，來實現「富貴於我如浮雲」、「別有天地非人間」的境界。因爲一個人的理想抱負，常常受到打擊和挫折，黑暗的官場，常常出現「怪力亂神」，想遇之則吉卻當面撞到它，「樂天知命」便被無情的暗劍砍殺的遍體鱗傷，於是，去夢中撫慰創傷，便是一座安全的養息所。「枕中記」、「南柯太守傳」、「三夢記」、「異夢錄」、「秦夢記」便是這等作品。

「枕中記」作者沈既濟是蘇州吳人，經學該博，曾任右拾遺吏館修撰，吏部員外郎，有建中實錄十卷，所作傳奇志怪，諷世之作，情采並茂。沈氏此文，唐時已收入陳翰所編之「異聞傳」。文中所說呂翁，湯顯祖「邯鄲記」指呂翁爲呂洞賓，其實，作者所說呂翁，是位泛指有道之士的一位代表性人物，太平廣記八十二據異聞集中說主人正在蒸黍作主人蒸黃粱爲梁饌，以後便是相傳黃粱一夢之來由，文中言生就青甆枕，舉進身入甆竅而娶美妻，建功樹名，出將入相。時望清重，群情翕習。獻替啓沃，號爲賢相。同列構陷其謀反下獄，對他妻子說：「吾家山東，有良田五頃，是足以禦寒餒，何苦求祿，而今及此。思衣短褐，乘清駒，行邯鄲道中，不可得也。」何苦求祿就是何必熱衷功名利祿，後面的話像李斯爲趙高所害被凌遲面前抱住小兒子李中說：我想帶著你一同走出上蔡門，去獵捕狡兔，再也不能夠了！但是盧生卻因中官厚保，既免死罪，又復追封中書令，封燕因公，五個兒子皆位居高官，孫子十餘人，並享榮華富貴，盧生八十餘歲，福壽全歸而薨。此時欠伸而悟，主人蒸黍未熟，「豈其夢寐也？」翁謂生曰：「人生之適，亦爲是矣」。盧生醒來，乃是一夢，便絕了求官的念頭。

「南柯太守傳」作者李公佐，字顓蒙，約生於代宗之朝，曾舉進士，爲鍾陵從事，另撰有「謝小娥傳」、「馮媼傳」、「古嶽瀆經」等篇。「南柯太宗傳」較「枕中記」爲長。本篇述吳楚遊俠之士淳於棼，嗜酒使氣，沈醉致疾。二友人送之歸家，昏然入夢。有二紫衣使者來迎，入右槐穴而去。至則爲大槐安國，傳呼「附馬遠降」，與國王次女瑤芳成婚，婚禮備及豐盛。不久出任南柯太守，偕妻金枝公主同往。守郡二十年，勤於親民，政事委以周弁，田子玆。生五男二女，榮耀顯赫。旋因公主去逝，護喪還國。生久鎮外藩，威福日盛，國王疑憚，奪生權柄，禁生遊從，加以輭禁。生既鬱鬱不樂，前之二紫衣使者送回故居。「見家之僮僕擁篲拎庭，二客濯足於榻，斜日未隱於西垣，餘樽南湛於東鏞。夢中倏忽，若度一世矣。」生與二客尋槐下穴，命僕夫荷斤究其源，發現東西蟻穴，羅佈其下，有若夢中城郭臺殿，土城小樓「追想前事，感歎於懷，披閱窮跡，皆符所夢」。末篇之末有華州參軍李肇的四句話說：

貴極祿位，權傾國都，達人視此，蟻聚何殊。

「枕中記」、與「南柯太守傳」盧生與淳于二入一入竅，一入穴，至此想通了，認爲寵辱，窮達，得失，死生的氣運和道理，盡已知道而且也經過了，功名富貴只如一場短暫的夢罷了。一切看開吧。

太平廣記二百八十三引幽明錄楊林事附錄爲下參考：

宋世焦湖廟有一柏枕，或云玉枕，枕有小坼。時單父縣人楊林爲賈客，至廟祈求。廟巫謂曰：『君欲好婚否？』林曰：『幸甚。』巫即遣林近枕邊，因入坼中。遂見朱樓瓊室，有趙太尉在其中。即嫁女與林，生六子，皆爲秘書郎，歷數十年，並無思歸之志。忽如夢覺，猶在枕旁。林愴然久之。

太平廣記二百八十一又記櫻桃青衣一條，雖未引出處，但其爲一夢，夢醒便覺悟功名仕宦，皆是虛妄，何必去求：

天寶初有范陽盧子，在都塵舉，頻年不第，漸窘迫。嘗暮乘驢遊行，見一精舍中有僧開講，聽徒甚衆。盧子方詢講筵，倦寢。夢至精舍門，見青衣攜一籃櫻桃在下坐。盧子訪其誰家，因與青衣同食櫻桃。青衣云：『娘子姓盧，嫁崔家。今孀居在城。』因訪近屬，即盧子再從姑也。青衣曰：『豈有阿姑同在一都，郎君不往起居？』盧子便隨之。過天津橋，入水南一坊。有一宅，門甚高大。盧子立於門下，青衣先入。少頃，有四人出門，與盧子相見，皆姑之子也：一任戶部郎中；一前任鄭州司馬；一任河南功曹；一任太常博士。二人衣緋；二人衣綠。形貌甚美。相見言敘，頗極歡暢。斯須，引入北堂拜姑。姑衣紫衣，年可六十許，言詞高朗，威嚴甚肅。盧子畏懼，莫敢仰視。令坐。訪內外，備諳氏族。遂訪兒婚姻未？盧子曰：『未。』姑曰：『吾有一外甥女子姓鄭，早孤，遺吾妹鞠養，甚有容質，頗有令淑；當爲兒平章，計必允遂。』盧子遽即拜謝。乃遣迎鄭氏妹。有頃，一家並到，車馬甚盛。遂檢歷擇日，云後日大吉，因爲盧子定。謝。姑云：『聘財函信禮席，兒並莫憂，吾悉與處置。兒有在城何親故，並抄名姓，並具家第。』凡三十餘家，並在臺省及府縣官。明日下函，其夕成結。事事華盛，殆非人間。明日拜席，大會都城親表。拜席畢，遂入一院。院中屛帷，皆極珍異。其妻年可十四五，容色美麗，宛若神仙，盧生心不勝喜，遂忘家屬。俄又及秋試之時。姑曰：『禮部侍郎與姑有親，心答極力，更勿憂也。』明春遂擢第。又應宏詞。姑曰：『吏部侍郎與兒子弟當家連官，情分偏洽。令渠爲兒必取高第。』及牓出，又登甲科，授秘書郎。姑云：『河南尹是姑堂外甥。令渠奏畿縣尉。』數月，敕授王屋尉；遷監察；轉殿中；拜吏部員外郎，判南曹。銓畢，除郎中。餘如故。知制誥，數月即眞。遷禮部侍郎。兩載知舉，賞鑒平允，朝廷稱之。改河南尹。旋屬駕車還京，遷兵部侍郎。扈從到京，除京兆尹，改吏部侍郎。三年掌銓，甚有美譽。遂拜黃門侍郎平章事。恩渥綢繆，賞賜甚厚。作相五年，因直諫忤旨，改左僕射，罷知政事。數月，爲東都留守河南尹，兼御史大夫。自婚媾後，至是經二十年。有七男三女，婚宦俱畢。內外諸孫十人。後因出行，卻到昔年逢攜櫻桃青衣精舍門。復見其中有講筵，遂下馬禮謁。以故相之尊，處端揆居守之重，前後導從。頗極貴盛，高自簡貴，輝映左右。升殿禮佛，忽然昏醉，良久不起，耳中聞講僧唱云：『檀越何久不起？』忽然夢覺。乃見著白衫服飾如故。前後官吏，一人亦無。迴遑迷惑，徐徐出門。乃見小豎捉驢執帽，在門外立，謂盧曰：『人驢並饑，郎君何久不出？』盧訪其時？奴曰：『日向午矣。』盧子惘然歎曰：『人世榮華窮達富貴貧賤，亦當然也。而今而後，不更求官達矣。』遂尋仙訪道，絕跡人世云。

以上所錄大都和五朝小說志怪篇所記向夢地下尋找人生的出路。「南柯太守傳」淳于一酒徒，更說明人生不過黃粱一夢，瞬間而已。佛家言人生如夢幻泡影，如露亦如電的觀念，與此說法相近。人的生命之鑽營蟻聚，不過如此渺小靈無，放開一切「心無所住」，才是生命根源的一切，才能歸於順乎自然的無限的天地。

白行簡「三夢記」與「枕中記」、「南柯太宗守傳」皆不同，內容中前二夢記述他自己與妻子和兄長的夢境感應，歷歷如繪，且有人事情景見証。又一夢言竇韋二人逆旅間夢與女巫趙氏及二客間相通事，証之日間所見完全相同，且有錢三環爲証。三夢若合符節。復有一夢爲張氏女夢入朱門大戶，爲大臣諸女絲竹管弦，詩詞歌吟，主人令其別解父母。張女醒而稟告父母，母怒且不信。張女膏沐澡瀹。艷妝盛色，拜別父母而遊。茲錄三夢於下，並全其眞：

三夢記

人之夢異於常者有之。或彼夢有所往。而此遇之者。或此有所爲。而彼夢之者。或兩相通夢者。天后時。劉幽求爲朝邑丞。嘗奉使歸。未及家十餘里。適有佛堂寺。路出其側。聞寺中歌笑歡洽。寺垣短缺。盡得覩其中。劉俯身窺之。見十數人兒女雜坐。羅列盤饌。環繞之而共食。見其妻在坐中語笑。劉初愕然。不測其故。久思之。且思其不當至此。復不能捨之。又熟視容止。言笑無異。將就察之。寺門閉不得入。劉擲瓦擊之。中其罍洗。破迸走散。因忽不見。劉踰垣直入。與從者同視。殿廡皆無人。寺扃如故。劉訝益甚。遂馳歸。比至其家。妻方寢。聞劉至。乃敘寒暄訖。妻笑曰。向夢中與十數人同遊一寺。皆不相識。會食於殿庭。有人自外以瓦礫投之。杯盤狼籍。因而遂覺。劉亦具陳其見。蓋所謂彼夢有所往而此遇之者矣。

元和四年。河南元微之爲監察御史。奉使劍外踰旬。予與仲兄樂天。隴西李杓直。同遊曲江。詣慈恩佛舍。偏歷僧院。淹留移時。日已晚。同詣杓直修行里第。命酒對酌。甚歡暢。兄停杯久之曰。微之當達梁矣。命題一篇於壁。其詞曰。春來無計破春秋愁。醉折花枝作酒籌。忽憶故人天際去。計程今日到梁州。實二十一日也。十許日。會梁州使適至。獲微之書一函。後寄紀夢詩一篇。其詞曰。夢君兄弟曲江頭。也入慈恩院裡遊。屬吏喚人排馬去。覺來身在古梁州。日月與遊寺題詩日月率同。蓋所謂此有所爲而彼夢之者矣。

貞元中。扶風竇質。與京兆韋旬。旬自亳入秦。宿潼關逆旅。竇夢至華岳祠下。見一女巫。黑而長。青裙素襦。迎路拜揖。請爲之祝神。竇不獲已。遂聽之。問其姓。自稱趙氏。及覺。具言於韋。明日至祠下。有巫迎客。容質妝服。皆所夢也。顧韋謂曰。夢有徵也。乃命從者視囊中。得錢三環與之。巫撫掌大笑。謂同輩曰。如所夢矣。韋驚問之。對曰。昨夢二人從東來。一髯而短者祝酹。獲錢三環焉。及旦乃偏述於同輩。今則驗矣。竇因問巫之姓氏。同輩中曰。姓趙氏。自始及末。若合符契。蓋所謂兩相通夢者矣。

行簡曰。春秋及子史言夢者多。然未有載此三夢者矣。世人之夢亦衆矣。亦未有此三夢。豈偶然也。抑亦必前定耶。予不能知。今備記其事以存錄焉。

行簡云。淮安西市帛肆。有販粥求利而爲之平者。姓張。不得名。家富於財。居光德里。其女國色也。常因晝寢。夢至一處。朱門大户。棨戟森然。由門而入。望其中堂。若設燕張樂之爲。左右郎皆施幃幄。有紫衣吏。引張氏於西廊幃。見少女如張等輩十許人。皆花容綽約。釵鈿照耀。既至。促張妝飾。諸女迭助之。理澤傅粉。有頃。自外傳呼侍郎來。自隙間窺之。見一紫綬大官。張氏之兄。嘗爲其小吏。識之。乃言曰。吏部沈公也。俄又呼曰。尚書來。未有識者也。逡巡復連呼曰。某來某來。皆郎官以上。六七個坐廳前。紫衣吏曰。可出矣。群女旋進金石絲竹。鏗鍧震響。中署酒酣。王幷州見張氏而視之。尤屬意。謂之曰。汝習何藝能。對曰。未嘗學聲音。使與之琴。辭不能。曰第操之。乃撫之而成曲。與之箏亦然。琵琶亦然。皆平生所不習也。王公曰。恐汝或遺。乃令口受吟詩。鬟梳嬈俏學官妝。獨立閑庭納夜涼。手把玉簪敲砌竹。清歌一曲月如霜。謂張曰。比歸辭父母。異日復來。張忽啼寤。手捫衣帶。謂母曰。尚書詩遺矣。索筆錄之。母問其故。泣對以所夢。且曰。殆將死乎。母怒曰。汝作魘爾。何以爲辭。乃出不祥言如是。因臥病累日。外親有持酒肴者。又有將食來者。女曰。且須膏沐澡瀹。母聽良久。豔妝盛色而至。食畢。乃偏拜父母及坐客曰。時不留。某今往矣。因授衾而寢。父母環伺之。俄爾遂卒。會昌二年六月十五日也。

沈亞之「異夢錄」原出「異聞錄」。亞之字下賢，元和十年進士，任中丞亟御史供奉。以文詞得名，嘗遊韓愈門下，唐書文苑傳序稱韋衣應物、沈亞之、閻防、祖詠、薛能、鄭谷等皆斑斑有文，史家逸其行事，故弗得述。其書有沈亞之八卷，李賀，李商隱俱有擬沈下賢詩、沈亞之歌，爲當時名賢所稱許。

「異聞錄」是沈亞之做隴名公記室時，言隴西公從刑鳳游，鳳於長安平康里南第寢時，夢一異人授詩請其傳之，其詩曰：「長安少女踏春陽，何處春陽不斷腸。舞袖弓彎渾忘卻，羅衣空換九秋霜。」弓彎是一種舞姿，美人爲弓彎狀舞給鳳看後，便泣而歸去。鳳醒來於襟袖間得詞，言告監軍使與賓府郡佐賓客。又與友朋聚於明玉泉，亞之友人姚合說：他的朋友太原人王炎夢中遊吳，給吳王作侍從，宮中葬美人西施，王悲痛立詔作挽歌，王炎寫了詞陳給吳王，詩是這樣寫的：

「西望吳王國，雲書鳳字牌。連江起珠帳，擇水葬金釵。滿地紅心草，三層碧玉階。春風無處所，悽恨不勝懷。」詞進，王甚嘉之。及寤，能記其事。」炎，本太原人也。

這是以詩詞來表達夢的情況。

「秦夢記」與王炎之夢入吳國有相似處，這是沈亞之白日夢到身入秦國的事，與刑鳳白白夢到美人又相彷彿。不過亞之夢中是受秦公之命帥將士攻伐河西西乞下五城而還，秦公以愛女妻之，賜金二百斤，居翠微宮名沈郎院。亞之以水犀兩合獻公主，公主繫於裙帶上。不久，公主忽然去逝，亞之以詩詞哀悼。送葬咸陽原。以十四宮人殉之。此篇亦以亞之歌詩作爲驚醒前之餘音，大類爲此。

「酉陽雜俎」唐段成式撰。「新唐書，藝文志」列入子部小說家類。四庫全書子部小說家類三認爲書裡多「詭怪不經之談，荒渺無稽之物」。以上所言有如「山海經」之類，雖然書中部分有尸解升天，太陰煉形，善惡交錯，輪迴報應之處，也許正反映了當時唐代繼承六朝志怪的思想影響，從蕪雜的社會形態中，亦可看出百家紛陳，人事變化的一端倪和徵兆。有關小說傳奇的部分，酉陽雜記亦有近似「世說新語」的若干記錄。譬如沈亞之所記「異聞錄」在「酉陽雜俎」前集卷之十四諾皐記上也有相同的一篇說565：

元和初有一士人，失姓字。因醉臥廳中，及醒，見古屏上婦人等，悉於床前踏歌。歌曰：『長安女兒踏春陽，無處春陽不斷腸。無袖弓腰渾忘卻，娥眉空帶九秋霜。』其中雙鬟者，問曰：『如何是弓腰？』歌者笑曰：『汝不見我作弓腰乎？』乃反首髻及地，腰勢如規焉。士人驚懼，因叱之，忽然上屏，亦無其他。

以此而言，酉陽雜俎，亦有其可觀者。

段成式，字柯吉，山東臨淄人。生當唐德宗時代，曾任秘書省校書郎等職。祖父段志玄，是唐太宗的戰將，父親段文昌，任元和朝宰相，有文名，段著另有「蘆陵官下記」二卷，已散失。全唐詩輯有三十幾首詩詞，全唐文收入十一篇。酉陽雜俎前集二十卷，續集十卷。既言是雜俎，故而也有記國外如伊朗事的。

茲集卷之五有記怪術的，茲錄三則：

丞相張魏公延賞在蜀時，有梵僧難陀，得如幻三昧，入水火，貫金石，變化無窮。初入蜀，與三少尼俱行，或大醉狂歌，戍將將斷之。及僧至，且曰：「某寄迹桑門，別有藥術。」因指三尼：「此妙於歌管。」戍將反敬之，遂留連爲辦酒肉。夜會客，與之劇飲。僧假裲襠巾幗，市鉛黛，伎其三尼。及坐，含睇調笑，逸態絕世。飲將闌，僧

謂尼曰：「可爲押衙踏某曲也。」因徐進對舞，曳緒回雪，迅赴摩跌，技又絕倫也。良久曲終，而舞不已。僧喝曰：「婦女風邪？」忽起取戍將佩刀，衆謂酒狂，客驚走，僧乃拔刀所之，皆踣旃地，血及數丈。戍將大懼，呼左右縛僧。僧笑曰：「無草草。」徐舉尼，三支筇杖也，血乃酒耳。又嘗在飲會，令人斷其頭，釘耳於柱，無血。身坐席上，酒至，瀉入脰瘡中，面赤而歌，手復抵節。會罷，自起提首安之，初無痕也。時時預言人凶衰，皆謎語，事過方曉。成都有百姓供養數日，僧不欲住，閉關留之，僧因是走入壁角，百姓遽牽，漸入，唯餘袈裟角，頃亦不見。來日壁上有畫僧焉，其狀形似，日日色漸薄。積七日，空有黑跡，至八日，跡亦滅，僧已在彭州矣。後不知所之。

這個和尚神通廣大，他的法術，有苦日的魔術。他能夠以竹變人以酒變血，入牆而沒，亦能日行千里。

虞部朗中陸紹，元和中，嘗看表兄於定水寺，因爲院僧具蜜餌、時果，鄰院僧亦陸所熟也，遂令左右邀之。良久，僧與一李秀才偕至，乃環坐，笑語頗劇。院僧顧弟子煮新茗，巡將匝而不及李秀才。陸不平曰：「茶初未及李秀才，何也？」僧笑曰：「如此秀才，亦要知茶味？」且以餘茶飲之。鄰院僧曰：「秀才乃術士，座主不可輕言。」其僧又言：「不逞之子弟，何所憚！」秀才忽怒曰：「我與上人素未相識，焉知予不逞徒也？」僧復大言：「望酒旗玩變場者，豈有佳者乎？」李乃白座客：「某不免對貴客作造次矣。」因奉手袖中，據兩膝，叱其僧曰：「粗行阿師，爭敢輒無禮，柱杖何在？可擊之。」其僧房門後有筇杖子，忽跳出，連擊其僧。時衆亦爲蔽護，杖伺人隙捷中，若有物執持也。李復叱曰：「捉此僧向牆。」僧乃負牆拱手，色青氣短，唯言乞命。李又曰：「阿師可下堦。」僧又趨下，自投無數，衄鼻敗顙不已。衆爲請之，李徐曰：「緣對衣冠，不能殺此爲累。」因揖客而去。僧半日方能言，如中惡狀，竟不之測矣。

禍從口出，鄰院僧自取其辱，但李秀才爲何有此奇能，實在叫人大開眼界。另一條爲神行術，亦足稱奇：

元和末，鹽城腳力張儼，遞牒入京。至宋州，遇一人，因求爲伴。其人朝宿鄭州，因謂張曰：「君受我料理，可倍行數百。」乃掘二小坑，深五六寸，令張背立，垂踵坑口，針其兩足。張初不知痛，又自膝下至骭，再三捋之，黑血滿坑中。張大覺舉足輕捷，纔午至汴，復要於陝州宿，張辭力不能。又曰：「君可暫卸膝蓋骨，且無所苦，當日行八百里。」張懼，辭之。其人亦不強。乃曰：「我有事，須暮及陝。」遂去，行如飛，頃刻不見。

諸皐記上有記「山海經」中神話的，有記鬼仙奇事的，有記吐火羅國，古龜茲、乾陀異情的。其中亦有數則可錄於下：

鄭相餘慶在梁州，有龍興寺僧智圓，善總持敕勒之術，制邪理痛多著效，日有數十人候門。智圓臘高稍倦，鄭公頗敬之，因求住城東隙地。鄭公爲起草屋種植，有沙彌、行者各一人。居之數年，暇日，智圓向陽科腳甲。有婦人布衣甚端麗，至階作禮。智圓遽整衣，怪問：「弟子何由玉此？」婦人因泣曰：「妾不幸夫亡而子幼小，老母危病，知和尚神咒助力，乞加救護。」智圓曰：「貧道本厭城隍喧啾，兼煩於招謝，弟子母病，可就此爲加持也。」婦人復再三泣請，且言母病劇，不可舉扶，智圓亦哀而許之。乃言從此向北二十餘里至一村，村側近有魯家莊，但訪韋十娘所居也。智圓詰朝如言行二十餘里，歷訪悉無而返。來日婦人復至，僧責曰：「貧道昨日遠赴約，何差謬如此？」婦人言：「只去和尚所止處二三里耳，和尚慈悲，必爲再往。」僧怒曰：「老僧衰暮，今誓不出。」婦人乃聲高曰：「慈悲何在耶？今事須去。」因上階牽僧臂，僧驚迫，亦疑其非人，恍惚間以刀子刺之，婦人遂倒，乃沙彌誤中刀，流血死矣。僧茫然，遽與行者瘞之於飯甕下。沙彌本村人，家去蘭若十七八里，其日，其家悉在田，有人皂衣揭襆，乞漿於田中。村人訪其所由，乃言居近智圓和尚蘭若。沙彌之父欣然訪其子耗，其人請問，具言其事，蓋魅所爲也。沙彌父母盡皆號哭詣僧，僧猶紿焉。其父乃鍬索而獲，即訴於官。鄭公大駭。俾求盜吏細按，遏其必冤也。僧具陳狀，貧道宿債，有死而已。按者亦以死論，僧求假七日，令持念爲將來資糧，鄭公哀而許之。僧沐浴設壇，急印契縛檏考其魅。凡三夕，婦人見於壇上。言我類不少，所求食處，輒爲和尚破除，沙彌且在，能爲誓不持念，必相還也。智圓懇爲設誓，婦人喜曰：「沙彌在城南某村幾里古丘中。」僧言於官吏，用言尋之，沙彌果在，神已癡矣。發沙彌棺，中乃苕帚也。僧始得雪，自是絕不復道一梵字。

雖然智遠和尚有神咒助力，但遇到的鬼魅，卻是令人不解。有如下面一條：眞的不知何怪：

大曆中，有士人莊在渭南，遇疾卒於京，妻柳氏因莊居。一子年十一二，夏夜，其子忽恐悸不眠。三更後，忽見一老人，白衣，兩牙出吻外，熟視之。良久，漸近床，床前有婢眠熟，因扼其喉，咬然有聲，衣隨手碎，攫食之。須臾骨露，乃舉起飲其五臟。見老人口大如簸箕，子方叫，一無所見，婢已骨矣。數月後亦無他。士人祥齋，日暮，柳氏露坐逐涼，有胡蜂繞其首面，柳氏以扇擊墮地，乃胡桃也。柳氏遽取玩之掌中，遂長，初如拳、如椀，驚顧之際，已如盤矣。曝然分爲兩扇，空中輪轉，聲如分蜂，忽合於柳氏首。柳氏碎首，齒著於樹。其物因飛去，竟不知何怪也。

博士丘濡說，汝州傍縣，五十年前，村人失其女。數歲忽自歸，言初被物寐中牽去，條止一處，及明，乃在古塔中。見美丈夫謂曰：「我天人，分合得汝爲妻，自有年限，勿生疑懼。」且戒其不窺外也。日兩返，下取食，有時炙餌猶熱。經年，女伺其去，竊窺之，見其騰空如飛，火髮藍膚，磔磔耳如驢焉，至地乃復人矣，驚怖汗洽？其物返，覺曰：「爾固窺我，我實野叉，與爾有緣終不害汝。」女素惠，謝曰：「我既爲君妻，豈有惡乎？君既靈異，何不居人間，使我時見父母乎？」其物言：「我輩罪業，或與人雜處，則疫癘作。今形跡已露，任爾縱觀，不久當爾歸也。」其塔去人居止甚近，女常下視，其物在空中不能化形，至地方與人雜。或有白衣塵中者，其物斂手側避，或見梡其頭，唾其面者，行人悉若不見。及歸，女問之：「向見君街中有敬之者，有戲狎之者，何也？」物笑曰：「世有喫牛肉者，予得而欺之。或遇忠直孝養，釋道守戒律、法籙者，吾誤犯之，當爲天戮。」又經年，忽悲泣語女：「緣已盡，候風雨送爾歸。」因授一青石，大如雞卵，言至家可磨此服之，能下毒氣。後一夕風雷，其物遽持女曰：「可去矣。」如釋氏，言屈伸臂頃，已至其家，墜之庭中。其母因磨石飲之，下物如青泥斗餘。

唐小說多士子遇佳人，此則佳人遇美丈夫，不過經年而去也。以下記妬婦因丈夫讚美洛神而自沈於水，而婦人有渡此水者，皆壞衣枉妝才能無事。其妬性之強，竟肯自溺於水節，也是人間少見。

諾臯下亦有二則怪異之事，幷錄於下：

東平未用兵，有舉人孟不疑，客昭義。夜至一驛，方欲濯足，有稱淄青張評事者，僕從數十，孟欲參謁，張被酒，初不顧，孟因退就西問。張連呼驛吏索煎餅，孟默然窺之，且怒其傲。良久，煎餅熟，孟見一黑物如豬，隨盤至燈影而立。如此五六返，張竟不察。孟因恐懼，無睡，張尋大鼾。至三更後，孟纔交睫，忽見一人皀衣，與張角力，久乃相捽入東偏房中，拳聲如杵。一餉間，張被髮雙袒而出，還寢床上。入五更，張乃喚僕，使張燭巾櫛，就孟曰：「某咋醉中，都不知秀才同廳。」因命食，談笑甚歡，時時小聲曰：「昨夜甚慚長者，乞不言也。」孟但唯唯。復曰：「某有程須早發，秀才可先也。」遂摸靴中，得金一挺授曰：「薄貺，乞密前事。」孟不敢辭，即爲前去。行數日，方聽捕殺人賊。孟詢諸道路，皆曰淄青張評事至某驛早發，遲明，空鞍失所在。驛吏返至驛尋索，驛西閣中有席角，發之，白骨而已，無泊一蠅肉也，地上滴血無餘，惟一隻履在旁。相傳此驛舊凶，竟不知何怪。舉人祝元膺嘗言親見不疑說，每每戒夜食必須發祭也。祝又言孟素不信釋氏。頗能詩，其句云：「白日故鄉遠青山佳句中。」後常持念遊覽，不復應舉。

究竟是何凶驛，怎樣的怪物，令人莫名其由，下面一則，也是十分怪誕：

劉積中嘗京近縣莊居。妻病重。於一夕，劉未眠，忽有婦人白首，長纔三尺，自燈影中出。謂劉曰：「夫人病，唯我能理，何不祈我。」劉素剛，咄之，姥徐戟手曰：「勿悔！勿悔！」遂滅。妻因暴心痛，殆將卒。劉不得已，祝之，言已復出，劉揖之坐，乃索茶一甌，向口如咒狀，顧命灌夫人，茶纔入口，痛愈。後時時輒出，家人亦不之懼。經年，復謂劉曰：「我有女子及笄，煩主人求一佳婿。」劉笑曰：「人鬼路殊，難遂所託。」姥曰：「非子人也，但爲刻桐木爲形稍工者，則爲佳矣。」劉許諾，因爲具之，經宿，木人失矣。又謂劉曰：「兼煩主人作鋪公、鋪母，若可，某夕我自具車輪奉迎。」劉心計無奈何，亦許。至一日過酉，有僕馬車乘至門，姥亦至，曰：

「主人可往。」劉與妻各登其車馬，天黑至一處，朱門崇墉，籠燭列迎，賓客供帳之盛，如王公家。引劉至一廳，朱紫數十，有與相識者，有已歿者，各相視無言。妻至一堂，蠟炬如臂，錦翠爭煥，亦有婦人數十，存歿相識各半，但相視而已。及五更，劉與妻恍忽間卻還至家，如醉醒，十不記其一二矣。經數月，姥復來拜謝曰：「小女成長，今復託主人。」劉不耐，以枕抵之曰：「老魅敢如此擾入。」姥隨枕而滅，妻遂疾發。劉與男女酹地禱之，不復出矣。妻竟以心痛卒。劉妹復病心痛，劉欲徙居，一切物膠著其處，輕若履屣，亦不可舉。迎道流上章，梵僧持咒，悉不禁。劉嘗暇日讀藥方，其婢小碧自外來，垂手緩步，大言：「劉四頗憶平昔無？」既而嘶咽曰：「省躬近從泰山回，路逢飛天野叉攜賢妹心肝，我亦奪得。」因舉袖，袖中蠕蠕有物，左顧似有所命，曰：「可爲市置。」又覺袖中風生，衝簾幌，入堂中。乃上堂對劉坐，問存歿，敘平生事。劉與杜省躬同年及第，有分，其婢舉止笑語，無不肖也。頃曰：「我有事，不可久留。」執劉手嗚咽，劉亦悲不自勝，婢忽然而倒。及覺，一無所記。其妹亦自此無恙。

如夢如幻，是眞是假。段成式的志怪之文，大致如此。

周樹人說：「傳奇者說，源蓋出於志怪，然施之藻繪，擴其波瀾，故所成就乃特異。其間雖亦或託諷喻以抒牢愁，談禍福以寫懲勸，而大歸則究在生文采與意想，與昔之傳鬼神，明因果而外無他意者，甚異其趣矣。」由段成式的作品，可看出這些傳接的關係。

傳奇者，是把道聽塗說之言，或史傳野趣之作，或文人仕女的行藏，或社會風俗的觀感，就是以思想感情，想像素材做小說處理，千奇百怪，出之現實人生，變化於曲折委婉的尺幅，而予人生以諷論諭和啓示，意義與價值在此。

宋人小說

宋人小說如南宋皇都風月主人編「錄窗新話」爲兩宋說話人所據本事。宋羅燁撰「醉翁談錄」亦是如此。這種話本許多本事，是說唱文學的一個主要部分，其爲社會所重視，自不待言。但宋代傳奇小說承接唐代小說，亦多出自名家之手，而其作風又出「雜俎」、「異聞」短篇文言之上，而近世形成白話結構的發展，其內容取材，仍以言情爲主，就以帝王生活傳聞，社會風尚，以及官場現象，並及於道教神仙之類。對於人物的刻劃，力求眞實描繪，他們的身份地位，也從對話中表現出來，在語言方面，也採用了詩詞做開場的，有似說話的口氣，然後以第三者的觀點，來叙述故事的情節。有用虛實互見，旁敲側擊，前後對照，錯比穿插的手法，以見其高低起伏，悲喜交集的場面之跳宕動人。其題材如一入侯門深似海的「碾玉觀音」，如禍從口出的「錯斬崔甯」，如亂世兒女的「馮玉梅團圓」，如天緣巧會的「流紅記」，幽處深宮的「梅妃傳」，如紅杏出牆不能自拔的「秋氏」等。其佈局有如蛛網者，有層次須疊出者，有運用懸疑者，有分流入海者。以此可見吸收唐入小說之長而又別出心裁。其於主題方面，特別有警世的命意，出乎於設身處地的感受，而做推己及人的設計。對小說藝術處理，也注意到情景相融的效果，就以上所述，分別選用數篇，以做見証：

碾玉觀音（上）

山色晴嵐景物佳，煖烘回雁起平沙；東郊漸覺花供眼，南陌依稀草吐芽。
堤上柳，未藏鴉，尋芳趁步到山家；隴頭幾樹紅梅落，紅杏枝頭未著花。

這道鷓鴣天說孟春景致；原來又不如仲春詞做得好：

每日青樓醉夢中，不知城外又春濃；杏花初落疏疏雨，楊柳輕搖淡淡風。
浮畫舫，躍青驄，小橋門外綠陰籠；行人不入神仙地，人在珠簾第幾重。

這首詞說仲春景致，原來又不如黃夫人做著季春詞的好。

先自春光似酒濃，時聽燕語透簾櫳，小橋楊柳飄香絮，山寺緋桃散落紅。
鶯漸老，蝶西東，春歸難覓恨無窮；侵堦草色迷朝雨，滿地梨花逐曉風。

這三首詞都不如王荊公看見花瓣兒片片風吹下地來，——原來沾春歸去，是東風斷送的。有詩道：

春日春風有時好，春日春風有時惡，不得春風花不開，花開又被風吹落。

蘇東坡道，『不是東風斷送春歸去，是春雨斷送春歸去。』有詩道：

雨前初見花間蕊，雨後全無葉底花；蜂蝶紛紛過牆去，卻疑春色在鄰家。

秦少游道，『也不干風事，也不干雨事，是柳絮飄將春色去。』有詩道；

三月柳花輕復散，飄颺澹蕩送春歸；此花本是無情物，一向東飛一向西。

邵堯夫道，『也干柳絮事，是胡蝶採將春色去。』有詩道：

花正開時當三月，胡蝶飛來忙劫劫；採將春色向天涯，行人路上添淒切。

曾兩府道，『也不干胡蝶事，是黃鶯啼得春歸去。』有詩道：

花正開時豔正濃，春宵何事老芳叢？黃鶯啼得春歸去，無限園林轉首空。

朱希眞道，『也不干黃鶯事，是杜鵑啼得春歸去。』有詩道：

杜鵑叫得春歸去，物邊啼血尚猶存；庭院日長空悄悄，教人生怕到黃昏。

蘇小妹道，『都不干這幾件事，是燕子啣將春色去。』有蝶戀花詞爲証：

妾本錢塘江上住，花開花落，不管流年度；燕子啣將春色去，妙窗幾陣黃梅雨。

斜插犀梳雲半吐，檀板輕敲，唱徹黃金縷；歌罷綵雲無覓處，夢回明月生南浦。

王岩叟道，『也不干風事，也不干雨事，也不干柳絮事，也不干胡蝶事，也不干黃鶯事，也不干杜鵑事，也不干燕子事，是九十日春光已過春歸去。』曾有詩道：

怨風怨雨兩俱非，風雨不來春亦歸。腮邊紅褪春梅小，口角黃消乳燕飛；蜀魄健啼花影去，吳蠶強食柘桑稀。直惱春歸無覓處，江湖辜負一蓑衣。

說話的因甚說這春歸詞？

紹興年間，行在有個關西延州延安府人，本身是三鎮節度使咸安郡王。當時春歸去，將帶著許多鈞眷遊春。

到晚回家，來到錢塘門里，車橋前面，鈞眷轎子過了，後面是郡王轎子到來。只聽得橋下裱褙鋪裡一個叫道，『我兒，出來看郡王！』當時郡王在轎裡看見，叫幫總虞候道，『我從前要尋這個人，今日卻在這裡。只在你身上，明日要這個人入府中來。』當時虞候聲諾來尋。這個看郡王的人是甚色目人？正是：

塵隨車馬何年盡，情繫人心早晚休。

只見車橋下一個人家門前，出著一面招牌，寫著：『璩家裝裱古今書畫』。鋪裡一個老兒，引著一個女兒，先得如何：

雲鬢輕籠蟬翼，蛾眉淡拂春山；朱唇綴一顆櫻桃，皓齒排兩行碎玉；蓮步半折小弓弓，鶯囀一聲嬌滴滴。

便是出來看郡王轎子的人。

虞候即來他家對門一個茶坊裡坐定。婆婆把茶點來。虞候道，『啓請婆婆，過對門裱褙鋪裡請璩大夫來說話。』

婆婆便去請到來。兩個相揖了就坐。璩待詔問，『府幹有何見諭？』虞候道，『無甚事，閑問則個。適來叫出來看郡王轎子的人，是令愛麼？』待詔道，『正是拙女，止有三口。』虞候又問，『小娘子貴庚？』待詔應道，『一十八歲。』再問，『小娘子如今要嫁人，卻是趨奉官員？』待詔道，『老拙家寒，那討錢來嫁人，將來也只是獻與官員府第。』虞候道，『小娘子有甚本事？』待詔說女兒一件本事來，有詞奇眼兒媚爲証：

深閨小院日初長，嬌女綺羅裳；不做東君造化，金針刺繡群芳樣。斜枝嫩葉包開蕊，
唯只欠馨香；曾向園林深處，引教蝶亂蜂狂。

原來這女兒會繡作。

虞候道，『適來郡王在轎裡看見令愛身上繫著一條繡裡肚，府中正要尋一個繡作的人，老丈何不獻與郡王？』

璩公歸去與婆婆說了。到明白，寫一紙獻狀，獻來府中。郡王給與身價，因此取名秀秀養娘。

不則一日，朝廷賜下一領團花繡戰袍。當時秀秀依樣繡出一件來。郡王看了歡喜，道，『主上賜與我團花戰袍，卻尋甚麼奇巧的物事獻與官家？』去府庫裡尋出一塊透明的羊脂美玉來，即時叫將門下碾玉待詔道，『這塊玉堪做甚麼？』內中一個道，『好做一副勸盃。』郡王道，「可惜！恁般一塊玉，如何將來只做得一副勸盃？』又一個道，『這塊玉，上尖下圓，好做一個摩侯羅兒。』郡王道，『摩侯羅兒只是七月七日乞巧使得，尋常間又無用處。』

數中一個後生，年紀二十五歲，姓崔，趨事郡王數年，是昇州建康府人。當時叉手向前，對着郡王道，『告恩王：這塊玉，上尖下圓，甚是不好，只好碾一個南海觀音。』郡王道，『好，正合我意！』就叫崔甯下手。

不過兩個月，碾成了這個玉觀音。郡王即時寫表進上御前，龍顏大喜。崔甯就本府增添請給，遭遇郡王。

不則一日，時遇春天，崔待詔遊春回來，入得錢塘門，在一個酒肆與三四個相知方纔喫得數盃，則聽得街上鬧吵吵，連忙推開樓窗看時，見亂烘烘，道，『井亭橋有遺漏！喫不得這酒成！』慌忙下酒樓看時，只見：

初如螢火，次若燈火，千條蠟燭焰難當，萬座糝盆敵不住。六丁神推倒寶天爐；八力士放起焚山火。驪山會上，料應褒姒逞嬌容；赤壁磯頭，想是周郎施妙策。五通神擁住火葫蘆；宋無忌趕番赤騾子。又不曾瀉燭澆油，直恁的煙飛火猛！

崔待詔望見了，急忙道，『在我本府前不遠！』奔到府中看時，已搬挈得罄盡，靜悄悄地無一個人。崔待詔既不見人，且循著左手廊下入去。火光照得如同白日，去那左廊下，一個婦女，搖搖擺擺，從府堂裡出來，自言自語，與崔甯打個胸廝撞，崔甯認得是秀秀養娘，倒退兩步，低聲唱個喏。

原來郡王當日嘗對崔甯許道，『待秀秀滿日，把來嫁與你。』這些衆人都攛掇道，『好對夫婦！』崔甯拜謝了，不則一番。崔甯是個單身，卻也癡心；秀秀見恁地個後生，卻也指望。

當日有這遺漏，秀秀手中提著一帕子金珠富貴，從左廊下出來，撞見崔甯，便道，「崔大夫，我出來得遲了，府中養娘各自四散，管顧不得。你如今沒奈何，只得將我去躲避則個。』

當下崔甯和秀秀出府門，沿著河走石灰橋。秀秀道，『崔大夫，我腳痛了，走不得。』崔甯指著前面道，『更行幾步，那裡便是崔甯住處。小娘子到家中歇腳，卻也不妨。』到得家中坐定，秀秀道。『我肚裡飢，崔大夫與我買些點心來喫，我受了些驚，得杯酒喫更好。』當時崔甯買將酒來，三盃兩盞。正是：

三杯竹葉穿心過，兩朵桃花上臉來。

道不得個『春爲花博士，酒是色媒人。』秀秀道，『你記得當時在月臺上賞月，把我許你，你兀自拜謝：你記得也不記得？』崔甯叉著手，只應得諾。秀秀道，『當日衆人都替你喝采，「好對夫妻！」你怎地到忘了？』崔甯又則應得諾。秀秀道，『比似只管等待，何不今夜我和你先做夫妻？不知你意下何如？』崔甯道，『豈敢。』秀秀道，『你知道不敢，我叫將起來，教壞了你。你卻如何將我到家中？我明日府裡去說。』崔甯道，『告小娘子；要和崔甯做夫妻不妨，只一件，這裡住不得了。要趁這個遺漏，人亂時，今夜就走開去了，方纔使得。』秀秀道，『我既和你做夫妻，憑你行。』

當夜做了夫妻。

四更以後，各帶著隨身金銀物件出門。離不得飢餐渴飲，夜住曉行。迤邐來到衢州。崔甯道，『這裡是五路總頭，是打那條路去好？不若取信州路上去。我是碾玉作，信州有幾個相識，怕那裡安得身。』即時取路到信州。

住了幾日，崔甯道，『信州常有客人到行在往來，若說道我等在此，郡王必然使人來追捉，不當穩便。不若離了信州，再往別處去。』兩個又起身上路，徑取潭州。

不則一日，到了潭州，卻是走得遠了。就潭州市裡，討間房屋，出面招牌，寫著「行在崔待詔碾玉生活」。崔甯便對秀秀道，『這裡離行在二千餘里了，料得無事。你我安心，好做長久夫妻。』潭州也有幾個寄居官員，見崔甯是行在待詔，日逐也有生活得做。崔甯使人打探行在本府中事。有曾到都下的，得知府中當夜失火，不見了一個養娘，出賞錢尋了幾日，不知下落。也不知道崔甯將他走了，見在潭州住。

時光似箭，日月如梭，也有一年之上。忽一日，方早開門，見兩個著皂衫的，一似虞候府幹打扮，入來鋪裡坐地，問道，「本官聽得說，有個行在崔待詔，教請過來做生活。」崔甯分付了家中，隨這兩個人到湘潭縣路上來。便將崔甯到宅裡相見官人，承攬了玉作生活，回路歸家。

正行間，只見一個漢子，頭上帶個竹絲笠兒，穿著一領白緞子兩上領布衫，青白行纏扎著褲子口，著一雙多耳麻鞋，挑著一個高肩擔兒，正面來，把崔甯看了一看，崔甯卻不見這漢面貌，這個卻見崔甯，——從後大踏步尾著崔甯來。正來：

離家稚子鳴榔板，驚起鴛鴦兩處飛。

（下）

竹引牽牛花滿街，疏籬茅舍月光篩；玻璃盞內茅柴酒，白玉盤中簇荳梅。休懊惱，且開懷，平生贏得笑顏開；三千里地无知己，十萬軍中掛印來。

這隻鷓鴣天詞是關西秦州雄武軍劉兩府所作，從順昌入戰之後，閒在家中，寄居湖南潭州湘澤縣。他是個不愛財的名將，家道貧寒，時常到村店中吃酒。店中人不識劉兩府，歡呼囉。劉兩府道，『百萬番人，只如等閒，如今卻被他們誣罔！』做了這隻鷓鴣天，流傳直到都下。

當時殿前太尉是陽和王，見了這詞，好傷感，『原來劉府直恁孤寒！』教提轄官差人送一項錢與劉兩府。

今日崔甯的東人郡王聽得說劉兩府恁地孤寒，也差人送一項錢與他。卻經由澤州路過，見崔甯從湘澤路上來，一路尾著崔甯到家，正見秀秀坐在櫃身子裡，便撞破他們道，『崔大夫，多時不見，你卻在這裡！秀秀養娘他如何也在這裡？郡王教我下書來澤州，今遇著你們。原來秀秀養娘嫁了你，也好。』當時唬殺崔甯夫妻兩個，被他看破。

那人是誰？卻是郡王府中一個排軍，從小伏侍郡王，見他樸實，差他送錢與劉兩府。人姓郭，名立，叫做郭排軍。當下夫妻請住郭排軍，安排酒來請他，分付道，『你到府中，千萬莫說與郡王知道！』郭排軍道，『郡王怎知得你們兩個在這裡。我沒事卻說甚麼。』當下酬謝了出門。

回到府中，參見郡王，納了回書，看看郡王道，『郭立前日下書回，打澤州過，卻見兩個人在那裡住。』郡王問，『是誰？』郭立道，『見秀秀養娘幷崔待詔兩個。請郭立吃了酒食，教休來府中說知。』郡王聽說，便道，『叵耐這兩個做出這種事！卻如何直走到那裡？』郭立道，『也不知他仔細；只見他在那裡住地，依舊掛招牌做生活。』

郡王教幹辦去分付臨安府，即時差一個緝捕使臣，帶著做公的，備了盤纏，徑來湖南潭州府下了公文，同來尋崔甯和秀秀。卻似：

皂雕追紫燕，猛虎啖羔羊。

不兩月捉將兩個來，解到府中。報與郡王得知，即時陞廳。原來郡王殺番人時，左手使一口刀，叫做小青；右手使一口刀，叫做大青；這兩口刀不知剁了多少番人！那兩口刀，鞘內藏著，掛在壁上。郡王陞廳，衆人聲那，即將這兩個人押來跪下。郡王好生焦燥，左手去壁牙上取下小青，右手一掣，掣刀在手，睁起殺番人的眼兒，咬得牙齒剝剝地響，當時唬殺夫人，在屏風背後，道，『郡王！這裡是帝輦之下，不比邊庭上面。若有衆過，只消解去臨安府施行。如何胡亂砍得人？』郡王聽說，道，『叵耐這兩個畜生逃走！今日捉將來，我惱了，如何不砍？既然夫人來勸，且捉秀秀入府後園去；把崔甯解去臨安府斷治。』

當下喝賜錢酒賞犒捉事人。解這崔甯到臨安府，一一從頭供說：『自從當夜遺漏，來到府中，都搬盡了。只見秀秀養娘從廊下出來，揪住崔甯道，『你如何安手在我懷中？若不依我便教壞了你。』要共逃走。崔甯不得已，與他同走。只此是實。』

臨安府把文案呈上郡王。郡王是個剛直的人，便道，『既然恁地，寬了崔甯，且與從輕斷治。崔甯不合在逃，衆杖，發遣建康府居住。』

當下差北押送。方出北關門，到鵝項頭，見一轎兒，兩個人抬著，從後面叫，『崔待詔，且不得去！』崔甯認得像是秀秀的聲音，趕將來又不知恁地，心下好生疑惑。傷弓之鳥不敢攬事，且低著頭只顧走。只見後面趕將上來，歇了轎子，一個婦人走出來，不是別人，便是秀秀，道『崔得詔，你如今去建康府，我卻如何？』崔甯道，『卻是怎地好？』秀秀道，自從你去臨安府斷罪，把我捉入後花園，打了三十竹篦，遂便趕我出來。我知道你建康府去，趕將來同你去。』崔甯道，『恁地卻好。』討了船，直到建康府。押發人自回。

若是押發人是個學舌的，就有一場是非出來。因曉得郡王性如烈火，惹著他不是輕放手的；他又不是王府中人，去管這閒事怎地。況且崔甯一路買酒買食奉承得他好，回去時，就隱惡而揚善了。

再說崔甯兩口在建康居住，既是問斷了，如今也不怕有人撞見，依舊開個碾玉作舖。渾家道。『我兩口卻在這裡住得好；只是我家爹媽，自從我和你逃去潭州，兩個老的吃了些苦。當日捉我入府時，兩個去尋死覓活；今日也好教人去行在取我爹媽來這裡同住。』崔甯道：『最好。』便教人來行在取他丈人丈母。寫了他地理腳色與來人，到臨安府，尋見他住處，問他鄰舍。指道，『這一家便是。』

來人去門首看時，只見兩扇門關著，一把鎖鎖著，一條竹竿封著。問鄰舍，『他老夫妻那裡去了？』鄰舍道『莫說！他有個花技也以女兒，獻在一個奢遮去處。這個女兒不受福德，卻跟一個碾玉的待詔逃走了。前日從湖南潭州捉將回來，送在臨安府吃官司。那女兒吃郡王捉進後花園裡去。老夫妻見女兒捉去，就當下尋死覓活，如今不知下落，只恁地關著門在這裡。』來人見說，再回建康府來，兀自未到家。

且說崔寧正在家中坐，只見外面有道，『你尋崔待詔住處，這裡便是。』崔寧叫出渾家來看時，不是別人，認得是璩公璩婆。都相見了，喜歡的做一處。

那去取老兒的人，隔一日纔到，說如此這般，尋不見，卻空走了這遭。兩個老的且自來到這裡了。兩個老人道，『卻生受你。我不知你們在建康住，教我尋來尋去，直到這裡。』其時四口同住，不在話下。

且說朝廷官由，一日，到偏殿看玩寶器，拿起這玉觀音來看，這個觀音身上，當時有一個玉鈴兒失手脫下。即時問近侍官員，『卻如何修理得？』官員將玉觀音反覆看了道，『好個玉觀音！怎地脫落了鈴兒？』看到底下，下面碾著三字，『崔寧造』。『恁地容易；既是有人造，只消得宣這個人來教他修整。』

敕下郡王府，宣取碾玉匠崔寧。郡王回奏，『崔寧有罪，在健康府居住。』即便使人去健康取得崔寧到行在歇泊了。當時宣崔寧見駕，將這玉觀音教他領去用心整理。崔寧謝了恩，尋一塊一般的玉，碾一個鈴兒接住了，御前交納，破分請給養了崔寧，令只在行在居住。崔寧道，『我今日遭際御前，爭得氣。再來清湖河下尋間屋兒開個碾玉鋪，須不怕你們撞見！』

可貞事有湊巧，方纔開得鋪三兩日，一個漢子從外面過來，就是那郭排軍，見了崔待詔，便道，「崔大夫，恭喜了！你卻在這裡住。」抬起頭來，看櫃身裡卻立著崔待詔的渾家。郭排軍吃了一驚，拽開腳步就走。渾家說與丈夫道，『你與我叫住那排軍，我相問則個。』正是：

平生不作皺眉事，世上應無切齒人。

崔待詔即時趕上扯住。只見郭排軍把頭只管側來側去，口裡喃喃地道，『作怪！作怪！』沒奈何，只得與崔甯回來，到家中坐地。渾家與他相見了，便問，『郭排軍，前著我好意留你吃酒，你卻歸來說與郡王，壞了我兩個的好事。今日遭際御前，卻不怕你去說！』郭排軍喫他相問問得无言可答，只得道一聲『得罪』，相別了。便來到府裡，對著郡王道，『有鬼！』郡王道，『這漢則甚？』郭立道，『告恩王，有鬼！』郡王問道，『有甚鬼？』郭立道，『方纔打清湖河下過見崔甯開個碾玉鋪，卻見櫃身裡一個婦女，便是秀秀養娘。』郡王焦躁道，「又來胡說，秀秀被我打殺了，埋在後花園，你須也看見；如何引在那裡？卻不是取笑我！』郭立道，『告恩王，怎敢取笑。方纔叫住郭立相問了一回。怕恩王不信，勒下軍令狀了去。』郡王道，『眞個在時，你勒軍令狀來。』

那漢也是含苦，眞個寫一紙軍令狀來。郡王收了，叫兩個當直的轎番抬一頂轎子，教，『取這妮子來！若眞個在，把來砍取一刀；若不在，郭立，你須替他砍取一刀。』郭立同時兩個轎番來取秀秀，正是：

麥穗兩岐，農人難辨。

郭立是關西人，朴眞，卻不知軍令如何胡亂勒得。三個一逕來到崔甯家裡。那秀秀兀自在櫃身裡坐地，見那郭排軍來得恁地慌忙，卻不知他勒了軍令狀來取你。郭排軍道，『小娘子！都郡王鈞旨教命取你則個。』秀秀道，『既如此，你們少等，待我梳洗了回去。』即時入去梳洗，換了衣服，出來上了轎，分付了丈夫。

兩個轎番便抬著逕到府前。郭立先入去。郡王正在廳上等待。郭立唱了諾，道『已取到秀秀養娘。』郡王道，『著他入來。』郭立出來，道，『小娘子，郡王教你進來。』掀起簾子看一看，便是一桶水傾在身上，開著口，則合不得。就轎子裡不見了秀秀養娘！問那兩個轎番；道，『我不知。只見他上轎，抬到這裡，又不曾轉動。』那漢叫將入來，道，『告恩王，憑地眞個有鬼！』郡王道，『卻不叵耐！』教人；『捉這漢！等我取過軍令狀來，如今砍了一刀！』先去取下小青來。那漢從來伏侍郡王身上，也有十數次官弓；蓋緣是粗人，只教他做排軍。

這漢慌了，道，『見有兩個轎番見證，乞叫來問。』即時叫將轎番來，道，『見他上轎，抬到這裡，卻不見了。』說得一般，想必眞個有鬼。只消得將崔甯來問。便使人叫崔甯來到府中。崔甯從頭至尾說了一遍。郡王道，『恁地，又不干崔甯事，且放他去。』崔甯拜辭去了，郡王焦躁，把郭立打了五十背花棒。

崔甯聽得說渾家是鬼，到家中問丈人丈母。兩個面面廝覷，走出門，看著清湖河裡，撲通地都跳下水去了。當下叫人打撈，便不見了尸首。原來當時殺秀秀時，兩個老的聽得說，便跳在河裡，已自死了。這兩個也是鬼。

崔甯到家中，沒情緒，走進房中，只見渾家坐在床上。崔甯道，『告姐姐，饒我性命！』秀秀道，『我因爲你，被郡王打死了，埋在後花園裡。卻恨郭排軍多口。今日已報了冤仇，郡王已將他打了五十背花棒。如今都知道我是鬼，容身不得了。」道罷起身，雙手揪住崔甯，叫得一聲，四肢倒地。

鄰舍都來看時，只見：

兩部脈盡總皆沉，一命已歸黃壤下。

崔甯也被扯去和父母四個一塊兒做鬼去了。

後人評論得好：

咸安王捺不下烈火性，郭排軍禁不住閒磕牙。璩秀娘捨不得生眷屬，崔待詔撇不脫鬼冤家。

「碾玉觀音」重要的兩個關鍵處，在前段郭排軍不能成人之美，口不擇言，壞了崔甯和秀秀夫妻的好事。後段又是他不修口德，必致人家夫妻於死地。君王粗魯暴戾，其形相有如索人命的閻王，秀秀之來，人不知其爲鬼，描寫在自然中出之於驚奇，也形成了這篇小說的高潮。

「錯斬崔甯」又是一個禍從口出的例子。這篇小說開頭用了一首詩闡明世道險惡，酒色亡身的道理。又說：

這回書原說一個官人，只因酒後一時戲笑之言，遂至殺身破家，陷了幾條性命。究竟如何，我們卻來看看這篇小說的內容：

錯斬崔甯

聰明伶俐自天生，懵懂痴呆未必眞。嫉妒每因眉睫淺；戈矛時起笑談深。

九曲黃河心較險；十重鐵甲面堪憎。時因酒色亡家國，幾見詩書誤好人？

這首詩單表爲人難處；其因世路窄狹，人心叵測，大道旣遠，人情萬端，熙熙攘攘，都爲利來；蚩蚩蠢蠢，皆納禍去。持身保家，萬千反覆。所以古人云，『顰有爲顰，笑有爲笑。顰笑之間，最宜謹愼。』

這回書單說一個官人，只因酒後一時戲笑之言，遂至殺身破家，陷了幾條性命。且先引下一個故事來權做個得勝頭迴。

我朝元豐年間，有一個少年舉子，姓魏，名鵬舉，字沖霄，年方一十八歲，娶得一個如花似玉的渾家。未及一月，只因春榜動，選場開，魏生別了妻子，收拾行囊，上京應考，臨別時，渾家分付丈夫，『得官不得官，早早回家；休抛閃了恩愛夫妻。』魏生答道，『功名二字，是俺本領前程，不勞賢卿憂慮。』別後登程到京，果然一舉成名，榜上一甲第九名，除授京職，到差甚是華豔動人，少不得修了一封家書，差人接受家眷入京。書上先叙了寒溫及得官的事；後卻寫下一行，道是，『我在京中早晚無人照管，已討了一個小老婆。專候夫人到京，同享榮華。』

家人收拾書程，一逕到家，見了夫人，稱說賀喜，因取家書呈上。夫人拆開看了，見如此如此，這般這般，便對家人道，『官人直恁負恩！甫能得官，便娶了二夫人！』家人便道，『小人在京，並沒見有此事，想是官人戲謔之言，夫人到京便知端的，休得憂慮。』夫人道，『恁地說，我也罷了。』卻因人舟本便，一面收拾起身，一面尋覓便人，見寄封平安家信到京中去。那寄書人到了京中，尋問新科魏進士寓所，下了家書，管待酒飯，自回不題。

卻說魏生接書，拆開來看了，並無一句閒言閒語，只說道，『你在京中娶了一個小老婆，我在家中也嫁了一個小老公，早晚同赴京師也。』魏生見了，也只道是夫人取笑的說話，全不在意。

未及收好，外面報說有兩個同年相訪。京邸寓中不比在家寬轉，那人又是相厚的同年，又曉得魏生並無家眷在內，直至裡面坐下。敘了些寒溫，魏生起身去解手，那同年偶然翻桌上書帖，看見了這封家書寫得好笑，故意朗誦起來。魏生措手不及，通紅了臉，說道，『這是沒理的事。因是小弟戲謔了他，他便取笑寫來的。』那同年呵呵大笑道，『這節事卻是取笑不得的。』別了就去。

那人也是一個少年，喜談樂道，見這封家書一節，頃刻間遍傳京邸。也有一班妒忌魏生少年登高科的，將這樁事只當做風聞言事的一個小小新聞，奏上一本，說是魏生年少不檢，不宜居清要之職，降處外任。魏生懊恨無及。後來畢竟做官蹭蹬不起，把錦片也似一段美前程等閒放過去了！

這便是一句戲言，撒漫了一個美官。

今日再說一個官人，他只為酒後一時戲言，斷送了堂堂七尺之軀；連累兩三個枉屈害了性命。卻是為著甚的？有詩為證：

世路崎嶇實可哀，傍人笑口等閑開；白雪本是無心物，又被狂風引出來。

卻說高宗時，建都臨安，繁華富貴，不減那汴京故國。去那城中箭橋左側，有個官人，姓劉，名貴，字君薦。祖上原是有根基的人家，到得君薦手中，卻是個時乖運蹇。先前讀書，後來看看不濟，卻去改業做生意，便是半路上出家的一般，買賣行中一發不是本等伎倆，又把本錢消折去了。漸漸大房改換小房，賃得兩三間房子，與同渾家王氏，年少齊眉。後因沒有子嗣，娶下一個小娘子，姓陳，是陳賣糕的女兒，家中都呼為二姐。這也是先前不十分窮薄的時做下的勾當。至親三口，並無閒雜人在家。

那劉君薦極是為人和氣，鄉里見愛，都稱他，『劉官人，你是一時運限不好，如此寂寞。再過幾時，定有個亨通的日子。』說便是這般說，那得有些些好處？只是在家納悶，無可奈何。

卻說一日閒坐家中，只見丈人家裡的老王，年近七旬，走來對劉官人說道，『家間老員外生日，特令老漢接取官人娘子走一遭。』劉官人便道，『便是我日逐愁悶過日子，連那泰山的壽誕也都忘了！』便同渾家王氏收拾隨身衣服，打疊個包兒，交與老王背了。分付二姐看守家中，『今日晚了，不能轉回，明日須索回來家。』說了就去。

離城二十餘里，到了丈人王員外家，敘了寒溫。當日坐間客衆，丈大女婿不好十分敘述窮相。到得客散，留在客房裡歇宿。

直到天明，丈人卻來與女婿攀話，說道，『姐夫，你須不是這等算計。「坐吃山空，立吃地陷」。「咽喉深似海，日月快如梭」。你須計較一個常便。我女兒嫁了你一生，也指望豐衣足食，不成只是這等就罷了？』劉官人歎了一口氣，道，『是！泰山在上，道不得個「上山擒虎易，開口告人難」。如今的時勢，再有誰似泰山這般憐念我的？只索守困。若去求人，便是勞而弱。』丈人便道，『這也難怪你說。老漢卻是看你們不過，今日賚助你些少本錢，胡亂去開個柴米店，掙得些利息來過日子，卻不好麼？』劉官人道，『感蒙泰山恩顧，可知是好。』

當下吃了午飯，丈人取出十五貫錢來，付與劉官人，道，『姐夫且將這些錢收拾起店面。開張有日，我便再應付你十貫。你妻子且留在此過幾日，待有了開店日子，老漢親送女兒到你家，就來與你作賀，意下如何？』

劉官人謝了又謝，馱了錢，一逕出門。到得城中，天色卻早晚了，卻撞著一個相識，順路在他家門首經過。那人也要做經紀的人，就與他商量一會，可知是好。便去敲那人門時，裡面有人應諾，出來相揖，便問，『老兄下顧，有何見教？』劉官人一一說知就裡。那人便道，『小弟閒在家中，老兄用得著時，便來相幫。』劉官人道，『如此甚好。』當下說了些生意勾當，那人便留劉官人在家，現成盃盤，喫了三盃兩盞。劉官人酒量不濟，便覺有些朦朧起來，抽身作別，便道，『今日相擾，明日就煩老兄過寒家計議生理。』那人又送劉官人至路口，作別回家，不在話下。

若是說話的同年生，並肩長，攔腰抱住，把臂拖回，也不見得受這般災晦，卻教劉官人死得不如：

五代史李存孝，漢書中彭越。

卻說劉官人馱了錢，一步一步捱到家中敲門，已是點燈時分。小娘子二姐獨自在家，沒一些事做，守到天黑，閉了門，在燈下打瞌睡。劉官人打門，他那裡便聽見？敲了半晌。方纔知覺，答應一聲。『來了！』起身開了門。

劉官人進去，到了房中。二姐替劉官人接了錢，放在桌上，便問，『官人何處挪移這項錢來？卻是甚用？』那劉官人一來有了幾分酒；二來怪他開得門遲了；且戲言嚇他一嚇，便道，『說出來，又恐你見怪；不說時，又須通你得知。只是我一時無奈，沒計可施，只得把典與一個客人。又因捨不得只典得十五貫錢。若是我有些好處，加利贖你回來；若是照得這般不順溜，只索罷了1』

那小娘子聽了，欲待不信，又見十五貫錢堆在面前；欲待信來，他平日與我沒半句言語。大娘子又過得好，怎麼便下得這等狠心辣手？孤疑不決，只得再問道，『雖然如此，也須通知我爹娘一聲。』劉官人道，『若是通知你爹娘，此事斷然不成。你明日且到了人家，我慢慢央人與你爹娘說通，他也須怪我不得。』小娘子又問，『官人今日在何處喫酒來？』劉官人道，『便是把你典與人，寫了文書，喫他的酒纔來。』

小娘子又問，『大姐姐如何不來？』劉官人道，『他因不忍見你分離，待得你明日出了門纔來。這也是我沒計奈何，一言爲定。』說罷，暗地忍不住笑；不脫衣裳，睡在床上，不覺睡去了。

那小娘子好生擺脫不下，『不知他賣我與甚色樣人家？我須先去爹娘家裡說知。就是他明日有人來要我，尋到我家，也須有個下落。』沉吟了一會。卻把這十五貫錢一垛兒堆在劉官人腳後邊。趁他酒醉，輕輕的收拾了隨身衣服，款款的開了門出去，拽上了門，卻去左邊一個相熟的鄰舍，叫做朱三老兒家裡，與朱三媽借宿了一夜，說道，『丈夫今日無端賣我，我須先去與爹娘說知。煩你明日對他說一聲，既有了主顧，可同我丈夫至爹娘家中來討個分曉，也須有個下落。』那鄰舍道：『小娘子說得有理。你只自顧自去。我便與劉官人說知就裡。』過了一宵，小娘子作別去了不題。正是。

鰲魚脫卻金鉤去，擺尾搖頭再不回。

放下一頭。卻說這裡劉官人一覺直至三更方醒，見桌上燈猶未滅，小娘子不在身邊，只道說他還在廚下收拾家火，便喚二姐討茶吃。叫了一回，沒人答應，卻待掙扎來，酒尚未醒，不覺又睡了去。

不想卻有一個做不是的，日間賭輸了錢，沒處出豁，夜間出來掏摸些東西，卻好到劉官人門首。因是小娘子出去了，門兒拽上不關，那賊略推一推，豁地開了。捏手捏腳，直到房中，並無一人知覺。到得床前，燈火尚明，周圍看時，並無一物可取。摸到床上，見一人朝著裡床睡去，腳後卻有一堆青錢。便去取了幾貫，不想驚覺了劉官人，起來喝道，你須不盡道理！我從丈人家借辦得幾貫來養身活命，不爭你偷了我的去。卻是怎的計結！』

那人也不回話，照面一拳。劉官人側身躲過，便起身與這人相持。那人見劉官人手腳活動，便拔步出房。劉官人不捨，搶出門來，一徑趕到廚房裡，恰待聲張鄰舍，起來捉賊，那人急了，正好沒出豁，卻見明晃晃一把劈柴斧頭，正在手道，也是人極計生，被他掉起一斧，正中劉官人面門，撲地倒了。又復一斧，斫倒一邊。眼見得劉官人不活了，嗚呼哀哉，伏惟尚饗！

那人便道，『一不做，二不休，卻是你來趕我，不是我來尋你索命！』反身入房，取了十五貫錢，扯條被單包裹停當，拽扎得爽俐。出門拽上了門就走不提。

次早，鄰舍起來。見劉官人家門也不開，並無人聲息，叫道，『劉官人！失曉了！』裡面沒人答應。捱將進去，只見門也不關。直到裡面，見劉官人劈死在地，』他家大娘子兩日前已自往娘家去了；小娘子如何不見？』免不得聲張起來。

卻有昨夜小娘子借宿的鄰家朱三老兒說道，『小娘子昨夜黃昏時到我家宿歇，說道劉官人無端賣了他，他一徑先到爹娘家裡去了。教我對劉官人說：既有了主顧，可同到他爹娘家中，也討個分曉。今一面著人去追他轉來，便有下落；一面著人去報他大娘到來，再作區處。』眾人都道，『說得是。』

先著人去到王老員外家報了凶信。老員外與女兒哭起來，對那人道，『昨日好端端出門，老漢贈他十五貫錢，教他將來作本，如何便恁的被人殺了？』那去的人道，『好教員外大娘子得知，昨日劉官人歸時，已自昏黑，吃得半酣，我們都不曉得他有錢沒錢，歸遲歸早。只是今早劉官人家門兒半開，眾人推將進去，只見劉官人殺死在地；十五貫錢一文也不見；小娘子也不見蹤跡。聲張起來，卻有左鄰朱三老兒出來，說道他家小娘子昨夜黃昏時分借宿他家。小娘子說道劉官人無端把他典與人了，小娘子要對爹娘說一聲，住了一宵，今日徑自去了。如今眾人計議，一面來報大娘子與老員外；一面著人去追小娘子，若是半路裡追不著的時節，直到他爹娘家中，好歹追他轉來，問個明白。

老員外與大娘子須索去走一遭，與劉官人執命。』老員外與大娘子急急收拾起身，管待來人酒飯。三步做一步，趕入城中不提。

卻說那小娘子清早出了鄰舍人家，挨上路去，行不上一二里，早是腳疼走不動，坐在路旁。卻是一個後生，頭帶萬字頭巾，身穿直縫衫，背上馱一個搭膊，裡面卻是銅錢，腳下絲鞋淨襪，一直走上前來。到了小娘子面前，看了一看，雖然沒有十二分顏色，卻也明眉皓齒，蓮臉生春，秋波送媚，好生動人，正是：

野花偏豔目，村酒醉人多。

那後生放下搭膊，向前深深作揖；『小娘子獨行無伴，卻是往那裡去的？』小娘子還了萬福，道是；『奴家要往爹娘家去。因走不上，權歇在此。』因問；『哥哥是何處來？今要往何方去？』那後生叉手不離方寸；『小人是村裡人；因往城中賣了絲帳，討得些錢，要往褚家堂那邊去的？』小娘子道，「告哥哥則個。奴家爹娘也在褚家堂左側，若得哥哥帶挈奴家同走一程，可知是好。』那後生道；『有何不可。既如此說，小人情願伏侍小娘子前去。』兩個廝趕著，一路正行。行不到二三里田地，只見後面兩個人，腳不點地趕上前來，趕得汗流氣喘，衣服拽開，連叫；『前面小娘子慢走，我卻有話說知，』

小娘子與那後生看見趕得蹺蹊，都立住了腳。後兩個趕到跟前，見了小娘子與那後生，不容分說，一家扯了一個，說道；『你們幹得好事！卻走往那裡去？』

小娘子吃了一驚，舉眼看時，卻是兩家鄰舍。一個就是小娘子昨夜借宿的主人。小娘子便道，『昨夜也須告過公公得知，丈夫無端賣我，我自去對爹娘說知。今日趕來，卻有何說？』朱三老道，『我不管閒帳。只是你家裡有殺人公事，你須回去對理。』小娘子道：『丈夫賣我，昨日錢已馱在家中，有甚麼殺人公事？我只是不去。』朱老三道：『好自在性兒！你若眞個不去……』叫起地方；『有殺人賊在此，煩爲一捉！不然，須要連累我們，你這裡地方也不得清淨！』

那個後生見不是話頭，便對小娘子道；『既如此說，小娘子只索回去。小人自家去休。』那兩個趕來的鄰舍，齊叫起來，說道：『若是沒有你在此便罷；既然你與小娘子同行同止，你須也去不得。』那後生道：『卻又古怪！我自半路遇見小娘子，偶然伴他行一程，路途上有甚皂絲麗線，要勒掯我同去！』朱三老道：『他家有了殺人公事，不爭放你去了，卻打沒頭官司？』

當下怎容小娘子和後生做主？看的人漸漸立滿，都道：『後生！你去不得。你「日間不作虧心事，半夜敲門不吃驚」，便去何妨？』那趕來的鄰舍道：『你若不去，便是心虛；我們卻和你罷休不得。』

四個人只得廝挽著一路轉來。到得劉官人門首，好一場熱鬧！小娘子入去看時，只見劉官人斧劈倒在地死了；床上十五貫錢，分文也不見。開了口合不得，伸了舌縮不上去，那後生也慌了，便道：『我恁的晦氣！沒由來和那小娘子同走一程，卻做了干連人！』衆都和鬧著。

正在那裡分豁不開，只見王老員外和女兒一步一顛走回家去，見了女婿屍身哭了一場，便對小娘子道：『你卻如何殺了丈夫，劫了十五貫錢逃走出去？今日天理昭然，有何理說！』小娘子道：『十五貫錢委是有的。只是丈夫昨晚回來，說是無計奈何，將奴家典與他人，典得十五貫身價在此，說過今日便要奴家去到他家去。奴家因不知他典與甚色樣人家，先去與爹娘說知。故此趁夜深了，將這十五貫一垛堆兒在他腳後邊，拽上門，到朱三老家住了一宵，今早自去爹娘家裡說知。我去之時，也曾央朱三老對我丈夫說，既然有了主兒，便同到我爹娘家裡來交割。卻不知因甚麼殺死在此？』那大娘子道：『可又來！我的父親昨日明明把十五貫錢與他馱來作本，養贍妻小，他豈有哄你說是典來身價之理？這是你兩日因獨自在家，勾搭上了人；又見家中好生不濟，無心守耐；又見了十五貫錢；一時見財起意，殺死丈夫。劫了錢，又使見識往鄰舍家借宿一夜，卻與漢子通同計較，一處逃走。現今你跟著一個男子同走，卻有何理說，抵賴過得？衆人齊齊聲道：『大娘子之言甚是有理。』又對那後生道：『後生！你卻如何與小娘子謀殺親夫？卻暗暗約定在僻靜等候，一同去逃奔他，卻是如何計結？』那人道：『小人自姓崔，名甯，與那小娘子無半面之識。小人昨晚入城賣得幾貫絲錢在這裡，因路上遇見小娘子，小人偶然問起往那裡去的。卻獨自一個行走。小娘子說起是與小人同路，以此作伴同走。卻不知前後因依。』

衆人那裡肯聽他分說，搜索他搭膊中，恰好是十五貫錢，一文也不多，一文也不少。衆齊發喊來，道是：『天網恢恢，疏而不漏！你卻與小娘子殺了人，拐了錢財，盜了婦女，同往他鄉，卻連累我地方鄰里打沒頭官司！』

當下大娘子結扭了小娘子，王老員外結扭了崔甯，四鄰舍都是證見，一鬨都入臨安府中來。那府尹聽得有殺人公事，即便陞堂，便叫一干人犯逐一從頭說來。

先是王老員外上去告說：『相公在上。小人是本府村莊人氏，年近六旬，只生一女。先年嫁與本府城中劉貴爲妻；後因無子，娶了陳氏爲妾，呼爲二姐。一向三口在家過活，並無片言。只因前日是老漢生日。差人接取女兒女婿到家住了一夜，次日因見女婿家中全無活計，養贍不起，把十五貫錢與女婿本開店養身。卻有二姐在家看守，到得昨夜，女婿到家時分，不知因甚緣故，將女婿斧劈死了。二姐卻與一個後生，名喚崔甯，一同逃走。被人追捉到來。望相公可憐見老漢的女婿身死不明，奸夫淫婦，贓證見在，伏乞相公明斷！」

府尹聽得如此如此，便叫：『陳氏上來！你卻如何通同奸夫殺死了親夫，劫了錢與人一同逃走？是何理說！』二姐告道：『小婦人嫁與劉貴，雖是個小老婆，卻也得他看承得好；大娘子又賢慧；卻如何肯起這片歹心？只是昨晚丈夫回家，吃得半酣，馱了十五貫錢進門；小婦人問他來歷，丈夫說道爲因養贍不周，將小婦人典與他人，典得十五貫身價在此。又不通我爹娘得知，明日就要小婦人到他家去。小婦人慌了，連夜出門，走到鄰舍家裡借宿一宵，今早一逕先往爹娘家去。教他對丈夫說，既然賣我有了主顧，可到我爹娘家裡來交割，纔走得到半路，卻見昨夜借宿的鄰家趕來，捉住小婦人回來，卻不知丈夫殺死的根由。』

那府尹喝道：『胡說！這十五貫錢，分明是丈人與女婿的，你卻說是典你的身價，眼見的沒巴臂的說話了。況且婦人家如何黑夜行走？定是脫身之計。這樁事須不是你一個婦人家做的，一定有奸夫幫你謀財害命。你卻從實說來！』

那小娘子正待分說，只見幾家鄰舍，一齊跪上去告道：『相公的言語，委是青天！他家小娘子昨夜果然借宿在左鄰第二家的，今早他自去了。小的們見他丈夫殺死，一面著人去趕，趕到半路，卻是小娘子和那一個後生同走，苦死不肯回來。小的們勉強捉他轉來；卻又一面著人去接他大娘子與他丈人，到時，說昨日有十五貫錢付與女婿做生理的，今者女婿已死，這錢不知從何而去？再三問那小娘子時，說道他出門時，將這錢一堆兒在床上。卻來搜那後生身邊，十五貫錢分文不少。卻不是小娘子與那後生通同謀殺？贓證分明，卻如何賴得過！』

府尹聽他們言言有理，就喚那後生上來道：『帝輦之下，怎容你這等胡行！你卻如何謀了他小老婆？劫了十五貫錢，殺死他親夫？今日同往何處？從實招來！』那後生道：『小人姓崔，名甯，是鄉村人氏。昨日往城中賣了絲，賣得這十五貫錢。今早偶然路上撞著這小娘子，並不知他姓甚名誰，那裡曉得他家殺人公事？』府尹大怒，喝道：『胡說！世間不信有這等巧事！他家失去了十五貫錢，你卻賣的絲恰好也是十五貫錢！這分明是支吾的說話了。況且他妻莫愛，他馬莫騎，你既與那婦人沒甚首尾，卻如何與他同行同宿？你這等頑皮賴骨，不打如何肯招！』當下衆人將那崔甯與小娘子死去活來。拷打一頓。

那邊王老員外與女兒併一干鄰右人等，口口聲聲咬他二人，府尹也巴不得了結這段公案。拷訊一回，可憐崔甯和小娘子受刑不過，只得屈招了，說是一時見財起意，殺死親夫，劫了十五貫錢同奸夫逃走是實。左鄰右舍都指畫了十字。將兩人大枷枷了，送入死囚牢裡；將這十五貫錢給還原主。也只好奉與衙門中做使用，也還不夠哩！

府尹疊成文案，奏過朝廷。部覆申詳，頒下聖旨，說崔甯不合奸騙人妻，謀財害命，依律處斬。陳氏不合通同奸夫殺死親夫，大逆不道，凌遲示衆，當下讀了招狀，大牢內取出二人來，當廳判一個『斬』字，一個『剮』字，押赴市曹行示衆。兩人渾身是口，也難分說，正是：

啞子漫嘗黃藥味，難將苦口對人言。

看官聽說：這段公事，果然是小娘子與那崔甯謀財害命的時節，他兩人須逃走他方，怎的又去鄰舍人家借宿一宵，明早，又走到爹娘去，卻被人捉住了？這段冤枉仔細可以推詳出來。誰想問官糊塗，只圖了事；不想捶楚之下，何求不得？冥冥之中，積了陰騭，遠在兒孫近在身，他兩個冤魂也須放你不過。所以做官的不可率意斷獄，任情用刑，也要求個公平明允。道不得個死者不可復生，斷者不可復續。可勝歎哉！

閒話休題，卻說那劉大娘子到得家中，設個靈位守孝，過日，父親王老員外勸他轉身。大娘子說道，『不要說起三年之久，也須到小祥之後。』父親應允自去。

光陰迅速，大娘子在家巴巴結結，將近一年。父親見他守不過，便叫家裡老王去接他來，說，『叫大娘子收拾回家，將劉官人做了週年，轉了身去罷。』大娘子沒計奈何，細思父言，亦是有理；收拾了包裹，與老王背了，與鄰舍家作別，暫去再來。一路出城，正值秋天，一陣烏風猛雨，只得落路往一所林子去躲，不想走錯了路。正是：

豬羊走屠宰之家，一腳腳來尋死路。

走入林子裡去，只聽他林子背後大喝一聲，『我乃靜山大王在此！行人住腳。須把買路錢與我！』大娘子和那老王吃那一驚不小。只見跳出一個人來：

頭帶乾紅凹面巾，身穿一領舊戰袍，腰間紅絹搭膊裹肚，腳下蹬一雙烏皮皂靴，手舞一把朴刀前來。

那老王該死，便道，『你這翦逕的毛賊！我須是認得你！做這老性命著與你兌了罷！』一頭撞去。被他閃過空，老人家用力猛了。撲地便倒。那人大怒道，『這牛子好生無禮！』連搠一兩刀，血流在地，眼見得老王養不大了。

那劉大娘子見他兇猛，料道脫身不得；心生一計，叫做『脫空計』，拍手叫道，『殺得好！』那人便住了手，睜圓怪眼，喝道，『這是你甚麼人？』那大娘子虛心假氣的答道，『奴家不幸，喪了丈夫；卻被媒人哄誘嫁了這個老兒，只會吃飯。今日卻得大王殺了，也替奴家除了一害。』

那人見大娘子如此小心，又生得有幾分顏色，便問道，『你肯跟我做個壓寨夫人麼？』大娘子尋思，無計可施，便道，『情願伏侍大王。』

那人回嗔作喜，收拾了刀杖，將老王尸首攛入澗中；領了劉大娘子到一所莊院前來，甚是委曲。只見大王向那地上拾些土塊，抛向屋上去，裡面便有人出來開門。到得草堂之上，分付殺羊備酒，與劉大娘子成親。兩口兒且是說得著。正是：

明知不是伴，事急且相隨。

不想大王得了劉大娘子之後，不上半年，連起了幾注大財，家間也豐富了。大娘子甚是有識見，早晚用好言語勸他，『自古道：「瓦罐不離井上破，將軍難免陣上亡。」你我兩人，下半世也夠吃用了，只管做這沒天理的勾當，終須不是好結果。卻不道是「梁園雖好，不是久戀之家。」不若改行從善，做個小小經紀，也得過養身活命。』

那大王早晚被他勸轉，果然回心轉意，把這門道路撇了；卻去城市間，賃下一處房屋，開了一個雜貨店。遇閒暇的日子，也時常去寺院中念佛赴齋。忽一日在家閒坐，對那大娘子道，『我雖是個剪逕的出身，卻也曉得冤各有頭，債各有主。每日間其是嚇騙人東西，將來過日子。後來得有了你，一向不大順溜，今已改行從善，閒來追思既往，正會枉殺了兩個人，又冤陷了兩個人，時常挂念，思欲做些功德超度他們，一向不曾對你說知。』大娘子便道，『如何是枉殺了兩個人？』那大王道：『一個是你的丈夫，前日在林子裡的時節。他來撞我，我殺卻了他。他須是老人家，與我往日無仇；如今又謀了他的老婆。他死也是不肯甘心的。』大娘子道，『不恁的時，我卻那得與你廝守？這也是往事，休題了。』又問，『殺那一個又是甚人？』那大王道，『說起來這個人，一發天理上放不過去。且又帶累了兩個無辜償命！是一年前，也是賭輸了，身邊並無一文，夜間便去掏摸些東西。不想到一家門首，見他門也不閂，推進去時，裡面並無一人。摸到門裡，只見一人醉倒在床，腳後卻有一堆銅錢。便去摸他幾貫，正待要走，卻驚醒了那人。起來說道：「這是我丈人家與我做本錢的，不争你偷去了。一家人口都是餓死。」起身搶出房門，正待聲張起來，是我一時見他不是話頭，卻好一把劈斧頭在我腳邊，這叫做「人急計生」，掉起斧來，喝一聲道，「不是我，便是你！」兩斧劈倒。卻去房中將十五貫錢盡數取了。後來打聽得他卻連累了他家小老婆，與那一個後生，喚做崔甯，冤枉了他謀財害命，雙雙受了國家刑法。我雖是做了一世強人，只有這兩樁人命是天理人心打不過去的；早晚還要超度他，也是該的。』

那大娘子聽說，暗暗地叫苦，『原來我的丈夫也吃這廝殺了！又連累我家二姐與那個後生無辜受戮。思量起來，是我不合當初做弄他兩人償命。料他兩人陰司中也須放我不過。』當下權且歡天喜地，並無他說。明日捉個空，便一逕到臨安府前叫起屈來。

那時換了個新任府尹，纔得半月，正值陞廳，左右捉將那叫屈的婦人進來。劉大娘子跪倒階下，放聲大哭；哭罷，將那大王前後所爲，怎的殺了我丈夫劉貴問官不肯推詳，含糊了事，卻將二姐與那崔甯朦朧償命；後來又怎的殺了老王，奸騙了奴家，今日天理昭然，一一是他親口招承，伏乞相公高抬明鏡。昭雪前冤！說罷又哭。

府尹見他情詞可憫，即著人去捉那靜山大王到來，用刑拷訊，與大娘子口詞一些不差。即時問成死罪，奏過官裡。

待六十日限滿，頒下聖旨來：勘得靜山大王謀財害命，連累無辜，準律殺一家死罪三人者斬加等決不待時；原問官斷獄失情，削職爲民；崔甯與陳氏枉死可憐，有司訪其家，諒行優恤；王氏旣係強徒威逼成親，又能伸雪夫冤，著將賊人家產一半沒入官，一半給與王氏養贍終身。

劉大娘子當日往法場上看決了靜山大王，又取其頭去祭獻亡夫並小娘子及崔甯，大哭一場。將這半家私捨入尼姑庵中，自己朝夕看經念佛，追薦亡魂，盡老百年而終。有詩爲證：

善惡無分總喪軀，只因戲語釀災危；勸君出語須誠實，口舌從來是禍基！

這篇小說用說話人的口吻，慢慢道來，先說一件開玩笑丟官的事，再用一首詩引出本題，劉官人由老岳父手中得了十五貫叫他開否做個小生意，不想他回家卻嚇小娘子說把她賣了十五貫。小娘子出走，劉官人被偷兒所殺。小娘子獨行無伴，遇到崔甯往城中賣絲收了十五貫同行。府君問成二人死罪，凌遲示衆。原來殺死劉大官人的小偷，又做翦徑的毛賊，殺了劉大娘子的家人老王，劉大娘子只好跟了他，勸他開了間雜貨店，好生過活。爲了超度亡魂，他出劉官人之死，及小娘子與崔甯枉殺之事。劉大娘子告了臨安府，賊人終於伏法。所以這個故事又別名十五貫。

這個故事的特點是串連情節，貫通佈局的橋詩，橋詩就是溝通前後關節的詩，也可說是具有承先啓後的作用。如：

世路崎嶇實可哀，傍人笑口等閒開。
白雪本是無心物，又被狂風引出來。

狂風引出的是非，定然是異常猛烈的。又如：

鰲魚脱卻金鉤去，擺尾搖頭不回來。

不回來要往那裡去呢？讀者需要繼續讀下去。又如：

野花偏豔目，村酒醉人多。

在詩裡邊提示出一些線索，然後有：

豬羊走屠宰之家，一腳腳來尋死路。

這不是險惡萬分嗎？再看：

明知不是伴，事急且相隨。

在這之間，作者竟然插入了一些旁觀者淸的評論：

看官聽說：這段公事，果然是小娘子與那崔甯謀財害命的時節，他兩人須逃走他方，怎的又去鄰舍人家借宿一宵，明早，又走到爹娘家去，卻被人捉住了？這段冤枉仔細可以推詳出來。誰想問官糊塗，只圖了事；不想捶楚之下，何求不得？冥冥之中，積了陰隲，遠在兒孫近在身，他兩個冤魂也須放你不過。所以做官的不可率意斷獄，任情用刑，也要求公平明允。道不得個死者不可復生，斷者不可復續。可勝歎哉！

並且有詩爲證：

啞子漫嘗黃蘗味，難得苦口對人言。在終於結束了這樁冤極的命案，糊塗的命案之後，詩的結尾說：

善惡無分總喪軀，只因戲語釀災危；
勸君出語須誠實，口舌從來是禍基！

以下，我們再看另一篇作品：

馮玉梅團圓

簾捲水西樓，一曲新腔唱打油，宿雨眠雲年少夢，休謳，且盡生前酒一甌。
明日又登舟，卻指今宵是舊遊；同是他鄉淪落客，休愁，月子彎彎照幾州。

這首詞末句乃是借用吳歌成語。吳歌云：

月子彎彎照幾州，幾家歡樂幾家愁。幾家夫婦同羅帳，幾家飄散在他州！

此歌出自我宋建炎年間，述民間離亂之苦。只爲宣和失政，奸佞專權；延至靖康，金虜凌城，擄了徽欽二帝北去；康王泥馬渡江，棄了汴京，偏安一隅，改元建炎。其時，東京一路百姓。懼怕韃虜，都跟隨車駕南渡，又被虜騎追趕，兵火之際，東逃西躲，不知拆散了幾多骨肉！往往父子夫妻終不復相見。其中又有幾個散而復合的，民間把作新聞傳說。正是：

劍氣分還合，荷珠碎復圓。萬般皆下命，半點盡由天。

話說陳州有一人，姓徐，名信，自小學得一身好武藝。娶妻崔氏，頗有容色。家道豐裕，夫妻正好過活。卻被金兵入寇，二帝北遷，徐信共崔氏商議，此地安身不牢，收拾細軟家財，打做兩個包裹，夫妻各背了一個，隨著衆百姓曉夜奔走。行至虞城，只聽得背後喊聲振天，只道韃虜追來，卻原來是南朝殺敗的潰兵。只因武備久弛，軍無紀律，教他殺賊，一個個膽寒心駭，不戰自走；及至遇著平民，搶擄財帛子女，一般會揚威耀武。

徐信雖然有三分本事，那潰兵如山而至，寡不敵衆，捨命奔走，但聞四野號哭之聲，回頭不見了崔氏，亂軍中無處尋覓，只得前行。行了數日，歎了口氣，沒奈何只索罷了。行到睢陽，肚中飢渴，上一個村店，買些酒飯。原來離亂之時，店中也不比往昔，沒有酒賣了；

就是飯，也不過粗糲之物。又怕衆人搶奪，交了足錢，方纔取出來與你充飢。

徐信正在數錢，猛聽得有婦女悲泣之聲。事不關心，關心者亂。徐信且不數錢，急走出店來看，果見一婦人，單衣蓬首，露坐於地上，雖不是自己的老婆，年貌也相彷彿。徐信動了個惻隱之心，以己度人，道，『這婦人想也是遭難的。』不免上前問其來歷。婦人訴道，『奴家乃鄭州王氏，小字進奴。隨夫避兵，不意中途奔散。奴孤身被亂軍所掠，行了兩日一夜，到於此地，兩腳俱腫，寸步難移。賊徒剝取衣服，棄奴於此。衣單食缺，舉目無親，欲尋死路，故此悲泣耳。』徐信道，『我也在亂軍中並不見了妻子，正是同病相憐了！身邊幸有盤纏；娘子不若權時在這店裡住幾日，將息貴體，等在下探問荆妻消息，就便訪取尊夫。不知娘子意下如何？』婦人收淚而謝道，『如此甚好。』

徐信解開包裹，將幾件衣服與婦人穿了，同他在店中吃了些飲食，借半間房子做一塊兒安頓。徐信慇慇勤勤，每日送茶送飯。婦人感其美意，料道尋夫訪妻，也是難事；今日一鰥一寡，亦是天緣，熱情相湊，不容人不成就了。

又過數日，婦人腳不痛了，徐信和他做了一對夫妻，上路直達建康。正值高宗天子南渡即位，改元建炎，出榜招軍。徐信去充了個軍校，就於建康城中居住。

日月如流，不覺是建炎三年。一日，徐信同妻城外訪親回來，天色已晚，婦人口渴，徐信引到一個茶肆中喫茶。那肆中先有一個漢子坐下，見婦人入來，便立在一邊偷看那婦人，目不轉睛。婦人低眉下眼。那個在意。徐信甚以為怪。

少頃，喫了茶，還了茶錢出門，那漢又遠遠相隨。比及到家，那漢還站在門首，依依不去。徐信心頭火起，問道，『什麼人？如何窺覷人家的婦女？』那漢拱手謝罪道，『尊兄休怒，某有一言奉詢。』徐信忍氣尙未息，答應道，『有什麼話就講罷！』那漢道，『尊兄倘不見責，權借一步，某有實情告訴。若還嗔怪，某不敢言。』

徐信果然相隨到一個僻靜巷裡。那漢臨欲開口，又似有言之狀。徐信道，『我徐信也是個慷慨丈夫，有話不妨盡言。』那漢方纔敢問道，『適纔婦人是誰？』徐信道，『是荆妻。』那漢道，『娶過幾年了？』徐信道，『三年矣。』那漢道，『可是鄭州人，姓王，小字進奴麼？』徐信大驚道，『足下何以知？』那漢道，『此婦乃吾之妻也。因兵火失故，不意落於君手！』

徐信聞言，甚跼蹐不安，將自己虞城失妻，到睢陽村店遇見此婦始末細細述了。『當時實是憐他孤身無倚，初不曉是尊閫，如之奈何？』那漢道，『足下休疑，我已別娶渾家，舊日伉儷之盟，不必再提。但倉忙拆開，未及一言分別；倘得暫會一面，叙述悲苦，死亦無恨。』

徐信亦覺心中悽慘，說道，『大丈夫腹心相照，何處不可通情？明日在舍下相候。足下既然別娶，可攜新閫同來，做個親戚，庶於鄰里耳目不礙。』那漢歡喜拜謝。臨別，徐信問其姓名。那漢道，『吾乃鄭州劉俊卿是也。』

是夜，徐信先對王進奴述其緣由。進奴思想前夫恩義。暗暗偷淚，一夜不曾合眼。到天明，盥漱方佯，劉俊卿夫婦二人到了。徐信出門相迎，見了俊卿之妻，彼此驚駭，各各慟哭。原來俊卿之妻，卻是徐信的渾家崔氏。自虞城失散。尋丈夫不著，卻隨個老嫗同至建康。解下隨身簪珥，賃屋居住。三個月後，丈夫並無消息。老嫗說他終身不了，與他爲媒，嫁與劉俊卿。

誰知今日一雙兩對，恰恰相逢，眞個天緣湊巧！彼此各認舊日夫妻，相抱而哭。當下徐信遂與劉俊卿八拜爲交，置酒相待。至晚，將妻子兌轉，各還其舊。從此通家往來不絕。有詩爲證：

夫換妻來妻換夫，這場交易好糊塗；相逢總是天公巧，一笑燈前認故吾。

此段話題做『交互姻緣』，乃建炎三年，建康城中故事。同時又有一事，叫做『雙鏡重圓』，說來雖沒有十分奇巧，論起夫義婦節，有關風化，到還勝似幾倍。正是：

話須通俗方傳遠，語必關風始動人。

話說高宗建炎四年，關西一位官長，姓馮，名忠翊，職授福州監稅。此時七閩之地，尙然全盛。忠翊帶領家眷赴任，一來福州憑山負海，東南都會富庶之邦；二來中原多事，可以避難。於本年起程，到次年春間，打從建州經過。輿地志說建州碧水丹山，爲東閩之勝地。今日合著了古語兩句：

洛陽三月花如錦，偏我來時不遇春。

自古『兵荒』二字相連，金虜渡河，兩浙都被他殘破；閩地不遭兵火，也就見個荒年。

此乃天數。

話中單說建州飢荒，斗米千錢，民不聊生。卻爲國家正值用兵之際，糧餉要緊，官府只顧催征上供，顧不得民窮財盡。常言『巧媳婦煮不得沒米粥』，百姓既沒有錢糧交納，又被官府鞭笞逼勒，禁受不過，三三兩兩逃入山間，相聚爲盜。『蛇無頭而不行』，就有個草頭天子出來。此人姓范，名汝爲，仗義執言，救民水火。群盜從之如流，嘯聚至十餘萬，無非是：

風高放火，月黑殺人，無糧同餓，得肉均分。

官兵抵當不住，連敗數陣。范汝爲遂據了建州城，自稱元帥，分兵四路抄掠。范氏門中子弟，都受僞號，做領兵官將。汝爲族中有個姪兒，名喚范希周，年二十三歲，自小學得一件本事，能識水性，伏得水底三四晝夜，因此起個異名喚做范鰍兒。原是讀書君子，功名未就，被范汝爲所逼，凡族人不肯從他爲亂者，先斬首示衆。希周貪了性命，不得已而從之，雖在賊中，專以方便救人爲務，不做劫掠勾當，賊黨見他凡事畏縮，就他鰍兒的外號改做范盲鰍。是笑他無用的意思。

再說馮忠翊有個女兒，小名玉梅，年方二八，生得容顏淸麗，情性溫柔，隨著父母福州之任。來到這建州相近，正遇著范賊一枝游兵，劫奪行李財帛，將人口追得三零四散。馮忠翊失散了女兒，無處尋覓，嗟歎了一回，祗索赴任去了。

單說玉梅腳小伶俜，行走不動，被賊兵掠進建州城來。玉梅啼啼哭哭，范希周中途見而憐之，問其家門。玉梅自叙乃是官家之女。希周遂叱開軍士，親解其縛，留至家中，將好言撫慰，訴以衷情，『我本非反賊，被族人逼迫在此；他日受了朝廷招安，仍做良民。小娘子若不棄卑末，結爲眷屬，三生有幸。』玉梅本不願相從，落在其中，出於無奈，只得允許。

次日，希周稟知賊首范汝爲。汝爲亦甚喜。希周送玉梅於公館，擇吉納聘。希周有祖傳寶鏡，久是兩鏡合扇的，淸光照徹，可開可合，內鑄成『鴛鴦』二字，名爲『鴛鴦寶鏡』，用爲聘禮，遍請范氏宗族，花燭成婚：

一個是衣冠舊裔，一個是閥閱名姝；一個儒雅豐儀，一個溫柔性格；一個縱居賊黨，風雲之氣未衰，一個雖作囚俘，金玉之姿不改；綠林此日稱佳客，紅粉今宵配吉人。

自此夫妻和順，相敬如賓。自古道：『瓦罐不離井上破』，范汝爲造下迷天大罪，不過乘朝廷有事，力兵不及。豈期名將張所岳飛張俊張浚吳玠璘等屢敗金人，國家粗定，高宗卜鼎臨安，改元紹興。是年冬，高宗命韓蘄王韓世忠的，統領十軍十萬，前來討捕。范汝爲豈是韓公敵手？只得閉城自守。韓公築長圍以困之。原來韓公與馮忠翊先在東京有舊；今番韓公統兵征剿反敗，知馮公在福州爲監稅官，必知閩中人情士俗。其時將帥專征的，都帶有空頭勅，遇有地方人才，聽憑塡勅委用。韓公遂用馮忠翊爲軍中都提轄，同駐建州城下，指麾攻圍之事。城中日夜號哭，范汝爲幾遍要奪門而出，都被官軍殺回，勢甚危急。玉梅向丈夫說道：『妾聞『忠臣不事二君，烈女不更二夫。』妾被賊軍所掠，自誓必死；蒙君救拔，遂爲君家之婦，此身乃君之身也。大軍臨城，其勢必破，城旣破，則君乃賊人之親黨，必不能免，妾願先君而死，不忍見君之就戮也。』引床頭利劍，便欲自刎。希周慌忙抱住，奪去其刀，安慰道：『我陷在賊中，原非本意。今無計自明，玉石俱焚，已付之於命了！你是官家兒女，擄劫在此，與你何干？韓元帥部下將士，都是北人；你也是北人；言語相合，豈無鄉面之情，或有親舊相逢，宛轉聞知於令尊，骨肉團圓，尚不絕望。人命至重，豈可無益而就死地乎？』玉梅道：『妾倘有再生之日，妾誓不再嫁。便恐被軍校所擄，妾寧死於刀下，決無失節之理』。希周道：『承娘子志節自許，吾死亦瞑目。萬一爲漏網之魚，苟延殘喘，亦誓願終身不娶，以答娘子今日之心。』玉梅道：『鴛鴦寶鏡乃是君家行聘之物，妾與君共分一面，牢藏在身，他日此鏡重圓，夫妻再合。』說罷，相對而泣。這是紹興元年冬二十月內說的話。

到紹興二年春正月，韓公將建州城攻破，范汝爲情急放火自焚而死。韓公豎黃旗招安餘黨，只有范氏一門不赦。范氏宗族，一半死於亂軍之中，一半被大軍擒獲，獻俘臨安。玉梅見勢頭不好，料道希周必死，慌忙奔入一間荒屋中，解下羅帕自縊。正是：

寧爲短命全貞鬼，不作偷生失節人。

也是陽壽未終，恰好都提轄馮忠翊領兵過去，見破屋中有人自縊，急喚軍校解下，近前觀之，正是女兒玉梅。玉梅死去重甦，半晌方能言語。父女重逢，且悲且喜。玉梅將賊兵打刦，及范希周救取成親之事，述了一遍。馮提轄默然無語。

卻說韓元帥平了建州，安民已定，同馮提轄向臨安面君奏凱。天子論功行賞，自不必說。

一日，馮公與夫人商議，女兒青年無偶，終是不了之事；兩口雙雙的來勸女兒改嫁。玉梅述與丈夫交誓之言，堅意不肯。馮公又道：『好人家兒女嫁了反賊，一時無奈。天幸死了，出脫了你，你還想他怎麼？』玉梅含淚而告道：『范家郎君本是讀書君子，爲人所逼，實非得已。他雖在賊中，每行方便，不做傷天理的事；倘若天公有眼，此人必脫虎口。大海浮萍，或有相逢之日。孩兒如今情願奉道在家，侍養二親，便終身守寡，死而不怨。若必欲孩兒改嫁，不如容孩兒自盡，不失爲完節之婦。』馮公見他說出一班道理，也不去逼他了。

光陰似箭，不覺已是紹興十二年。馮公累官至都統制，領兵在封州鎭守。一日，廣州守將差指使賀承信，捧了公牒到封州將領投遞。馮公延於廳上，問其地方之事，敍話良久方去。玉梅在後堂簾中竊窺，等馮公入衙，問道：『適纔賫公牒來的何人？』馮公道：『廣州指使賀承信也。』玉梅道：『奇怪！看他言語行步，好似建州范家郎君。』馮公大笑道『建州城破，凡姓范的都不赦，只有枉死，那有枉活？廣州差官自姓賀，又是朝廷命官，並無分毫干惹。這也是你妄想了！侍妾聞知，豈不可笑？』玉梅被父親搶白了一場，滿面羞慚，不敢再說。正是：

只爲夫妻情愛重，致命父女語參差。

過了半年，賀承信又有軍牒奉差到馮公衙門。玉梅又從簾下窺視，心中懷疑不已，對父親說道『孩兒今已離塵奉道，豈復有兒女之情？但再三詳審，廣州姓賀的，酷似范郎。父親何不召至後堂，賜以酒食，從容叩之？范郎小名鰍兒。昔年在圍城中，情知必敗，有鴛鴦鏡各分一面，以爲表記。父親呼其小名，以此鏡試之，必得其眞情。』馮公應承了。

次日，賀承信又進衙領回文。馮公延至後堂，置酒相款。飲酒中間，馮公問其鄉貫出身。承信言語支吾，似有羞愧之色。馮公道：『鰍兒非足下別號乎？老夫已盡知矣，但說無妨也。』

承信求馮公屏去左右，即忙下跪，口稱死罪。馮公用手挽扶道：『不須如此。』承信方敢吐膽傾心，告訴道：『小將建州人，實姓范。建炎四年，宗人范汝爲煽誘飢民，據城爲叛，小將陷於賊中，實非得已。後因大軍來討，攻破城池，賊之宗族，盡皆誅戮。小將因平昔好行方便，有人救護，遂改姓名爲賀承信，出就招安。紹興五年，撥在岳少保部下，隨征洞庭湖賊楊么。岳家軍都是西北人，不習水戰；小將南人，幼通水性，能伏水三晝夜，所以有范鰍之號。岳少保親選小將爲前鋒，每戰當先，遂平么賊。岳少保薦小將之功，得受軍職，累任至廣州指使。十年來，未曾洩之他人。今既承鈞問，不敢隱諱。』

馮公又問道：『令孺人何姓？是結髮還是再娶？』承信道：『在賊中時，曾獲一官家女，納之爲妻。踰年城破，夫妻各分散逃走，曾相約苟存性命，夫不再娶，婦不再嫁。小將後來到信州，又尋得老母。至今母子相依，止留一粗婢炊爨，未曾娶妻。』

馮公又問道：『足下與先孺人相約時，有何爲記？』承信道：『有鴛鴦寶鏡，合之爲一，分之爲二，夫婦各留一面。』馮公道：『此鏡尚在否？』承信道：『此鏡朝夕隨身，不忍少離。』馮公道：『可借一觀。』

承信揭開衣袂，在錦裹肚繫帶上，解下一個繡囊，囊中藏著寶鏡。馮公取觀；遂於袖中亦取一鏡合之，儼如生成。

承信見二鏡符合，不覺悲泣失聲。馮公感其情義，亦不覺淚下，道：『足下所娶，即吾女也。吾女現在衙中。』遂引承信至中堂與女兒相見，各各大哭。馮公解勸了，且作慶賀筵席。是夜，即留承信於衙門歇宿。

過了數日，馮公將回文打發女婿起身；即令女兒相隨到廣州住所同居。後一年，承信任滿，將赴臨安，又領妻玉梅同過封州拜別馮公。馮公備下千金妝奩，差官護送。

承信到臨安，自諒前事年遠，無人推剝，不可使范氏無後，乃打通狀到禮部，復姓不復名，改名不改姓，改做『范承信』。後累官至兩淮留守，夫妻偕老，其鴛鴦二鏡，子孫世傳爲至寶云。

後人評論范鰍兒在逆黨中涅而不淄，好行方便，救了許多人性命。今日死裡逃生，夫妻再合。乃陰德積善之報也。有詩爲證：

十年分散天邊鳥，一旦團圓鏡裡鴛；莫道浮萍偶然事，總由陰德感皇天。

「馮玉梅團圓」也題名「范鰍兒破鏡重圓」除用詩詞串連情節外，主題仍是勸人爲善，在本篇前，先說徐進與劉俊卿二人逢金兵之亂，分別與妻子逃難，不料各各分散，又各自救了對方的妻子，事過三年又相逢，各認自己妻子而團圓。馮玉梅團圓則因范希周在賊軍中從心爲善，救了到福州任官的馮忠翊之女馮玉梅，並結爲夫婦。韓世忠破了賊軍，汝爲家傳鴛鴦寶鏡共分一面各自分散。馮玉梅尋死爲父親所救，范希周因識水性，改名賀承信爲岳少保所用，隨征水寇楊么之功任職廣州指揮使，分散十年，二人信守夫妻諾言，不曾嫁娶。承信因公到封州都統制馮忠翊官府，受邀廳上問事，爲玉梅窺見，二人因得團圓。篇末有詩評論：

十年分散天邊鳥，一旦團圓鏡裡鴛；
莫道浮萍偶然事，總由陰德感皇天。

宋代小說不僅用詩詞做情節溝通的橋樑，也用詩歌作爲一種結局的評論，這也是一大特點。以上三篇均選自京本通俗小說中。

流紅記

張　實

唐僖宗時，有儒士于祐，晚步禁衢間，於時萬物搖落，悲風素秋，頹陽西傾，羈懷增感。視御溝，浮葉續續而下。祐臨流浣手。久之，有一脫葉，差大於他葉，遠視之，若有墨跡載於其上。浮紅泛泛，遠意綿綿。祐取而視之，果有四句題於其上。其詩曰：

流水何太急，深宮盡日閑。殷勤謝紅葉，好去到人間。

祐得之，蓄於書笥，終日詠味，喜其句意新美，然莫知何人作而書於葉也。因念御溝水出禁掖，此必宮中美人所作也。祐但寶之，以爲念耳，亦時時對好事者說之。祐自此思念，精神俱耗。一日，友人見之，曰：『子何清削如此？必有故，爲吾言之。』祐曰：『吾數月來，眠食俱廢。』因以紅葉句言之。友人大笑曰：『子何愚如是他。彼書之者，無意於子。子偶得之，何置念如此。子雖思愛之勤，帝禁深宮，子雖有羽翼，莫敢往也。子之愚，又可笑也。』祐曰：『天雖高而聽卑，人苟有志，天必從人願耳。吾聞牛仙客遇無雙之事，卒得古生之奇計。但患無志耳，事固未可知也。』祐終不廢思慮，復題二句，書於紅葉上云：

曾聞葉上題紅怨，葉上題詩寄阿誰？

置御溝上流水中，俾其流入宮中。人爲笑之，亦爲好事者稱道。有贈之詩者，曰：

君恩不禁東流水，流出宮情是此溝。

祐後累舉不捷，跡頗覊倦，乃依河中貴人韓泳門館，得錢帛稍稍自給，亦無意進取。久之，韓泳召祐謂之曰：『帝禁宮人三千餘得罪，使各適人。有韓夫人者，吾同姓，久在宮。今出禁庭，來居吾舍。子今未娶，年又踰壯，困苦一身，無所成就，孤生獨處，吾甚憐汝。今韓夫人篋中不下千緡，本良家女，年纔三十，姿色甚麗。吾言之，使聘子，何如？』祐避席伏地曰：『窮困書生，寄食門下，晝飽夜溫，受賜甚久。恨無一長，不能圖報，早暮愧懼，莫知所爲。安敢復望如此。』泳令人通媒妁，且祐進羔雁，盡六禮之數，交二姓之懽。祐就吉之夕，樂甚。明日，見韓氏裝橐甚厚，姿色絕豔，祐本不敢有此望，自以爲誤入仙源，神魂飛越。旣而韓氏於祐書笥中見紅葉，大驚曰：『此吾所作之句，君何故得之？』祐以實告。韓氏復曰：『吾於水中亦得紅葉，不知何人作也。』乃開笥取之，乃祐所題之詩，相對驚歎感泣久之。曰：『事豈偶然哉？莫非前定也。』韓氏曰：『吾得葉之初，嘗有詩，今尚藏篋中。』取以示祐。詩云：

獨步天溝岸，臨流得葉時。此情誰會得，腸斷一聯詩。

聞者莫不歎異驚駭。一日，韓泳開宴召祐洎韓氏。泳曰：『子二人今日可謝媒人也。』韓氏笑答曰：『吾與祐之合，乃天也，非媒氏之力也。』泳曰：『何以言之？』韓氏索筆爲詩，曰：

一聯佳句題流水，十載幽思滿素懷。今日卻成鸞鳳友，方知紅葉是良媒。

泳曰：『吾今知天下事無偶然者也。』僖宗之幸蜀，韓泳令祐將家僮百人前導。韓以宮人得見帝，具言適祐事。帝曰：『吾亦微聞之。』召祐，笑曰：『卿乃朕門下舊客也。』祐伏地拜，謝罪。帝還西都，以從駕得官，爲神策軍虞候。韓氏生五子三女，子以力學俱有官，女配名家。韓氏治家有法度，終身爲命婦。宰相張濬作詩曰：

長安百萬戶，御水日東注。水上有紅葉，子獨得佳句。
子復題脫葉，流入宮中去。深宮千萬人，葉歸韓氏處。
出宮三千人，韓氏籍中數。回首謝君恩，淚灑胭脂雨。
寓居貴人家，方與子相遇。通媒六禮具，百歲爲夫婦。
兒女滿眼前，青紫盈門戶。茲事自古無，可以傳千古。

議曰：流水，無情也。紅葉，無情也。以無情寓無情而求有情，終爲有情者得之，復與有情緒合，信前世所未聞也。夫在天理可合，雖胡越之遠，亦可合也。天理不可，則雖比屋鄰居，不可得也。悅於得，好於求者，觀此，可以爲誡也。

「流紅記」南宋皇都風月主人編「錄窗新話」卷上題爲「韓夫人題葉成親」謂出張碩流紅記，此處說作者張實，碩與實語音相近，應是一人。「流紅記」末段有河中貴人韓泳以宮人得見僖宗，于祐得與韓氏結爲佳偶。「韓夫人題葉成親」一篇文末有技語二則：

按「雲溪友議」作舍人盧渥得紅葉娶韓氏，「北夢瑣言」又作進士李茵，三說不同。「侍兒小名錄補遺」載王鳳兒事，亦與此同，疑本一事，而所得或異耳。

又按，「本事詩」：『顧況在洛，乘間與一二詩友游苑中，流水上得大梧葉，題詩云：「一入深宮裡，年年不見春，聊題一片葉，寄與有情人。」』況明日於上流亦題云：「愁見鶯啼柳絮飛，上陽宮女斷腸詩，君王不禁東流水，葉上題詩寄與誰？」後十餘日，有客來苑中，又於葉上得詩，以示況曰：「一葉題詩出禁城，誰人酬和獨含情，自嗟不及波中葉，蕩漾乘春取次行。」』

「流紅記」以紅葉題詩爲姻謀，也是千古以來的佳話。但以「去國三千里，深宮二十年，一聲河滿子，雙淚落君前」。相與比較，則幸與不幸，又何可以道理計。此篇是宋傳奇小說中，最令人稱奇的美談。

梅妃傳

佚名

「梅妃傳」作者佚名，其內容則以悽艷見長，對梅妃的自尊自重的人格，亦有相當深入的描寫，其中梅妃之詩；

見於顧氏文房小說及說郛三十八卷中，唐人說薈載之，題爲曹鄴撰，實係妄托也。

梅妃姓江氏，莆田人。父仲遜，世爲醫。妃年九歲，能誦二南；語父曰『我雖女子，期以此爲志。』父奇之，名曰采蘋。開元中，高力士使閩粤，妃笄矣。見其少麗，選歸侍明皇，大見寵幸。長安大內，大明，興慶，三宮，東都大內，上陽兩宮，幾四萬人。自得妃，視如塵土。宮中亦自以爲不及。妃善屬文，自比謝女。淡妝雅服，而姿態明秀，筆不可描畫。性喜梅，以居闌檻，悉植數株。上榜曰梅亭。梅開賦賞，至夜分尙顧戀花下不能去。上以其所好。戲名曰梅妃。妃有蕭、蘭、梨園，梅花，鳳笛，玻盃，剪刀，綺窗八賦。是時承平歲久，海內無事。上於兄弟間極友愛。日從燕閒，必妃侍側。上命破橙往賜諸王。至漢邸潛以止躡妃履，登時退閣。上命連宣。報言適履珠脫綴，綴竟當來。久之，上親往命妃。妃拽衣迓上，言胸腹疾作，不果前也。卒不至。其恃寵如此。後上與妃鬬茶，顧諸王戲曰：『此梅精也。賜白玉笛，作驚鴻舞，一座光輝。鬬茶今又勝我矣。』妃應聲曰：『草木之戲。誤勝陛下。設使調和四海，烹飪鼎鼐，萬乘自有心法，賤妾何能較勝負也。』上大悅。會太眞楊氏之侍。寵愛日奪，上無疏意。而二人相疾，避路而行。上嘗方之英皇；議者謂廣狹不類，竊笑之。太眞忌而智。妃性柔緩亡以勝。後竟爲楊氏遷於上陽東宮，後上憶妃，夜遣小黃門滅燭，密以戲馬召至翠華西閣敘舊愛，悲不自勝。繼而上失寤，侍御驚報曰：『妃子已屆閣前，當奈何？』上披衣抱妃藏夾幙間。太眞既至，問：『梅精安在？』上曰：『在東宮。』太眞曰：『乞宣至。今日同浴溫泉。』上曰：『此女已放屛，無並往也。』太眞語益堅，上顧左右不答。太眞大怒曰：『肴核狼藉，御榻下有婦人遺舄。夜來何人侍陛下寢，懽醉至於日出不視朝？陛下可出見群臣，妾止此閣以俟駕回。』上愧甚，拽衾向屛復寢曰：『今日有疾，不可臨朝。』太眞怒甚，徑歸私第。上頃覓妃所在，已爲小黃門送令步歸東宮。上怒斬之，遺舄並翠鈿，命封賜妃。謂使者曰：『上棄我之深乎？』使曰：『上非棄妃，誠恐太眞無情耳。』妃笑曰：『恐憐我則動肥婢情，豈非棄也。』妃以千金壽高力士，求詞人擬司馬相如爲長門賦，欲邀上意。力士方奉太眞，且畏其勢，報曰：『無人解賦。』妃乃自作樓東賦，略曰：

　　玉鑑塵生，鳳奩春殄。懶蟬鬢之巧梳，閑樓衣之輕練，苦寞寂於蕙宮，但凝思乎蘭殿。信摽落之梅花，隔長門而不見。況乃花心颺恨，柳眼弄愁，煖風習習，春鳥啾啾。樓上黃昏兮，聽鳳吹而回首。碧靜日暮兮，對素月而凝眸。溫泉不到，憶拾翠之舊遊。長門深閉，嗟青鸞之信修。憶太液清波，水光蕩浮，笙歌賞燕，陪從宸旒，奏舞鸞之妙曲，乘畫鷁之仙舟，君情繾綣，深致綢繆，誓山海而常在，似日月而無休。奈何嫉色庸庸，妒氣沖沖，奪我之愛幸，斥我乎幽宮。思舊歡之莫得，想夢者乎朦朧。度花朝與月夕，羞懶對乎春風。欲相如之奏賦，奈世才之不工。屬愁吟之未盡，已響動乎疏鐘。空長嘆而掩袂，躊躇步於樓東。

太眞聞之，訴明皇曰：『江妃庸賤，以庾詞宣言怨望，願賜死。』上默然。會嶺表使歸，妃問左右：『何處驛使來，非梅使耶？』對曰：『庶邦貢楊妃果實使來。』妃悲咽泣下。上在花萼樓，會夷使至，命封珍珠一斛密賜妃。妃不受，以詩付使者曰：『爲我進御前也』詞曰：

柳葉雙眉久不描，殘妝和淚污紅綃。長門自是無梳洗，何必珍珠慰寂廖！

上覽詩，悵然不樂。令樂府以新聲度之，號一斛珠，曲名始此也。後祿山犯闕，上西幸，太眞死。及東歸，尋妃所在不可得。上悲，謂兵火之後，流落他處。詔有得之，官三秩，錢萬貫。搜訪不知所在。上又命方士飛神御氣，潛經天地，亦不可得。有宦者進其畫眞，上言似甚，但不活耳。詩題於上曰：

憶昔嬌妃在紫宸，鉛華不御得天眞。霜綃雖似當時態，爭奈嬌波不顧人。讀之泣下。命模像刊石後。上暑月晝寢，髣髴見妃隔竹間泣，含涕障袂，如花朦霧露狀。妃曰：『昔陛下蒙塵，妾殺亂兵之手。哀妾者，埋骨池東梅株傍。』上駭然流汗而寤，登時令往太液池發視不獲。上益不樂。忽寤溫泉湯池側有梅十餘株，豈在是乎？上自命駕令發視，纔數株，得屍，裹以錦裀，盛以酒槽，附土三尺許。上大慟，左右莫能仰視，視其所傷，脅下有刀痕。上自製文誄之，以妃禮易葬焉。

柳葉雙眉久不描，殘妝和淚污紅綃；
長門自是無梳洗，何必珍珠慰寂寥。

此詩德國大文豪歌德特別喜愛，曾就其意翻譯成德文，並稱許不致。文見王志健著「文學論」一書（正中書局版）

快嘴李翠蓮記

本篇選自「清平山堂話束」，此係明嘉靖時洪輯印，原藏日本文庫，民國十八年才回國影印留傳。內僅殘存十五篇，「快嘴李翠蓮記」把一個「得理不讓人」，胸中自有主張的李翠蓮描寫的活龍活現，較連珠相聲更爲有趣。入話：

出口成章不可輕，開言作對動人情；
雖無子路才能智，單取人前一笑聲。

此四句單道昔日東京有一員外，姓張，名俊，家中頗有金銀。所生二子，長曰張虎，次曰張狼。大子已有妻室，次子尚未婚配。本處有個李吉員外，所生一女，小字翠蓮，年方二八，姿容出衆，女紅針黹，書史百家，無所不通，只是口嘴快些。凡向人前說成篇，道成溜，問一答十，問十道百。有詩爲証：

問一答十古來難，問十答百豈非凡。
能言快語眞奇異，莫作尋常當等閑。

話說本地有一王媽媽，與二邊說合，門當戶對，結爲姻眷，選擇吉日良時娶親。三日前，李員外與媽媽論議道：「女兒諸般好了，只是口快，我和你放心不下，打緊他公公難理會，不比等閒的，婆婆又兜答，人家又大，伯伯、姆姆手下許多人。如何是好？」婆婆道：「我和你也須吩咐他一場。」只見翠蓮走到爹媽面前，觀見二親滿面憂愁，雙眉不展，就道：

「爺是天，娘是地，今朝與兒成婚配。男成雙，女成對，大家歡喜要吉利。人人說道好女婿：有財有寶又豪貴，又聰明，又伶俐，雙六象棋通六藝；吟得詩，做得對，經商買賣諸般會。這門女婿要如何，愁得苦水兒滴滴地？」

員外與媽媽聽翠蓮說罷，大怒曰：「因爲你口快如刀，怕到人家多言多語，失了禮節，公婆人人不歡喜，被人笑恥，在此不樂。叫你出來，吩咐你少則聲，顛倒說出一篇來，這個苦恁的好！」翠蓮道：

「爺開懷，娘放意。哥歡心，嫂莫慮。女兒不是誇伶俐，從小生得有志氣。紡得紗，績得苧，能裁能補能繡刺。做得粗，整得細，三茶六飯一時備。推得磨、搗得碓，受得辛苦吃得累。燒賣匾食有何難，三湯兩割我也會。到晚來，能仔細，大門關了小門閉；刷淨鍋兒掩廚櫃，前後收拾自用意。鋪了床，伸開被，點上燈，請婆睡，叫聲『安置』進房內。如此伏待二公婆，他家有甚不歡喜？爹娘且請放心寬，捨此之外直個屁！」

翠蓮說罷，員外便起身去打。媽媽勸住，叫道：「孩兒，爹娘只因你口快了愁，今番只是少說些。古人云：『多言衆所忌。』到人家只是謹愼言語，千萬記著！」翠蓮曰：「曉得。如今只閉著口兒罷。」媽媽道：『阿壁張大公是老鄰舍，從小兒看你大，你可過去作別一聲。」員外道：「也是。」翠蓮便走將過去，進得門檻，高聲便道：

「張公道，張婆道，兩個老的聽稟告：明日寅時我上轎，今朝特來說知道。年老爹娘無倚靠，早起晚些望顧照。哥嫂倘有失禮處，父母分上休計較。待我滿月回門來，親自上門叫聒噪。」

張大公道：「小娘子放心，令尊與我是老兄弟，當得早晚照管；令堂亦當著老妻過去陪伴。不須掛意。」作別回家。員外與媽媽道：「我兒，可收拾早睡休，明日須半夜起來打點。」翠蓮便道：

「爹先睡，娘先睡，爹娘不比我班輩。哥哥嫂嫂相傍我，前後收拾自理會。後生家熬夜有精神，老心家熬了打盹睡。」

翠蓮道罷，爹媽大惱，曰：「罷，罷！說你不改了。我兩口自去睡也。你與哥嫂自收拾，早睡早起。」翠蓮見爹媽睡了，連忙走到哥嫂房門口高叫：

「哥哥嫂嫂休推醉，思時你們忒沒意。我是你親妹妹，止有今晚在家中，虧你兩口下著得，諸般事兒都不理，關上房門便要睡。嫂嫂你好不賢惠，我在家，不多時，相幫做些道怎地？巴不得打發我出門，你們兩口得零利。」

翠蓮道罷，做哥哥的便道：「你怎生還是這等的？有父母在前，我不好說你。你自先去安歇，明日早起，凡百事我自和嫂嫂收拾打點。」翠蓮進房去睡。兄嫂二人，無多時前後收拾停當，一家都安歇了。

員外媽媽，一覺睡醒，便喚翠蓮問道：「我兒，不知甚麼時節了？不知天晴天雨？」翠蓮便道：

「爹慢起，娘慢起，不知天晴是下雨。更不聞，雞不言，街坊寂靜無人語。只聽得隔壁白嫂起來磨豆腐，對門黃公舂糕米，若非四更時，便是五更矣。且待奴家先起，燒火劈柴打下水，且把鍋兒刷洗起，燒些臉湯洗一洗，梳個頭兒光光地。大家也是早起些，娶親的若來慌了腿。」

員外媽媽幷哥嫂一齊起來，大怒曰：「這早間東方將亮了，還不梳妝完，尚兀了調嘴弄舌！」翠蓮又道：

「爹休罵，娘休罵，看我房中巧妝畫。鋪兩鬢，黑似鴉，調和脂粉把臉搽。點朱唇，將眉畫，一對金環墜耳下。金銀珠翠插滿頭，寶石禁步身邊掛。今日你們將我嫁，想起爹娘撇不下；細思乳哺養育恩，淚珠兒滴濕了香羅帕。猛聽得外面人說話，不由我不心中怕；今朝是個好日頭，只管都嚕都嚕說甚麼！」

翠蓮道罷，妝辦停當，直來到父母跟前，說道：

「爹拜稟，娘拜稟，蒸了饅頭索了粉，尊盒餚饌件件整。收拾停當慢慢等，看看打得五更緊。我家雞兒叫得準，送親從頭再去請。姨娘不來不打緊，舅母不來不打緊。可耐姑娘沒道理，說的話兒不準。昨日許我五更栈，今朝雞鳴不見影。歇歇進門沒得說，賞他個漏風的巴掌當邀請。」

員外與媽媽敢怒而不敢言。媽媽道：「我兒，你去叫你哥嫂及早起來，前後打點。娶親的將次來了。」翠蓮見說，慌忙走去哥嫂房門口前，叫曰：

「哥哥嫂嫂你不小，我今在家時候少。算來也用起個早，如何睡到天大曉？前後門窗須開了，點些蠟燭香花草。裡外地下掃一掃，娶親轎子將來了。誤了時辰公婆惱，你兩口兒討分曉。」

哥嫂兩個忍氣吞聲，前後俱收拾停當。員外道：「我兒，家堂并祖宗面前，可去拜一拜，作別一聲。我已點下香燭了，趁娶親的未來，保你過門平安！」翠蓮見說，拿了一炷，走到家堂面前，一邊拜，一邊道：

「家堂一家之主，祖宗滿門先賢：今朝我嫁，未敢自專。四時八節，不斷香煙。告知神聖，萬造垂憐！男婚女嫁，理之自然。有吉有慶，夫婦雙全。無災無難，永保百年。如魚似水，勝蜜糖甜。五男二女，七子團圓。二個女婿，答禮通賢。五房媳婦，孝順無邊。孫男孫女，代代相傳。金珠無數，米麥成倉，蠶桑茂盛、牛馬挂肩，雞鵝鴨鳥，滿蕩魚鮮。丈夫懼怕，公婆愛憐，妯娌和氣，伯叔忻然，奴僕敬重，小姑有緣。不上三年之內，死得一家乾淨，家財都是我掌管，那時翠蓮快活幾年。」

翠蓮祝罷，只聽得門前鼓樂喧天，笙歌聒耳 娶親車馬，來到門首，張宅先生念詩曰：

「高捲珠簾掛玉鈎，香車寶馬到門頭。
花紅利市多多賞，富貴榮華過百秋。」

李員外便叫媽媽將鈔來，賞賜先生和媒媽媽，并車馬一干人。只見媽媽拿出鈔來，翠蓮接過手，便道：「等我分！

爹不慣，娘不慣，哥哥嫂嫂也不慣。衆人都來面前站，合多合少等我散。抬轎的合五貫，先生媒人兩貫半。收好些，休嚷亂，掉下了時休埋怨！這裡多得一貫文，與你這媒人婆買個燒餅，到家哄你呆老漢。」

先生與轎夫一干人聽了，無不吃驚，曰：「我們見千見萬，不曾見這樣口快的。」大家張口吐舌，忍氣吞聲，簇擁翠蓮上轎。

一路上，媒媽媽吩咐：「小娘子，你到公婆門首，千萬不要開口！」不多時，車馬一到張家前門，歇下轎子，先生念詩曰：

「鼓樂喧天響汴州，今朝織女配牽牛。
本宅親人來接寶，添紅含飯古來留。」

且說媒人婆拿著一婉飯，叫道：「小娘子，開口接飯。」只見翠蓮在轎中大怒，便道：

「老潑狗，老潑狗，教我閉口又開口。正是媒人之口無量斗，怎當你沒的翻做有。你又不曾吃早酒，嚼舌爵黃胡張口。方才跟著轎子走，吩咐教我休開口。甫能住轎到門首，如何又叫我開口？莫怪我今罵得醜，眞是白面老母狗！」

先生道：「新娘子息怒，他是個媒人，出言不可大甚，自古新人無有此等道理！」翠蓮便道：

「先生你是讀書人，如何這等不聰明？當言：「言謂之訥，信這虔婆弄死人。說我婆家多富貴，有財有寶有金銀，殺牛宰馬做茶飯，蘇木檀香做大門，綾羅緞疋無算數，豬羊牛馬趕成群。當門與我冷飯吃，這等富貴不如貧。可耐伊家忒恁村，冷飯將來與我吞。若不著看公婆面，打得你眼裡鬼火生。」

翠蓮說罷，惱得那媒婆一點酒也沒，一道煙先進去了，也不管他下轎，也不管他拜堂。本宅衆親簇擁新人到了堂前，朝西立定。先生曰：「請新人轉身向東，今日福祿喜神在東。」翠蓮便道：

「才向西來又向東，休將新婦便牽籠。轉來轉去無定相，惱得心頭火氣沖。不知那個是媽媽？不知那個是公公？諸親九眷鬧叢叢，姑娘小叔亂哄哄。紅紙牌兒在當中，點著幾對滿堂紅。我家公婆又未死，如何點盞隨身燈？」

張員外與媽媽聽得大怒，曰：「當初只說娶口良善人家女子，誰想娶這個沒規矩、沒家法、長舌頑皮村婦！」諸親九眷面面相覷，無不失驚。先生曰：「人家孩兒在家中慣了，今日初來，須慢慢的調理他；且請拜香案，拜諸親。」合家大小俱相見畢。先生念詩賦，請新人入房，坐床撒帳：

「新人挪步過高堂；神女仙郎入洞房。

花紅利市多多賞；五方撒帳盛陰陽。」

張狼在前，翠蓮在後，先生拿起五穀，隨進房中。新人坐床，先生拿起五穀，念道：

「撒帳東；帘幕深圍燭影紅。佳氣鬱蔥長不散，畫堂日日是春風。

撒帳西，錦帶流蘇四角垂。揭開便見嫦娥面，輸卻仙郎捉帶枝。

撒帳南，好合情懷樂且耽。涼月好風庭户爽，雙雙繡帶佩宜男。

撒帳北，津津一點眉間色。芙蓉帳暖度春宵，月娥苦邀蟾宮客。

撒帳上，交頸鴛鴦成兩兩。從今好夢叶維熊，行見蠙珠來入掌。

撒帳中，一雙月裡玉芙蓉。恍若今宵遇神女，紅雲簇擁下巫峰。

撒帳下，見說黃金光照社。今宵吉夢便相隨，來歲生男定聲價。

撒帳前，沉沉非霧亦非煙。香裡金虬相隱映，文簫今遇彩鸞仙。

撒帳後，夫婦和諧長保守。從來夫唱婦相隨，莫作河東獅子吼。

說那先生撒帳未完，只見翠蓮跳起身來，摸著一條麵杖，將先生夾腰兩麵杖，便罵道：

「你娘的臭屁！你家老婆便是河東獅子！」一頓直趕出房門外去，道：

「撒甚帳？撒甚帳？東邊撒了西邊樣。荳兒米麥滿床上，仔細思量像甚樣！公婆性兒又莽撞，只道新婦不打當。丈夫若是假乖張，又道娘好垃圾相。你可急急走出門，饒你幾下捍麵杖。」

那先生被打，自出門去了。張狼大怒，曰：「千不幸，萬不幸，娶了這個村姑兒！撒帳之事，古來有之。」翠蓮便道：

「丈夫丈夫你休氣，聽奴說得是不是，多想那人沒好氣，故將荳麥撒滿地。到不叫人掃出去，反說奴家不賢惠。若還惱了我心兒，連你一頓趕出去。閉了門，獨自睡，晏起早眠隨心意。阿彌陀佛念幾聲，耳伴清寧倒伶利。」

張狼也無可奈何，只得出去參筵勸酒。

至晚席散，衆親都去了。翠蓮坐在房中，自思道：「少刻丈夫進房來，必定手之舞之的，我須做個準備。」起身除了首飾，脫了衣服，上得床，將一條綿被裹得緊緊地，自睡了。

且說張狼，進得房就脫衣服，正要上床，被翠蓮喝一聲，便道：

「堪笑喬才你好差，端的是個野莊家。你是男兒我是女，爾自爾來咱自咱。你道我是你媳婦，莫言就是你渾家。那個媒人那個主？行甚麼財禮下甚麼茶？多少豬羊雞鵝酒？甚麼花紅到我家？多少寶石金頭面？幾疋綾羅幾疋紗？鐲纏冠釵有幾副？將甚插戴我奴家？黃昏半夜三更鼓，來我床前做甚麼？及早出去連忙走，休要惱了我們家。若是惱咱性兒起，揪住耳朵采頭髮，扯破了衣裳抓碎了臉，漏風的巴掌順臉括，扯碎了網巾你休要怪，擒了四鬢怨不得咱。這裡不是煙花巷，又不是小娘兒家，不管三七二十一，我一頓拳頭打得你滿地呱。」

那長狼見妻子說這一篇，并不敢近前，聲也不則，遠遠地坐在半邊。將近三更時分，且說翠蓮自思：「我今嫁了他家，活是他家人，死是他家鬼，今晚若不與丈夫同睡，明日公婆若知，必然要怪。罷，罷，叫他上床睡罷。」便道：

「癡喬才，休推醉，過來與你一床睡。近前來，吩咐你，叉手跕著莫弄嘴。除網巾，摘帽子，靴襪布衫收拾起。關了門，下幔子，添些油在晏燈裡，上床來，悄悄地，同效鴛鴦偕連理。休則聲，慎言語，雨散雲消腳後睡。束著腳，拳著腿，合著眼兒閉著嘴。若還碰著我些兒，那時你就是個死。」

說那張狼，果然一夜不敢則聲。

睡至天明，婆婆叫言：「張狼，你可教娘子早起些梳妝，外面收拾。」翠蓮便道：

「不要慌，不要忙，等我換了舊衣裳。菜自菜，薑自薑，各樣果子各樣妝；肉自肉，羊自羊，莫把鮮魚攪白腸；酒自酒，湯自湯，醃雞不畏混臘獐。日下天色且是涼，便放五日也不妨。待我留些整齊的，三朝點茶請姨娘，總然親戚吃不了，剩與公婆慢慢噇。」

婆婆聽得，半晌無言，欲待要罵，恐怕人知笑話，只得忍氣吞聲。耐到第三日，親家母來完飯。兩親相見畢，婆婆耐不過，從頭將打先生、罵媒人、觸夫主、毀公婆，一一告訴一遍。李媽媽聽得，羞慚無地，徑到女兒房中，對翠蓮道：「你在家中，我怎生吩咐你來？教你到人家，休要多言多語，全不聽我。今朝方才三日光景，適間婆婆說你許多不是，使我惶恐千萬，無言可笑。」翠蓮道：

「母親你且休吵鬧，聽我一一細稟告。女兒不是村天樂，有些話你不知道。三日媳婦要上灶，說起之時被人笑，兩婉稀粥把鹽醮，吃飯無茶將水泡。今日親家初走到，就把話兒來訴告，不問青紅與白皂，一迷將奴胡廝鬧。婆婆性兒忒急躁，說的話兒不大妙。我的心性也不弱，不要著了我圈套。尋條繩兒只一吊，這條性命問他要！」

媽媽見說，又不好罵得，茶也不吃，酒也不嘗，別了親家，上轎回家去了。

再說張虎，在家叫道：「成甚人家！當初只說娶個良善女子，不想討了個五量店中過賣來家，終朝四言八句，弄嘴弄舌，成何以看！」翠蓮聞說，便道：

「大伯說話不知禮，我又不曾惹著你。頂天立地男子漢，罵我是個過賣嘴。」

張虎便叫張狼道：「你不聞古人云：『教婦初來。』雖然不致乎打他，也須早晚訓誨，再不然，去告訴他那老虔婆知道。」翠蓮就道：

「阿伯三個鼻子管，不曾捻著你的椀。媳婦雖是話兒多，自有丈夫與婆婆。親家不曾惹著你，如何罵他老虔婆？等我滿月回門去，到家告訴我哥哥。我哥性兒烈如火，那時教你認得我。巴掌拳頭一齊上，著你旱地烏龜沒處躲！」

張虎聽了大怒，就去扯住張狼要打。只見張虎的妻施氏跑將出來道：「各人妻子各自管，干你甚事！自古道：『好鞋不踏臭糞！』」翠蓮便道：

「姆姆休得要惹禍，這樣為人做不過。謹自伯伯和我嚷，你又走來添些言。自古妻賢夫禍少，做出事比天來大。快快夾了裡面去，窩風所在坐一坐。阿姆我又不惹你，如何將我比臭污？左右百歲也要死，和你兩個做一做。我若有些長和短，閻羅殿前也不放過！」

女兒聽得，來到母親房中，說道：「你是婆婆，如何不管！儘著他放潑，像甚模樣？被人家笑話。」翠蓮見姑娘與婆婆說，就道：

「小姑你好不賢良，便去房中唆調娘。若是婆婆打殺我，活捉你去見閻王！我爺平素性兒強，不和你們善商量，和尚道士一百個，七日七夜做道場。沙板棺材羅木底，公婆與我燒錢狀，拿著銀子無處使。認你家財萬萬貫，弄得你錢也無來人也死！」

張媽媽聽得，走出來道：「早是你才來得三日的媳婦，若做了二三年媳婦，我一家大小俱不要開口了！」翠蓮便道：

「婆婆休得要水性，做大不尊小不敬。小姑不要忒僥倖，母親面前少言論。訾些輕事來重報，老蠢聽得便就信。言三語四把吾傷，說的話兒不中聽。我若有些長知短，不怕婆婆不償命！」

媽媽聽了，徑到房中，對員外道：「你看那新媳婦，口快如刀，一家大小，逐個個都傷過。你是個阿公，便叫將出來，說他幾句，怕甚麼。」員外道：「我是他公公，怎麼好說他？也罷，待我問他討茶吃且看怎的。」媽媽道：「他見你，一定不敢調嘴。」只見員外吩咐「交張狼娘子燒中茶吃。」那翠蓮聽得公公討茶，慌忙走到廚下，刷洗鍋兒，煎滾了茶，復到房中，打點各樣果子，泡了一盤茶，托至堂前，擺下椅子，走到公婆面前道：「請公公、婆婆堂前吃茶。」又到姆姆房中道：「請伯伯、姆姆堂前吃茶。」員外道：「你們只說新媳婦口快，如今我喚他，卻怎地又不敢說甚麼？」媽媽道：「這般只是你使喚他便了。」

少刻，一家兒俱到堂前，分大小坐下，只見翠蓮捧著一盆茶，口中道：

「公吃茶，婆吃茶，伯伯，姆姆來吃茶。姑娘、小叔若要吃，灶上兩婉自去拿，兩個拿著慢慢走，泡了手時哭喳喳。此茶喚做阿婆茶，名實雖村趣味佳。兩個初煨黃栗子，半抄新炒白芝麻。江南橄欖連皮核，塞北胡桃去殼柤。二位大人慢慢吃，休得壞了你門牙。」

員外見說大怒，曰『女人家須要溫柔穩重，說話安詳，方是做媳婦的道理。那曾見這樣長舌婦人！」翠蓮應曰：

「公是大，婆是大，伯伯、姆姆且坐下。兩個老的休得罵，且聽媳婦來稟話：你兒媳婦也不村，你兒媳婦也不詐。從小生來性剛直，話兒說了必無掛。公婆不必苦憎嫌，十分不然休了罷。也不愁，也不怕，搭搭鳳子回去罷。也不招，也不嫁，不搽胭粉不妝畫。上下穿件縞素衣，侍奉雙親過了罷。記得幾個古賢人：張良、蒯文通說話，陸賈、蕭何快調文，子建、楊修也不亞，張儀、蘇秦說六國，吳晏、管仲說五霸，六計陳平、李左車，十二甘羅并子夏，這些古人能說話，齊家治國平天下。公公要奴不說話，將我口兒縫住罷！」

張員外道：「罷罷，這樣媳婦，久後必被敗壞門風，玷辱上祖！」便叫張狼曰：「孩兒，你將妻子休了罷！我別替你娶一個好的。」張狼口雖應承，心有不捨之意。張虎并妻俱勸員外道：「且從容教訓。」翠蓮聽得，便曰：

「公休怨，婆休怨，伯伯、姆姆都休勸，丈夫不必苦留戀，大家各自尋方便。快將紙墨和筆硯，寫了休書隨我便。不曾毆公婆、不曾罵親眷，不曾欺丈夫、不曾打良善，不曾走東家，不曾西鄰串，不曾偷人財，不曾被人騙，不曾說張三，不與李四亂，不盜不妬與不淫；身無惡疾能書算，親操井臼與庖廚，紡織桑麻拈針線。今朝隨你寫休寫，搬去妝奩莫要怨。手印縫中七個字：『永不相逢不見面』。恩愛絕，情意斷，多寫幾個弘誓願。鬼門關上若相逢，別轉了臉兒不廝見。」

張狼因父母做主，只得含淚寫了休書，兩邊搭了手印。隨即討乘轎子，交人抬了嫁妝，將翠蓮幷休書，送至李員外家。

父母幷兄嫂，都埋怨翠蓮嘴快的不是。翠蓮道：

「爹休嚷，娘休嚷，哥哥嫂嫂也休嚷。奴奴不是自誇獎，從小生來志氣廣。今日離了他門兒，是非曲直俱體講。不是奴家牙齒癢，挑描刺繡能織紡，大裁小剪我都會，漿洗縫聯不說謊，劈柴挑水與庖廚，就有蠶兒也會養。我今年小正當時，眼明手快精神爽。若有閒人把眼觀，就是巴掌臉上響。」

李員外和媽媽道：「罷罷，我兩口也老了，管你不得，只怕有些一差誤，被人恥笑，可憐，可憐！」翠蓮便道：

「孩兒生得命裡孤，嫁了無知丈夫。公婆利害猶自可，怎當姆姆與姑姑。我若略略開得口，便去搬唆與舅姑。且是罵人不吐核，動腳動手便來口。生出許多情切話，就寫離書休了奴。止望闔家圖自在，豈料爹娘也怪吾。夫家娘家著不得，剃了頭髮做師姑。身披直掇褂葫蘆，手中拿個大木魚。白口沿門化飯吃，黃昏寺裡念佛祖，念南無，吃齋把素用工夫。頭兒剃得光光地，那個不叫一聲小師姑。」

說罷，卸了濃妝，換了一套綿布衣服，向父母前合掌閟信拜別，轉身向哥嫂也別了。哥嫂曰：「你既要出家，我二人送你到前街明音寺去。」翠蓮便道：

「哥嫂休送我自去，去了你們得伶俐。曾見古人說得好：「此處不留有留處」。離了俗家門，便把頭來剃。是處便爲家，何但明音寺。散澹又消遙，卻不倒伶俐！」

不戀榮華富貴，一心情願出家。
身披領錦袈裟，常把數珠懸掛。
每月持齋把素，終朝酌水獻花。
縱然不做得菩薩，修得個小佛兒也罷。